送給：＿＿＿＿＿＿＿＿＿

要擴張你帳幕之地，

張大你居所的幔子，

不要限止；

要放長你的繩子，

堅固你的橛子。

因為你要向左向右開展；

你的後裔必得多國為業，

又使荒涼的城邑有人居住。

(以賽亞書五十四章2-3節)

＿＿＿＿＿＿＿＿＿ 敬贈

活出美好

Your Best Life Now

約爾 歐斯汀 *Joel Osteen* / 著　林素津、程珮然 / 譯

獻　詞

　　此書獻給我的父親，約翰·歐斯汀(1921-1999)。父親的正直、謙遜、無私的愛，以及他對人的關懷，在我的生命中留下永難磨滅的記憶。我將永久感激他的美好典範。

　　給我的妻子維多利亞。你是我夢寐以求的女性和一生的摯友，你每天都令我驚奇。我要將這本書和我的生命奉獻給你！當上帝將你賜給我的時候，祂給了我最為美好的。你無條件的愛與永遠的熱情造就了今天的我。我愛你！

　　給強納生和雅麗珊卓。你們是我最寶貝的兩個珍寶，你們帶給我的喜樂超乎想像的多而又多！作為你們的父親是我最大的收穫。

　　還要獻給所有湖木教會的弟兄姊妹，因你們的愛、忠誠、支持與熱情是那樣的獨一無二。我承諾要致力幫助大家活出最美好的生活，而最棒的日子就在眼前！

致　謝

　　一本書的完成，就好像要建一棟房子一樣，需要有一個偉大的團隊運作才能使它成型。我要向下列人士表達我個人的誠摯謝意：

　　肯恩‧亞伯拉罕(Ken Abraham)──若沒有你的專業，這本書無法完成。謝謝你鼓勵我，「讓我的誠心躍然紙上」。

　　鄧肯‧寶茲(Duncan Dodds)──「偉大的推波助瀾者」：感謝你把我們所有人聚集在一起，並讓我們看見全世界的人都是我們的讀者。

　　時代華納圖書集團旗下的子公司華納宗教出版的羅夫‧傑特斯敦(Rolf Zettersten)、與其同仁，以及業務「部隊」──你們是那樣熱忱地相信，而你們的熱心與興奮之情是那麼有感染力。

　　米雪兒與湖木教會的同仁，以及許多教師和義工們──就像大衛和他「大能的勇士們」一樣，與你們一同工作使我得蒙祝福，你們是湖木教會「大能的勇士」！你們是這地上最偉大的教會！

　　約翰‧魏爾福德(John E. Walvoord)──你敬虔的智慧與獨特的洞見，使我們更茁壯。

　　雷‧戴維斯(Ray Davis)──你幫助我們把盼望與鼓勵的信息

傳到全世界的各個角落。

　　給我親愛的家人——你們最了解我，也最愛護我，支持我所做的一切努力。我非常愛你們每一個人。也要謝謝與我一起在湖木教會事奉的所有人……。

　　保羅與珍妮弗・歐斯汀(Paul & Jennifer Osteen)——謝謝你們每天為我們所付出的犧牲及無條件的愛。

　　凱文與麗莎・康姆斯(Kevin & Lisa Comes)——謝謝你們穩固的支持與堅定的愛，也感謝你們活出「實際」信心的榜樣。

　　唐與潔琪恩・伊洛夫(Don & Jackeyln Iloff)——謝謝你們不變的熱情與不斷的鼓勵。

　　最重要的是：我的母親朵蒂・歐斯汀(Dodie Osteen)——謝謝你教導我們生命中真正重要的事，也謝謝你讓我們知道什麼是真正的「信心」。更要感謝你作我們的榜樣，讓我們看見生命全然委身於上帝能成就什麼事。

目　錄

第六部│為了施予而活│

第七部│選擇快樂│

推薦序

運用上帝的話語活出美好

　　在成為基督徒四十多年的生涯過程中，一直有個問題盤旋在我的心頭：「我們的上帝應許賜給祂的兒女一個豐盛的生命，為什麼我接觸到許多基督徒，他們似乎並沒有享受到這樣的應許？」當我服事主愈久，我就愈明白其中的關鍵：「認識祢獨一的真神，並且認識祢所差來的耶穌基督，這就是永生。」（約翰福音十七章3節）要享受上帝所賜豐盛美好永生的生命，其中的關鍵就是要真正認識我們的上帝、我們的主，懂得應用祂的話語，來過每一天的生活。上帝過去用祂的話語創造天地，上帝今天同樣用祂的話語在我們每一個人的生命中進行祂的創造。傳道人最重要的角色與職責，就是要幫助弟兄姊妹懂得如何應用上帝的話語，來面對每一天的生活，這是基督徒能夠活出美好豐盛生命的祕訣。

　　本書作者約爾・歐斯汀(Joel Osteen)是休士頓湖木教會

(Lakewood Church)的主任牧師，他所牧養的不只是一個超大型教會(Mega-Church)，也是一個充滿生命活力的教會，因為他懂得幫助他的弟兄姊妹，很實際地去活出上帝的話語。本書不只是告訴你如何按照七個原則、七個方法才能活出美好的生活，本書背後的真正精神，其實是要教導上帝的百姓知道如何歡歡喜喜去信靠上帝的話、活用上帝的話。當一個人愛慕上帝的話語、又樂意遵行上帝的話語，他必然會「像一棵樹栽在溪水旁，按時候結果子，葉子也不枯乾，凡他所做的盡都順利」（詩篇一篇2-3節）。他必然會享受上帝所賜美好的人生！

　　去年十一月中旬我赴美國休士頓，接到外甥女送給我《活出美好》(Your Best Life Now)英文原著，她對我大力推薦此書，告訴我在北美各地有許多讀者從此書得到極大的幫助，我稍作翻閱，即被此書許多熟悉、寶貴的主題所吸引。作者的信息有很強的福音神學基礎又能深入淺出地與讀者分享，返台之後即迫不急待的想推介給台灣的基督教出版界，很高興知道保羅文化出版社取得此書中文版權，願意與華人教會分享，我十分鼓勵我教會的弟兄姊妹人人都能擁有此書，也盼望看到有更多華人基督徒能閱讀此書，並且活出真正美好的生命！

台灣信義會台北真理堂
主任牧師　楊寧亞
2005年6月12日

簡介

現在就活出最美好的生活

「未來要靠你自己去開創！」這句話常常被引用來對畢業生、社會新鮮人和婚禮中的新人說的。然而我們都知道，儘管有些人熱忱地擁抱生活並掌控自己的未來，這麼美好的承諾卻無法兌現在每個人的生活中。為什麼呢？是什麼造成這樣的不同？

快樂、成功的人已學得如何活出他們現在最好的生活，他們充分運用了此時此刻，因此強化了他們的未來。你也做得到，不論你此時在何處，或面對什麼樣的挑戰，你現在就能享受生活！

許多人過著自我形象低落的生活，著重在負面的事情上，感覺比人差或不足，一直活在一些使自己不快樂的事物中。而有些人則將快樂寄望於將來的日子：

- 有一天，我生命中的事物會變好。
- 有一天，我會有足夠的工作經歷能和家人分享。
- 有一天，我會賺更多錢，就無須擔心需要支付的帳單。
- 有一天，我的身體狀況會比較好。
- 有一天，我會和上帝有較好的關係，能更享受祂的美善。

不幸的是，「有一天」永遠不會到來。今天是我們惟一擁有的日子，對過去的日子，我們無法做什麼，也不知道明天能擁有什麼，但我們現在能活出全部的潛力！

在本書中，你將發現如何把它活出來！從這些篇幅裡，你會看見七個簡單卻深入的步驟去改善你的生活，不論你現在是處於成功或平淡的生活中。我知道這些步驟有效，因為它們在我家人、朋友以及我自己身上奏效。我相信，你只要跟著我做這些步驟，至終必會比以前還要快樂，活出喜樂、平安又有熱忱的生活，而且不只是一天、一個禮拜而已，乃是終其一生如此過！

你將在本書發現如何：

- 擴大你的視界；
- 培養健康的自我形象；
- 發現話語及思想所蘊藏的能力；
- 讓過去成為過去；
- 在困境中找到力量；
- 為了施予而活；

・選擇快樂。

在這每個領域中，你將找到實用的建議與簡單的選擇，幫助你過個積極正面的生活型態，並相信終必有個更光明的未來。

你過去可能遭逢逆境或試煉，也許你已有太多難以負荷的重擔，但今天是個新的日子。藉著我接下來要與你分享的原則，你將會變得快樂又充實，就從今天開始吧。

我將挑戰你突破「幾乎不可能」的心態，達到你最可能達到的光景，而不是只處在一般或普通的狀態裡。爲了要達成目標，你得丟棄拉扯你的一些負面消極心態，開始擴大你的視界，看見自己能做得更多、享受更多。而這意思就是，你現在就要活出最好的生活。

你已預備好將你的潛力全然發展出來嗎？讓我們開始起步！此時正是開始活出最美好生活的時刻！

【第一部】

擴大你的視界

第 1 章
擴大你的視界

我聽過有個人與妻子在夏威夷度假的故事。他是一個小有成就的好人,但是他正在走下坡,覺得自己已經達到生命的極限。有一天,一位朋友開車帶著這對夫婦在島上觀光,欣賞沿途的景致。他們在一處風景如畫、可以俯瞰整個海景的山坡停下,就在一棟華麗的別墅前下車。這棟別墅前後環繞著搖曳生姿的棕櫚樹以及綠草如茵的花園,整個景色美得就像一幅令人屏息讚嘆的風景畫。

當這個男人注視著眼前這座豪宅,他對妻子和朋友說:「我無法想像住在這裡會是一個怎麼樣的生活。」

就在此時,他心裡有個聲音說:「別擔心,你不會的。你永遠不可能住在一個像這樣的房子裡。」

他被自己的想法所震驚,就問自己:「你是什麼意思?」

如果你無法想像、如果你無法看見,事情就永遠不會發

生。那位仁兄正確地意識到，就是自己的想法和態度讓他變得普普通通，不上不下。就在那一刻，他下定決心相信自己可以更出色，相信上帝可以賜給他更好的。

同理可應用在我們身上：我們必須先在心裡設想得到它，然後才可能動身去追求。如果你不曾想過擁有它，它就永遠不會是你的。問題出在你的腦袋裡，不是上帝沒有資源或者你天生庸才無法飛黃騰達；是你自己的錯誤想法將上帝上好的福分拒於門外。

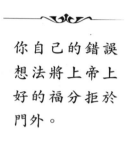

你自己的錯誤想法將上帝上好的福分拒於門外。

你，也一樣，可能認定自己已經達到了巔峰，達到了生命的極限，因此，不可能再有更大的成就了，永遠沒辦法做什麼大事，無法成就什麼豐功偉業，或是不能享受像別人那樣的生活。

很難過地告訴你，你說對了……，除非你願意改變你的想法。這就是為什麼**活出你的最大潛能，第一步就是要擴大你的視界**。

要現在就活出最好的生活，你必須開始用一雙信心的眼睛去看你的生活，看見自己提升到一個新的層次，看見你的事業起飛，看見你的婚姻美滿，看見你的家庭幸福，看見你的理想實現。如果你希望體驗這一切，就必須設想並且深信一切都有可能。

要相信這一切，就必須在心裡先有一個理想中的外在生活景象。這個景象必須成為你的一部分，是在你的想法中、你的言談裡，且深入你的潛意識、你的行為、你的一舉一動。

想像你的成功

從孩提時代起，泰拉‧霍蘭德就夢想著有一天能當選美國小姐。在1994年，她參加佛羅里達州的選美大賽，並且贏得亞軍。她決定第二年再試一次，於是參加相同的比賽，也再一次拿下相同的名次——第二名。泰拉沮喪得幾乎想要放棄，但是她沒有那麼做，她繼續專注在目標上。

她決定改變自己所處的環境，所以她毅然地搬到堪薩斯州，並且在1997年參加選美，贏得堪薩斯州小姐的頭銜。同年，她繼續代表堪州參加全國選美大賽，並且贏得美國小姐后冠。泰拉看見自己的夢想實現！

在選美後的一次訪問中，有人問泰拉成功的祕訣。她坦承，當初在一連兩年的比賽失利後，她曾一度想要放棄。然而，她沒有。不但如此，她去借了上百捲各種選美錄影帶，不論是州際的、國際的、妙齡小姐、環球小姐、世界小姐等等，然後回家一遍、一遍地反覆觀看。

當泰拉看著每一個奪魁的佳麗戴上后冠，她想像著自己置身在相同的舞台上。她想像著自己封后的畫面，想像著自己從舞台走向觀眾席接受掌聲與喝采。勝利的畫面一次又一次地在她的腦海中播放著。泰拉說，看著自己成為一位優勝者，就是她成功的關鍵。

另一位記者問她，當她在著名的美國小姐悠揚樂聲中走下舞台，向台下和電視機前數以百萬計的觀眾揮手致意時，會不會很緊張。

泰拉的回答很有意思：「不會，我一點都不緊張。」她

說：「你看，我在之前已經走過這段舞台階梯千百回了。」

　　你是否也走過這段舞台階梯？你是否也看過自己成功的模樣？你是否將得勝的畫面擺在面前？泰拉‧霍蘭德以為自己永遠不會成為一位優勝者，直到她第一次看見自己勝出。她必須一再改編心中的畫面，將心中失敗的痛苦記憶刪除，把兩年亞軍小姐的畫面換掉。她必須有「一定做得到」的堅定態度。她看著自己步上勝利的舞台，看著自己戴著榮耀走下台階。她創造一個相信成功的場景，並置身其中。

　　你把什麼放在眼前將深深地影響你，你心裡看見什麼，你就照著做出什麼來，也就是說，你若繪製一幅挫敗與被擊倒的畫面，那樣的生活就會開始；但是如果你開始描繪得勝、成功、健康、富足、喜樂、平安和快樂，世界上沒有任何東西能阻礙你得到這些。

　　太多時候，我們陷在自設的羅網中，想著自己已經到達了極限。我們沒有真的擴張自己的信心，我們不相信會有更大、更好的。但是上帝希望我們持續增長，不斷地提升。祂希望你在祂的智慧中精進，祂要幫助你做出更好的決定。祂要你在財務上更加富足，無論是透過工作的升遷、新的構想，或是創意。

> 在你真正獲得之前，必須先在心思與意念上相信你會得到。

　　聖經告訴我們，上帝要顯明並賜下祂「極豐富的恩典」[1]。祂希望現在就是你生命中最好的時刻，但是如果要領受這樣的恩典，你必須擴大視界。你不能繼續在消極、失敗以及畫著框框的負面思想裡

面：好吧，我書念到這裡已經夠了。或者，以後我就會這麼病下去了，我猜這就是我的命運。

要經歷這不可測度的極大恩典，就必須挪去心中受限的想法，開始期待上帝的賜福，開始期待晉升，期待不可思議的加添。在你真正獲得之前，必須先在心思與意念上相信你會得到。換句話說，你必須在想法上預留空間，然後上帝會加添進去。直到你學會擴大視界，用信心的雙眼預見未來，如此你錯誤的想法才不再阻擋好事發生在你的生命中。當你一直固守著老舊想法，上帝不會傾倒新鮮、創意的點子以及福分給你。

拋開舊皮袋

幾個世紀以前，酒是存放在舊皮袋中而非玻璃瓶。要等到動物的皮乾了並且彎曲才能當作存酒的皮袋。新的皮袋是柔軟滑順的，但是當它們老舊時，就會失去彈性，再也無法使用。這些舊皮袋硬了也無法再撐開，若是這時將酒倒進去，酒袋就會裂開，酒就流出來了。

有趣的是，當耶穌鼓勵門徒擴大自己的視界時，祂提醒他們：「沒有人把新酒裝在舊皮袋裡。」[2]耶穌的意思是說，當你的想法被局限住時，你不可能過更好的生活。耶穌的這堂教導至今仍舊受用。我們被定位在固定的行為模式中，局限在既有的觀點裡，困在自己的想法裡出不來。上帝試著要在我們身上做新事，但是除非我們願意改變、除非我們願意擴大和展開視界，不然我們將錯失祂給我們的機會。

然而，你會閱讀這本書，說明了你已準備好往更高的層次

提升，希望將自己的潛力完全發揮。告訴你一個好消息，上帝
希望向你顯明祂極大的恩典。祂希望以新酒充滿你，但你願意
丟掉你的舊皮袋嗎？你會開始期待更好的(think bigger)嗎？你
願不願意擴大你的視界，拋開那些讓你停滯不前的消極思想？

　　一位婚姻瀕臨破裂的同工對我說：「約爾，我這個樣子已
經很久了，從來沒有什麼好事發生在我身上。我看不出有什麼
辦法能讓我的婚姻起死回生，我們的問題從來沒有解決過。」

　　「就是你的這些想法讓上帝無法傾倒祂的祝福在你身
上。」我告訴他：「那些錯誤的態度攔阻了上帝祝福的泉源。
你要從這些負面、沒有建設性的消極態度中走出來。除非你先
改變想法，否則你的生命不會更新翻轉。」

　　我和維多利亞剛結婚不久，有一天我們在社區中散步，來
到一棟接近完工的樓房前。當時門是開著的，所以我們便走
進去看看。這棟房子蓋得極為出色，遠遠勝過社區中其他的房
子。在我們的社區中，大部分都是一樓平房，是四、五十年的
舊房子。眼前的這棟新房子則是二層的樓中樓，天花板挑高，
還有一整面的落地玻璃窗正對著美麗的後花園，看得讓人駐足
流連，不忍離去。

　　當我們步出這棟新房子時，維多利亞仍舊頻頻回首，興奮
地說：「約爾，有一天我們也要住像這樣的美麗房子！」當
時，我們住在一間極為老舊的房子，由於結構有一些問題，房
子裡的門幾乎都沒有辦法關緊。然而，這是我們湊足了所有的
積蓄、好不容易才能擠進這個社區買下的這麼一棟房子。想想
當時戶頭裡少得可憐的存款、微薄的薪水，眼前這棟美麗的房
子對當時的我們來說，幾乎是不可能的夢想。

　　作為家中的一位「信心偉人」，我這樣說：「維多利亞，這個房子遠遠超過我們的能力所及，我無法想出任何方法可以負擔這樣的豪宅。」

　　可是維多利亞當時的信心比我大得多，她不願意就此放棄。在我們離去後的三十分鐘內，我們彼此爭論著。她舉出所有事情發生的可能，我則一一反駁著陳述我懷疑的理由。

　　她說：「不對，約爾，我深深覺得，這是會發生的。」

　　她當時心裡充滿著喜樂，而我則不忍再繼續潑她冷水，所以就把這件事暫時擱置一旁。但維多利亞卻是緊緊抓著不放，在往後的幾個月，她總是不斷地談到信心與得勝，到了最後，她再次對我講到房子的事。她終於說服我相信：我們有可能入主像那樣的精緻樓房。我不再局限自己而開始同意她的觀點。我開始相信，無論如何會有這麼一天，上帝會實現這個夢想。此後，我們一直這樣想著，看著，討論著。

　　幾年後，我們賣了舊房子，並且透過另一個房地產公司蓋一棟新房子，就仿照那棟一直在我們心中夢想的樓房。我們看見自己的夢想實現。然而，我深深知道，若我不曾在心裡相信，這事絕對不可能發生。若不是維多利亞的話擴大我的視界，這一切不會發生。

　　同樣的，在上帝那裡也為你存留了許多、許多。開始在你的想法中挪出空間給上帝，在心裡相信，並開始去看見自己提升到另一個層次、看見自己做一件新事、看見自己住在夢想中的樓房。如果你希望親身經歷上帝「極豐盛的恩典」，就必須將舊皮袋丟棄。

　　「我已經做到和父母親一樣的地步了，」史蒂夫對我說：

「我已經和其他家人都並駕齊驅，這樣很夠了吧？對不對？」

「不對，」我告訴他：「你沒有必要把自己局限在過去。上帝希望你超越你的父母親。我相信你的雙親都是好人，努力工作，但是不要就以此為標準、滿足於現狀。你需要下定決心活出一個超越平庸、超越普通的生命。當你每天起床的時候，你要有一個態度，就是：我今天要做一件有意義的事情，我要在工作上有傑出的表現，我要熱心幫助人。我要突破瓶頸，向前跨步。」

我總是告訴我的孩子：「你們要比爸爸更好。你們這麼有潛力，你們將要成就偉大的事！」

我不僅僅是要為他們建立自尊心，我希望他們有一個遠大的眼界，希望他們從小就相信任何事都可能，希望他們在成長過程中就懂得去仰望上帝「極豐盛的恩典」，我期待他們成為領袖，期待他們在所行的事上盡都順利、傑出。而我知道，他們必須先在心裡相信，然後上帝才能在他們身上工作。

有一天，我和八歲的兒子強納生開車經過休士頓的康柏中心(Compaq Center)。這個可容納一萬六千人的活動中心，之前是職棒休士頓火箭隊所有。如今，再過不久，即將成為湖木教會(Lakewood Church)的母堂。我將車子減速，手指向中心說道：「強納生，看那裡。有一天，你要在這裡證道。」

他說：「喔，不！爸爸！等我夠大了，我要在雷萊恩體育場講道。」（雷萊恩體育場可容納七萬人，是美式足球隊休士頓德州人隊所有。）

我想著，嗯，我喜歡他會作大夢！記得幾年前，我第一次在湖木教會講到這個故事時，有一位女士在崇拜後遞給強納生

一張一百元的支票，要爲雷萊恩體育場奉獻。他很興奮地對我說：「爸，我希望你以後講道的時候，多提提我的故事！」

即使你來自一個有著光榮歷史的家庭，上帝仍舊希望你能超越。我父親一生成就斐然，他在世界各地爲人們帶來希望，但我不會滿足於光是做父親做過的事，我不要只是單單守成。不，我希望超越，更上層樓。

如果你仔細觀察，你會看見上帝確實試著在鼓舞你。祂讓那些成就超越你的人出現在你的周遭，使你看見：他們有更穩固的婚姻，而且上帝還在各方面更加祝福他們。當你看到或聽聞其他人有所成、或是正在做一些你一直希望去做的事情時，要鼓勵自己而不要只是羨慕或忌妒。不要說：「這種事不會發生在我身上；我沒有那種才華；我永遠沒有辦法作那樣的突破；我永遠不可能那麼有錢。」

丟開那些舊皮袋，改變你的思維。超越過去，並且開始去期待上帝在你的生命中成就更大的事。

「你們豈不知道嗎？」

要知道，上帝不斷在你的心中種下新的種子。祂不斷地要你相信，並要你除去老舊觀念，讓創新的思維萌芽。關鍵就在於相信，好讓種子能生根並且發芽長成。

如果當初維多利亞也默許我對新房子的想法，然後說：「對，約爾，你說得沒錯。我們只是一對剛結婚的年輕人，我們哪負擔得起？一棟新房子的確是遙不可及。」而現在，我們可能仍舊住在那間搖搖欲墜的舊房子。感謝上帝，她張開了

自己的眼界並且相信上帝對她說的話。也許，上帝也曾對你說話，試著要將你提升到一個新的境界。祂將其他人放在你的生命當中作為榜樣來激勵你。當你看見他們的成就、他們的喜樂、他們的得勝，此時你的心中應該呼喊：「是的，上帝！我知道祢能如此祝福我，我知道我也可以有一個幸福的婚姻，我知道我也可以那樣喜樂，我知道我可以達到那樣的層次。」

在你的心裡有顆種子準備生根，那是上帝要讓你相信，祂試著要以盼望和期待充滿你，好讓這顆種子得以發芽，長成，然後結實纍纍。現在，你的時候到了。你或許已經臥病多時，但是，現在是你康復的時候了。你或許被各種毒癮捆綁、各種壞習慣纏身，但是，現在是你得釋放的時候了。你或許有財務困難，債台高築，但是，現在是你得升遷的時候了。朋友，如果你接受上帝，現在是你人生中最好的時候了。此刻上帝要向你傾倒祂不可測度、多而又多的極大恩典。

上帝說：「看哪，我要做一件新事！如今要發現，你們豈不知道嗎？」[3]注意，上帝一直準備好要在我們的生命中做新事。祂要提升我們，為我們加添，給我們更多。然而，有趣的是，上帝問我們：「你們豈不知道嗎？」換句話說，你在你的想法上預留空間了嗎？你相信自己即將獲得更多、更好的嗎？你相信自己在工作上會更有成就嗎？你相信自己會成為一位更出色的領袖，或者更稱職的雙親嗎？

現在是你張開視界的時候了。

或許上帝要改善你的婚姻關係，重建你的家庭，或者提振你的工作，然而卻可能因為你的態度而讓機會的種子無法生根。

「如何能讓我的事業起飛、繁榮、興旺？我有太多問題要處理，困難重重。這幾乎是不可能的。」

上帝要告訴你的，與祂對童貞女馬利亞說的話是很類似的。這不是靠著你的才能，不是靠著你的力量；上帝說，這乃是靠著祂的聖靈，是至高者的力量臨到你方能成事。有上帝站在你這一邊，你不可能會輸。祂能在絕境中開道路，一旦祂開啟一扇門後，沒有人能再將它關上。祂能讓你在對的時間站立在對的位置，祂能以超自然的力量翻轉你的生命。耶穌說：「你若能信，在信的人凡事都能。」[4]

我要問你的是：你相信嗎？你肯讓種子生根發芽嗎？當天使告訴馬利亞，她將以處女之身懷孕時，換句話說，上帝是在告訴她，此事將以超自然的能力成就。所以，即使沒有銀行的借貸，事情依然可能發生；在沒有高學歷的情況下，事情還是可能發生；儘管你有種種不堪的過去，事情仍可能發生；儘管有種種輿論的壓力，事情仍舊可能發生。在上帝，凡事都有可能。

當我接獲消息得知康柏中心有易主的可能時，我最初的想法和馬利亞類似。這有可能嗎？我們有機會得到這樣的場地嗎？這一定會是我們負擔不起的天價；這個城市不會讓一間教會使用這樣的場地；這樣太樹大招風了。然而，這次我張開自己的眼界，我讓種子生根。我在心裡開始相信，我開始「看見」會眾在康柏中心敬拜上帝，就在休士頓的市中心。

在往後的數個月內，許多人向我的會友、同工，以及我本人表示：「這不可能的。你們沒有機會，你們這是在浪費時間。」

　　然而，這無關緊要，種子已經在裡面發芽長大。當事情看來毫無希望，而我們面對著種種挑戰時，我只是這樣禱告：「父啊，我感謝祢，因祢正與我們一同爭戰。我感謝祢，因為祢將要賜給我們那不可測度、多而又多的極大恩典。」這種子繼續成長，日復一日地強壯。就在三年半以後，儘管歷經了種種的困難，上帝將整個情勢翻轉，為我們贏得了勝利。

　　同樣的，上帝要在你的生命中行大事。不要以一個狹隘的眼光去看上帝，我們所服事的上帝是創造宇宙的上帝。我們必須拿去那種「過得去就好」的想法：「上帝啊，祢只要給我加薪，就算是五十分都好，我今年就過得去了。」「上帝啊，我只求祢讓我撐住這段婚姻……。」「上帝啊，我所求的只是小小的一點快樂。」

　　丟開這些老舊皮袋。丟開這些小鼻子、小眼睛的想法，開始以上帝的想法來思考。放膽去想，大度去想，想更豐盛，想多加增，想遠遠超過夠用就好。

　　數年前，沙烏地阿拉伯邀請一位著名的高爾夫球選手去作巡迴表演賽。他欣然答應，而國王則乘坐私人專機親自到美國接這位選手。在幾天的巡迴賽中，他們共度了許多美好的時光。當高爾夫球選手踏上機門準備飛回美國時，國王請他停下腳步，對他說：「我想送你一份禮物，謝謝你大老遠飛這麼一趟，並且帶給我們如此特別的珍貴回憶。我能送你什麼呢？任何你想要的東西都行。」

　　然而這位紳士回答道：「喔，快別這麼說。請不要給我任何的禮物，您親切殷勤的招待已讓我不虛此行。我不能再要求什麼了！」

　　這位國王繼續堅持，他說：「不，我一定要送你一件禮物，好讓你永遠記得這段旅遊。」

　　當這位高爾夫球選手了解到這位國王的心意堅定時，他說：「既然這樣，好吧。我一直在收集高爾夫球杆（golf clubs），不如你給我一枝高爾夫球杆吧。」

　　他坐上飛機，在回家的航行中不斷地想著，國王會送他什麼樣的球杆呢？他想著：也許是一套刻上他名字的全新球杆組，也或許是一枝鑲有鑽石或珠寶的球杆。畢竟，出手的是一位盛產石油的沙烏地阿拉伯國王。

　　當這位選手回到家後，他每天都注意信箱有沒有航運郵件通知。終於，在幾個星期之後，他收到一封來自沙烏地阿拉伯的證書信函。這位美國選手正納悶著：我的球杆呢？當他打開信封時，卻驚訝得說不出話來，裡頭是一張地產契約書，是一座在美國境內佔地五百英畝的高爾夫球場。

　　國王的想法有時候的確和我們一般人不一樣。然而朋友，我們所服事的乃是萬王之王，我們所仰望的乃是至高上帝，祂對你的生命有個夢想，極大、極好，甚至到一個地步，是你無法想像的。現在，是你擴大視界的時候了！

第 2 章

提高你的期待層次

有一句古老諺語的大意是：如果你希望成功，就必須跟著你的夢想走。我從未告訴任何人應該放棄夢想，事實上，你的生命會跟著你的期待走。你期待的是什麼，得到的就是什麼。

如果你一直懷著正面的想法，你的生命就往正面的方向前進；如果你的想法總偏向負面思考，那麼你也會過一個消極的人生。如果你料想會輸、會失敗、會普普通通，你的潛意識就會保證讓你輸，讓你失敗，讓你不去試圖超越平庸。這就是為什麼擴大視界的先決要素之一就是提高你的期待層次。你必須先改變內在的想法，才能改變外在的生活。

在心中設定成功模式

很重要的一點是，你要在心中設定成功的模式。這不會自動就發生。每一天，你必須選擇一個生活態度，就是期待將有好事臨到你。聖經說：「你們要思念上面的事，不要思念地上的事。」[1]當你早晨起床時，第一件事情就是要將你的心思意念調整到一個對的方向上，例如：「今天會是一個好日子；

━━━━━━

**期待事情為你
而改變。**

━━━━━━

上帝將引領我的腳步；祂的恩典圍繞著我；祂的慈愛與憐恤伴隨著我；我對今天充滿了期待！」以信心和盼望開始你的每一天，然後懷著期待的心情出門。期待環境為你而改變，期許人們特別為你伸出援手，期待自己在適當的時間身

處在適當的位置。

也許你是一名業務員，而你今天準備要做一個重要的簡報好順利簽下合約。若你聽到心裡有個聲音一直在嘀咕著類似這樣的話語，不要驚慌：你沒有機會的啦；今天你會過得很慘；不會有好事發生在你身上的；最好你連想都不要去想，這樣，到時沒有拿下合約，你就不會這麼失望了。

不要去聽信這些謊言！上帝要你去想，去期待。少了盼望，我們甚至會失去信心。聖經說：「信就是所望之事的實底，」[2]而當中的盼望是一種「自信的期待」。

我們必須每早起床時就自信地期待上帝的恩典臨到；開始期待機會之門向你敞開；開始期待你在事業上將有所成；期待生命中的挑戰將一一克服。

　　上帝通常依照我們的期待層次滿足我們。若你沒有養成習慣去期待好事降臨在你身上，你可能就真的很難遇到好事；如果你不去期待事情會日見好轉，那事情可能就真的不會漸入佳境；如果你的期待總是一成不變，那麼你所得到的也就只有那麼多。

> 上帝通常依照我們的期待層次滿足我們。

　　我們的期待為我們的生命畫下界線。耶穌說：「……照著你們的信給你們成全了吧。」[3]換言之，「你得到的就是你信心所期待的」。

　　有些人會傾向於期待最差的。他們一直心存「可憐老我」的自我形象，總是負面消極，總是沮喪低落：「主啊，為什麼祢不做點事幫幫我？」他們這樣抱怨：「這不公平！」他們得到的就是他們信心所期待的。

　　有些人則被自己的難處完全擊潰，他們很難相信會有任何好事臨到。你會聽見他們這樣說：「喔，我有太多煩惱了。我的婚姻觸礁，孩子不學好，事業毫無起色，我的健康在走下坡。你叫我怎麼樂觀得起來？當我的生活這樣一塌糊塗，你怎麼能指望我一早起來還能開口說今天真好！」

　　朋友，這就是所謂的信仰。你必須先相信會有好事發生，然後，好事就真的會降臨！

　　你對於生命有何期待？你期待著好事發生或壞事降臨？出色或平庸？你期待事情照著你所想望的改變嗎？你期待去經歷上帝的美善嗎？還是你允許讓環境或是感覺澆熄你對生命的熱忱，讓自己困在負面思想的桎梏中？

從|自|設|的|牢|籠|中|釋|放|出|來

在聯邦監獄中，有一段男男女女都琅琅上口的短歌：「你將一無所期」。這當中描述了一個令人唏噓的光景，字句中充滿了身繫囹圄的悲哀：「你身無分文；你的孩子羞於承認與你的關係；你的老婆已經很久沒出現，再不多時可能就會與你離婚；你的生命就是這樣了。別去期待會有更好的事情發生，你已得到所應得的，不會有更好的事情發生。」

可悲的是，許多「在外面」的人也活在自設的鐵窗中，對著自己吟唱相同的悲歌：這是你所能得到最好的了，不會再有更好的。你就乖乖坐著，保持安靜，就認命了吧。

不！你能突破這個煉獄！獄門根本沒上鎖。你所要做的，就是開始去期待你的生命當中將有好事發生，並且相信上帝會給你一個美好的未來。好事確實近了！

信心之眼

你必須睜開你的「信心之眼」，並且開始看見你自己喜樂、健康而完整。這就是說，即使你的情況看起來岌岌可危，即使你十分沮喪正準備放棄，你也要打起精神來藉著禱告鼓勵自己：「上帝啊，我知道祢掌管一切，即使一切看起來都不可能，我知道今天會是讓事情翻轉的日子；今天會是祢拯救我婚

姻的日子；今天會是祢將我的孩子帶回家的日子；今天會是祢讓我的事業開始倍數成長的日子。這是一個我將看見神蹟的日子。」

然後開始相信並且留意觀看那些<u>豐</u>富你生命的好事。你必須痛下決定：要擁有一個堅定的心志，保持有所期待的意念，並且讓你的心充滿著盼望。

> 這是一個我將看見神蹟的日子。

「如果我真的這麼做了，可是仍然毫無作用呢？」你可能會這樣問。如果你真的這麼做了，然後真的起了作用呢？我們這是在和誰開玩笑呢？請問，你若抱持著希望，對你會有什麼損失呢？

我可以向你保證，如果你的心裡一直存著消極負面的想法，你的難題無解。但是如果你願意開始一個信心的態度，期待事情會往好的方面發展，那麼，當時候到了，情況就會好轉。我們必須承認，有時候好事不會如我們所期望的立刻發生。然而，與其無精打采地陷入消極的擔憂中，我們要將心思專注在上帝身上。你的態度應該是：「上帝，我知道祢正在我的生命當中工作。雖然我所期待的奇蹟今天並未發生，但我知道我已經離奇蹟更近一天、離禱告得到回應更近一天了！所以我不會難過，也不會讓自己失望。我知道祢安排的時間總是最好的，因此我要保持著信心，相信凡祢所做的都是最好的。」

布萊恩在年近五十時，感覺他的世界走了樣，一切排山倒海而來。他的公司破產，家庭在與妻子離婚時破碎了，他的健康走下坡。曾經，他是那麼的成功。而如今，他就只是這麼活著，沒有喜樂，沒有平安，毫無生趣。

有一天，一位關心他的好友鼓勵他：「我愛你，老弟，但是你必須停止去看那些負面的東西。不要再去看你生命中已經失去的，去看看你所擁有的。」布萊恩的朋友給他一個挑戰：「開始去相信事情即將好轉，不是因為你應得的，乃是因為上帝是如此愛你。」

朋友的話回盪在布萊恩的心中——緩慢卻堅定，但他開始在心中接受這份建言，開始建立新的生活習慣。他決定每天早上出門前，寫下十件值得感恩的事情。然後一整天下來，他不斷思想著這十件事。就這樣，日復一日，月復一月。

布萊恩在做什麼呢？他在重新設定心中的程式。他開始破除那些舊有的壞習慣，然後培養信心的意念。

幾個月後，布萊恩的情況開始好轉了。首先，他找回了喜樂。然後，他的健康及元氣復原了。不久之後，他重新找到工作，然後，許多破碎的人際關係也漸漸修復。最重要的是，他找回了生命！因為他將自己的期待層次提升了，也因此他能從舊有負面思想的窠臼跳脫出來。他不再鑽牛角尖於他錯過的、失去的，或是過往的失敗和挫折。取而代之的，他開始生活在享受上帝的美善中，他的心思充滿著盼望、信心與得勝。他發展出一個新的視界，用心去期待事情會漸入佳境。毫無疑問的，這讓他的生命整個翻轉過來。

許多人會讓一些負面思想扼殺心中的盼望。像是：「唉，不會有好事發生在我身上的。」「我想這輩子我是不會結婚了。我已經十年沒約會了！」「我大概會宣告破產了。債台高築壓得我喘不過氣來，我已經走投無路了。」「我看不出任何方法可以再讓自己快樂起來，我的生命已經歷太多痛苦了。」

　　一定要盡全力杜絕類似的意念進入你的心中，因為你的行為來自你的思想。低層次的自我期許會使你也變得普通而平庸。你必須思想著正面的得勝，思想著豐盛，思想著恩典，思想著盼望、美善、純全、卓越的思維。

　　舊約中的以利亞提供了深刻的洞見。以利亞經歷了許多神蹟，而他的學生以利沙則親眼目睹老師的經歷。當以利亞走到了人生的盡頭時，他問以利沙希望從老師這裡得到些什麼。

　　「願感動你的靈加倍的感動我。」以利沙大膽地回答：「我希望有您兩倍的能力、兩倍的祝福，看見兩倍的神蹟。」

　　有趣的是，以利亞完全沒有責備以利沙。他只是回答：「你所求的難得，雖然如此，我被接去離開你的時候，你若看見我，就必得著。不然，必得不著了。」照著字面上的意思，以利亞是對以利沙這樣說：「如果上帝讓你看見，你就可以確定你的祈求得到了應允。」然而，我們也會忍不住地想像著以利亞也說：「若你能看見，你就能做到。如果你能夠透過心靈——靈裡的雙眼，看見上帝話語的畫面，那麼你所見的，就會成為發生在你生命中的真實場景。」

　　上帝對你從靈裡的雙眼看見之景象特別感興趣。祂在聖經中七次問到：「你看見什麼？」現在，上帝也在問我們類似的問題。若你對自己的生命有一個得勝的願景，你就能提升到更高的一個層次。但是只要你仍舊低著頭，不去試著往上突破自己的極限，你就有可能是往一個錯誤的方向前進，而有可能錯過上帝要為你或透過你行的大事。這是一個屬靈原則，也是一個心理因素：我們朝向心中所看見的前進。如果你未曾看見，那麼它要實現在你生命中的可能性就變得微乎其微。

　　你呢？你怎麼看自己的未來？你看見什麼？你是否看見自己更剛強、更健康、更喜樂，生命充滿上帝的祝福、恩典與得勝？如果你能看見，你看見的就會實現。

　　我有一對夫婦朋友叫比爾和辛蒂，他們數年前搬到一個新的大城市居住。當時，比爾得身兼兩個工作才能剛好支付家中所有的開銷，而辛蒂則待在家裡照顧年幼的孩子。對他們來說，那是一段艱辛的日子，常常付了房租及菜錢之後，真的就所剩無幾了。就好像遭遇挫敗一般，他們有幾次興起放棄的念頭，想著乾脆搬回去吧。然而，他們沒有就此罷休，不但如此，在那樣的艱辛當中，他們共同做了一件極為特別的事。

　　好幾個夜晚，在比爾下班回到家之後，他們並未待在狹小的房間彼此自憐自艾，相反的，他們盛裝打扮，上了車，駛向市中心最豪華的飯店。當時，他們沒有錢停在飯店的停車場，所以，他們得先把車子停在大老遠的小巷子裡，然後步行到飯店。他們走進去，在豪華的大廳坐下，接著開始讓夢想馳騁。比爾後來告訴我：「我希望讓自己置身在成功的氛圍當中，我希望待在一個能讓我提升期望的地方。我要處在一個能讓夢想成真的環境。」

　　他們在做什麼呢？他們在擴張自己的境界，專注在他們做得到的事情。他們將眼光設在比眼前更高的層次，設在他們希望到達的境地。藉著這麼做，他們讓盼望在心中提升。辛蒂說：「有好幾次，我們就這麼坐在飯店的大廳，一坐就是幾個小時，我們談著、也夢著，而當我們起身離開時，我們的信心和眼界都被更新了。」

　　或許你也一樣，需要轉換一下環境。不要再呆坐著自怨自

艾，不要再覺得自己的生命就是這樣，不會更好了。起來，去找個讓你可以好好做夢的地方，或許是一間教堂、一條銀行林立的街道一隅，或是一座公園。去找個地方讓自己做大夢，找一個地方讓你的信心可以無限提升。從負面消極的環境中走出來，進到一個有著得勝氛圍的地方。去找那些會鼓勵你的人，而非那些澆冷水、扯後腿的人。去待在一個有人

> 去找一個你能作夢的地方。

會鼓勵你、挑戰你往更高層次提升的地方。朋友，你必須先想像好事發生在你身上的樣子，然後事情才會真的發生。

聖經說：「與智慧人同行的，必得智慧。」[4]如果你常與成功人士在一起，不久之後，你也會有所成。他們的熱忱會感染你，而你也會接收到成功的願景。如果你常停留在得勝的氛圍中，不久之後，就會得到獲勝的願景。如果你常與信心人士同在，不久之後，你的心也會滿有信心。然而，如果你老是和一群雞鴨混在一起，你永遠無法如鷹展翅上騰。

我鼓勵你提升你的期待層次，開始去看見好事臨到，期待上帝的恩典；期待祂的祝福；期待多而更多；期待步步高升。每天早晨起床時，滿心期待上帝所為你預備的美好事物。即使周遭的環境並非如你所願，不要因此而氣餒；要將你的心專注在對的方向上。

如果你做到自己的部分——專心思想上帝的美善，以信心和期待過每一天，上帝就會帶你到一個超乎所想的境地，你會活在一個你甚至不敢去奢求夢想的層次。上帝已經為你預備了許多的美好，讓我告訴你如何去找到它們！

第 **3** 章

上帝已爲你充足預備

陶德一直夢想能經營自己的電腦軟體生意，但當他和艾美結婚後，爲了應付家庭開支，他卻得接受一份平庸無趣的工作。接著小孩出生，他們的預算逐漸消耗，而他的夢想也是這樣。起初，夢想被擱置並不會讓陶德覺得難過。但過不了多久，他與艾美都感受到這股沒說出口，卻無比眞實的悔恨，而這些悔恨總潛伏在每個有關金錢與未來抉擇的對話表面下。

諷刺的是，當有個機會讓陶德能與他一位最好的朋友，一起爲一家知名的大公司開發軟體時，陶德卻拒絕了。

「我不夠有才能，」他說：「我已經離開業界太久了。」

「你確定嗎，陶德？」他的朋友問：「這可是個大好機會。你可以成立自己的公司，幫母公司寫軟體，甚至還可以從版稅賺些外快，你確定要拱手讓出這個機會？」

「是的，我很確定。」陶德說：「我無法承擔風險，我現在的工作雖然薪水不高，但至少很穩定，我最好安分地做下去。」

就像陶德，許多人每天錯過他們生命中的重要機會，因為他們已經習慣於既有的狀態，他們並不期待更好的事情發生。即使上帝為他們開一扇新的門，而他們要做的，就只是走過這扇門；不幸的是，他們卻從上帝的祝福中撤退。為什麼？因為他們拒絕在思考中挪出空間，去想想上帝要在他們生命中成就的新事。

當一個大好機會來臨，他們不但不去了解它，不以信心展開行動並相信最好的即將來臨，卻反而說：「算了，那不可能發生在我身上，這麼好的事根本不可能成真。」

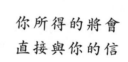

你所得的將會直接與你的信心有關。

不幸的是，你所得到的，將會直接與你的信心及期待有關。如果你希望上帝行大事，你就得開始相信祂要行大事。

就像陶德，你心裡會想，我這輩子將只能做同一份工作，待在同一個職位，因為畢竟我只會這樣做。

不行！不要再限制上帝了！祂也許正想為你開創另一個機會或是更好的職位，祂也許想介入你現在的光景，換掉你的主管讓你升職，有一天甚至讓你掌管整個公司！一旦你開始經歷更多，就要相信上帝必為你預備更多，這是擴張你視界的第二要素！

有一個古老的故事，講到一隻出生在一口小圓井底下的小

青蛙，牠住的那種水井，就像你常常會在農家看到的。小青蛙和家族一直住在那裡，也很滿足於在水裡嬉戲，繞著這口小井游泳。牠常想著，我的生活不可能比現在更好，因我已擁有一切所需。

但有一天，牠抬起頭看並注意到了井上面的光線，小青蛙好奇了起來，開始猜想上面會有什麼東西。牠慢慢地沿著井邊往上爬，當牠爬到井口時，牠小心地沿著井邊往外看，仔細一瞧，牠首先看到一個池塘。牠簡直不敢相信，這池塘可比牠住的那口井大上好幾千倍！牠繼續往前探險，發現了一個大湖，於是充滿訝異地瞪大眼睛站在那兒。終於小青蛙長途跋涉來到大海，目光所及之處，盡是一望無際的汪洋，牠的震驚難以形容。

牠開始領悟到牠從前的思考是多麼狹隘，牠原先以為自己在井裡已經擁有一切，但其實牠所擁有的，和上帝要牠享有的比起來，只是大桶子裡的一小滴水。

上帝為你的人生所創造的夢想是遠遠超乎你能想像的。若上帝向你展示祂為你預備的所有東西，你的心可能會爆炸。

許多時候我們就像那隻小青蛙，被裝在自己的小井中，也就是我們被撫養長大的安逸環境裡。我們所認識的，就只是某一層次的生活與某一面向的思考方式。但上帝為我們預備的，始終是更多、更多的。

所以，比你以往走的再走更遠一點吧！放膽編織更大的夢想，就像小青蛙一樣看看井外的世界，上帝要你享受祂為你預備的大海。

你 | 在 | 限 | 制 | 上 | 帝 | 嗎？

當上帝將一個夢想放在你心中，當祂將機會帶到你面前時，你可曾憑信心昂首闊步，期待最好的事發生，大膽向前邁進，並深知你可以做到上帝要你做的事？還是你被恐懼逼退，並說：「這對我來說太難了，我不行，我永遠沒辦法成功」？

上帝要在你生命中做新事，但你也必須要成就你自己的那部分，並跳脫小框框，開始期待更好的！

許多人爲了太少的收穫而做太多的妥協，像是：「我已做了我的教育水準所能做到的事。」「這已經是我在工作上能做到最好的，這已經是極限了，我不可能比現在賺更多的錢。」

怎麼會呢？你的工作又不是你的源頭，上帝才是你的源頭，而祂的創造力與資源是不會受限的！上帝可能會給你一個有關新發明、新書、新歌甚至新電影的好點子，上帝還可能給你一個夢想。一個源自上帝的點子，可能會永遠改變你的一生。上帝是不會被你的教育背景所限制或因此匱乏，祂也不會受限於你已經有的或你所缺的。若你有信心，上帝就能成就任何事；若你停止用思考來限制上帝，上帝就能成就任何事。

一位女士最近寫信給內人與我，告訴我們有關她收到從一位過世親戚寄來的一張九萬美元的支票。她從來沒見過這位親戚，甚至不知道他們有親戚關係。

當她講述這個經歷時，我無法不微笑地想著：「上帝，祢

也給我一個這樣的親戚吧！」

　　不過說正經的，她的故事讓我深受震撼。她一直相信上帝會賜下更多，而這筆意外之財就是上帝給她的回應之一。

　　同樣的，你也可以開始期待更多，不只是財產上的更多，更可以開始期待生命中各個領域的提升。

破除咒詛

　　太常發生的是，我們對自己的處境感到安逸，並且把這當成安於平庸的藉口，像是「我父母很貧困」之類的話，可能還會噘著嘴說：「在我父母之前的祖父母輩也很貧困，我家族中沒有人曾經富裕過，所以我猜我也不會。」

　　千萬別相信那些謊言。上帝是擴張境界的上帝，祂要你比你父母都擴張得更遠，祂要你成為破除既有格式的人。也許你成長在一個負面的環境中，你身邊的人總是消極挑剔、沮喪不堪。無疑地，你也傾向用你負面的成長環境作為負面生活方式的藉口。但你可以成為改變家譜的人！別再繼續這種負面循環，也別把那些垃圾傳給你的孩子。你可以成為破除家族咒詛的人，可以成為起身抵擋的人，可以用現在的決定影響未來的世代子孫。

　　我父親來自貧困家族中最貧困的一支，他的父母親都是棉花農，並在經濟大蕭條時失去所擁有的一切。我祖母一天工作十四至十五小時幫人洗衣服，一小時只賺一毛錢。在許多夜晚，他們回到家卻沒有足夠的東西吃。我父親常常餓著肚子去上學，褲子和鞋子都是破洞。

　　他們都是好人，但家族中沒有任何一系富裕過，他們活在貧窮與失敗的咒詛下。但有一天，父親在十七歲時將生命交託給上帝，而上帝則將傳道的夢想放在他心中。

　　當然，一切看來都是攔阻，他來自一個窮鄉僻壤的貧困家庭，說穿了，他根本沒有未來，沒有希望。但上帝是不會被環境、家庭背景或現在的景況限制住的；上帝只會被我們的缺乏信心限制住。

　　而父親在心裡始終懷著那個夢想，他希望有一天能超越失敗與平庸的心態。果不期然，他身邊的每個人都試著潑他冷水。他們說：「約翰，你永遠無法靠自己達成理想，你最好還是和我們一起待著採棉花。那是你惟一會的，還是認份一點吧。」

　　但我非常感恩父親沒有聽從那些否定者的話。他不滿於現狀，也沒有被卡在失敗與平庸的老套戲碼中，他拒絕去限制上帝。他相信上帝為他預備的遠遠不只這些，因為他專注於他的夢想並願意以信心邁出步伐，也因為他願意超脫過去的藩籬，他破除了我們家族中貧困的咒詛。現在我的兄弟姊妹、我及我的孩子、孫子，甚至我的曾孫，都將因為他一個人的作為，去經歷上帝的良善。

> 我們今天的抉擇影響未來的世代子孫。

　　我們以今天的抉擇影響未來的世代子孫。如果你還未曾經歷上帝豐盛的生命，讓我來挑旺你更多的信心。不要只是退坐著接受現況，不要長途跋涉五十年，到頭來卻發現回到你今日的原點。下定決心跳脫舊有模式，不要只是安於你父母所擁有

的，你可以前進更遠，可以做得更多，擁有更多，成為更多。

　　我很蒙福在一個好家庭中成長，我有很棒的父母做好榜樣，我的父母在世界各地觸動人的生命。但在我非常敬重父母所達成的成就之時，我並不滿足於單單繼承他們所成就的及所做過的一切。上帝想要每個世代比上一世代行得更遠，祂想要每個世代都領受更多祝福，經歷祂更多的慈愛、良善與祂在世上的影響力。祂不要你只是待在原地。

　　當我父親在1999年過世，我成為休士頓湖木教會的牧師時，人們通常會來問我：「約爾，你真的認為你能維持下去嗎？你認為你能守成嗎？這可不是件容易的事。」

　　我明白他們的意思，我也感謝他們的批評指教，因為他們愛著我那位身為偉大領袖的父親。除此之外，也很少有像湖木教會這般大型的教會，在失去創會牧師後還能繼續長久存活，地方上的媒體也點出了我們成功的機率會很低。但這些都困擾不了我，因為我深知上帝不會讓一個世代發光，卻讓下一個世代走入黯淡，上帝願每個世代都有所增長。

　　甚至，我深知自己不必因循父親的腳步。我只需要走自己的路，我只需要成為上帝要我成為的人。當我初次成為領袖，人們有時會問我：「約爾，你覺得你能做得和你父親一樣多嗎？」

　　我從未傲慢地回答，但我總會說：「我相信我會比父親做到的更多。」

　　這就是上帝的方式，祂是不斷超越的上帝。我也深知，如果我將自己限制在父親的作為下，或是只願停留在和他一樣的境界，我父親肯定會覺得蒙羞與傷心。我父親將我們家由一無

所有帶入今天的境界。當他開始服事，他對聖經所知不多。家族中從沒有人上過教會，更別提教導聖經了。當父親開始著手時，他曾經傳講整篇有關大力士參孫的信息，講到最後，父親發現他把這篇信息的英雄主角叫成了「泰山」！

但父親愈講愈好，結果讓我繼承了很多優點。我有父親可以激勵人的生命、經驗及智慧。然而我要謙卑地說，我相信我將比家父所能行的更多。我也相信我的孩子會比我做得更多，而他的孩子有一天也將比我們所有人所能做的都多。

朋友，千萬別安於現狀。也許你來自一個像我父親一樣的家庭，物質上並不充裕；或者也許你擁有一個極度富裕顯赫的家世，無論如何，你可以經歷比上一代更豐盛的一切。

也許你出身自一個血脈，是有著離婚、失敗、沮喪、平庸與其他個人或家庭問題的家族史，你需要說：「到此爲止，我不要再把這種負面消極的態度傳給孩子，我要打破這個循環並改變我的期待。我要開始相信上帝會成就更好、更大的事。」

這就是菲麗絲的態度，她是我們湖木教會的姊妹。在菲麗絲十六歲時，她因爲懷孕而被迫從高中輟學，她的夢碎了，心也碎了。她租了一棟破舊的小公寓作爲棲身之處，好養育兒子，但她很快知道這根本維持不下去。她沒有足夠的錢，只能靠救濟維生，最後終於住進公共收容所。她幾乎被貧窮、失敗與失望擊倒。

但菲麗絲拒絕就此終老。她說：「到此爲止，我拒絕把這種生活方式傳給我的孩子，我要過不一樣的人生。我要實現上帝給我的境遇，我要成爲上帝想要我成爲的人。」

於是她振作起來，並開始相信有更好、更多的事要發生，

她開始期待上帝的超自然恩惠，消滅她以往有關失敗及挫折的想法。她也開始發展出一套「能夠做到」(can do)的心態。當日子難捱時，她沒有放棄，她就是一直不斷前進。她做她該做的，而上帝也做了祂能做的。

菲麗絲隨後找到了一個在學校餐廳收餐券的工作，這份工作提供最低工資，而菲麗絲為此相當感恩。不過菲麗絲不滿足於此，她知道上帝為她預備了更好的。她生命中有更大的夢想，她不要退坐著接受現況。她決定復學，因此獲得了高中文憑，但她仍不以此為滿足。

菲麗絲想要上大學。她白天在學校工作一整天，晚上則參加大學開的課程，她只花了四年時間，就獲得大學學位的榮譽。但菲麗絲仍不滿足，她又繼續進修，取得了碩士學位。

而今，菲麗絲收穫著她殷勤耕耘的果實，她不再靠救濟過活，她在當年收餐券的學區中擔任校長。同樣的，她也破除了家族中貧窮與匱乏的咒詛。

菲麗絲說：「我從倚靠救濟到豐衣足食。」

你也可以成就類似的事。停止向平庸妥協，停止向現況妥協！上帝已為你預備更多、極多！要做更遠大的夢，將視野放寬，懷抱希望過人生。將思想留給上帝要你做的大事上。

你的好日子正在面前開展。上帝要做的超乎你所求、所想，但記得，這可是根據在你裡面運行的大能。為自己打氣，從自滿中踏出，別沉溺於過去的光榮。

上帝已為你預備更多！但如果你準備要為了更多、更好的事去相信，你必須打破過去的一些藩籬。來吧，我將告訴你這意味著什麼，而且將會很精采！

第 4 章

破除來自過去的限制

每四年一到，一場舉世矚目的運動競技賽就會在世人面前展開，那是夏季奧林匹克。在短短數天的賽程中，世界各地的男女運動好手無不使出渾身解數競奪金牌。然而，看著眼前的比賽，很難想像就在幾十年前，田徑運動專家們曾信誓旦旦地斷言，人類永遠無法突破「一哩四分鐘」的限制。顯然，人類的體能極限無法在這麼短的時間內跑完這麼長的距離。「專家們」進行了各種深入的研究證明：「四分鐘」是永不可能突破的極限。而這幾十年下來，他們說的一點也不錯，沒有人可以在四分鐘內跑完一哩。

然而，有一天來了這麼一個年輕人，不願意相信這些專家們的意見。他不肯接受這個不可能，他拒絕讓這些負面的斷言成為他心中的堅固營壘。他開始訓練自己，相信有一天終將打破紀錄。果然，這一天出現了，他衝破了「四分鐘」的體能極

限，他做到了專家口中的不可能。他的名字叫羅傑‧班尼斯特（Roger Bannister），他締造了一項運動史上的非凡紀錄。

現在，我在羅傑‧班尼斯特的故事中發現了一件很有意思的事。當羅傑‧班尼斯特成功地破紀錄之後，往後的十年間，有三百卅六位跑者也相繼跑出低於「四分鐘」的成績。想想看，幾百年來，從開始統計田徑紀錄以降，無人有辦法在四分鐘內跑完一哩，然而，忽然之間，在短短十年內，超過三百個來自各不同地理位置的人都做到了。怎麼回事？

很簡單。這個「四分鐘」的限制一直在運動員的心中。在過去的漫長歲月中，這些跑者聽從了專家們說的話。他們深信四分鐘內跑完一哩絕無可能。

在你心中的交戰

關鍵點在此：你永遠無法超越自己在心中所設的障礙。如果你心裡想著自己無法達成某件事，你就絕對做不成那事。爭戰是在你的頭腦裡。如果你在頭腦裡戰敗，你已經輸了。如果你不認為夢想終有實現的一天，那它就永遠不會成真。如果你不認為自己已具備向上提升的能力，你就真的只能原地踏步。爭戰是在你的頭腦裡。

這就是聖經中所說的「堅固營壘」[1]。這是一個錯誤的思考模式，把我們局限在失敗、不斷的失敗中。而這也就是為什麼正面思想——希望、信心和得勝——那麼重要。

也許在你的生命當中，有人對你說了負面的話；也許有所謂的「專家」告訴你，你永遠不會成功；你永遠攀不到巔峰；

你身上沒有成功所需的特質。別去聽信這些謊言。如果上帝要為你成就，誰能擋你呢？要破除那些來自過去的限制，並讓你的心安定在全新、正面態度的信念中。破除限制將改變你的生命以及你兒女的生命。

今天，專業跑者突破四分鐘的限制已經是一件極為平常的事了。羅傑‧班尼斯特立下了一個新的標準。他舖平了道路。同樣的，如果你突破了心中的限制，踏出信心的第一步，你就能超越那些限制，而同樣的事也會發生在你的家庭當中。你的孩子、孫子，以及子子孫孫都會跟著你的腳步繼續突破限制，他們會繼續成就別人眼中看為不可能的事。而這一切是因為你勇於踏出信心的步伐，立下新的標竿，為往後的世代舖平道路。

如果你無法突破來自過去的限制，你極有可能會就這麼原地打轉，不停地繞圈子。舉例來說，當上帝要希伯來人出埃及，離開四百年的奴役生活，他們就往應許之地前去。那是一段十一天的路程，然而，他們卻花了四十年才到達。為什麼？為什麼他們不斷在曠野之地打轉、在相同的山谷間繞圈子，一次又一次，毫無進展？

畢竟，上帝早已預備了一塊流奶與蜜的美地——一方豐富之地、自由之境。但是這群上帝的子民已被他們的壓制者奴役太久，亦即被虐待、利用，無所不用其極地役使。現在，即使上帝要為他們做新事，他們也無法相信。他們無法在自己的思維中預留空間，無法懷抱信心去期待美好之事；相反的，他們停留在一個可憐而落敗的意識裡，無論走到哪，看到的只有重重的困難，只會連連地抱怨橫在他們與目的地之間的障礙是何

等險阻。

　　上帝最後終於擊打他們的自以為是而對他們說：「你們在這山上住的日子夠了。」[2]我相信上帝今天也在對我們說相同的話：「你已經待在原地不動太久了，現在是起身的時候了，是放下過去的傷痛、傷害和挫敗，起身往前行的時候；現在是開始去相信那更大、更好的，是開始加增、提升，並領受屬靈恩典的時候了。」但是，如果要這些事發生，你必須停止在原地打轉，停止幾年來一直重複做的相同之事。**第三個擴張境界的關鍵就是突破來自過去的限制。**

今天是全新的一天

　　無論你的過去遭遇了什麼，無論你曾經歷多少挫折，或何人、何事如何地百般阻撓你。今天是全新的一天，上帝希望在今天為你做一件新事。祂已為你預備了許多美好的事，別讓你的過去決定你的未來。

　　也許你曾生活在一個受傷的環境中——有人惡待你，凌虐你，對你做了無可原諒的錯事。請你別因為一直生活在過去的陰影中，而拒絕了上帝為你預備的美好未來。

　　聖經應許我們：「你們必得加倍的好處，代替所受的羞辱。」[3]意思就是說，只要我們心存正確的態度，上帝會加倍償還你所受的不平之苦，祂會將所有別人加諸於你身上的傷害、屈辱、痛苦都加總，然後以喜樂、平安、快樂加倍地償還你。這是上帝對你所懷的意念，然而，你也必須做到你的部分並且開始去期待美好的事，讓你的心保持在一個對的面向。你

無法以一個「受害者」的心態去期待過「得勝」的生活，你不能生活在一個自怨自艾的嘆息中，還納悶生命光景何以不見好轉。

上帝是公平的，祂知道誰錯待我們。當我們行了善事卻遭遇惡事時，祂知道；當我們以公義待人，得到的卻是他人的反身背叛，祂知道；每一次當別人佔你便宜時，祂看見了；每一次當你將左臉也轉過來讓人打時，祂看見了；

> 如果你改變心中的想法，上帝就會改變你的生命。

每一次你吞下委屈，試圖重建一個破碎的關係時，祂看見了。一切、一切，上帝都看在眼裡；祂作了完整的紀錄。而祂也應許讓這些苦難成為化妝的祝福，帶給你生命的益處。

但是，這裡有個關鍵問題：你願意改變你的想法嗎？你願意挪去攔阻上帝作工在你生命中的限制嗎？你是否相信祂會為你成就更大、更好的事？

改變就從此時、此地開始。如果你改變想法，上帝就改變你的生命。你無法一面想著落敗與挫折，一面卻希望上帝以喜樂、能力和得勝充滿你。你不能一再想著貧窮缺乏，另一方面卻希望上帝以無盡的豐富充滿你。這是兩種不相容的概念。許多人懷著一個極小、又有諸多限制的信心，他們想得很小，期待得很少；可是，他們卻也奇怪為何從未有極大、極好的事發生在他們的生命中。其實是他們的想法將他們局限在失敗中。

我們常把自己的標準設得過低：「我並沒有真正享受婚姻的快樂。不過，我們還過得去啦。我想這已經是最好的情況了。」「我並不是真的很健康，但至少我早上還起得了床。」

「我並不是很有錢，幸運的話，我很快可以付掉一些帳單。」

　　這些都不是上帝對你生命所懷的意念。上帝希望你過一個得勝有餘的生活，而非得過且過。祂的名字是「El Shaddai」，意思是「豐盛有餘的全能上帝」，而不是「El Cheapo」（剛好夠用的上帝）。

　　不要聽信任何人告訴你，上帝只要你的生命夠用就好。聖經說：「要擴張你帳幕之地，張大你居所的幔子，不要限止，要放長你的繩子，堅固你的橛子，因爲你要向左向右開展。」[4]這個鮮明而強烈的圖象正是上帝對你生命所懷的意念。上帝在說，預備好自己來領受更多。預備好空間來接受加增、擴張你的帳幕。祂在說，期待更多的恩典、更多的屬靈祝福。不要僅滿足於現狀。

　　有一位同工這樣對我說：「約爾，如果上帝要賜福予我，祂自然會賜福。畢竟，祂是上帝。我還是不要太咄咄逼『神』，不要去求過於所當求的。」

　　然而，上帝的做法恰好相反。上帝的工作是建立在信心之上，你必須先有所期待，然後才能有所得。也許你一直等待上帝動工，然而，上帝也在等你開展你的信心。在你的想法上多挪出一些空間，然後你才能開始經歷上帝屬靈的加增。

　　注意上帝的用詞，祂說「擴張、張大、放長」。我們眞該更多地信靠上帝。也許你已經有了一切所需，請不要因此自足、自滿。何不開展你的信心，相信上帝會賜你更多，好讓你能分出去給其他需要的人。上帝在說：「如果你挪出空間來領受我更多的祝福，我不會讓你失望的。」

　　如果你已經繞夠了圈子，在曠野待夠久了，現在是時候動

身往前了。不要總是被動地退坐接受一個平淡普通的人生，上帝希望你成為家中第一個心志更新的人，祂希望你立下新的標準，不要將失敗與挫折的態度傳給下一代。

失敗生出失敗

十年前，我的故鄉德州大約只有十座監獄。今天，我們有超過一百四十座監獄，而且還計畫興建更多。每一個在裡面的人都曾於過去經歷各種錯誤與失敗，而百分之八十五的罪犯，他們的父親或母親曾進過類似的監獄。每個人都要為自己的行為負全責，然而，有一個不容我們忽視的事實就是，失敗生出失敗。受虐兒童長大後，時常變成有暴力傾向的雙親。而雙親離異的小孩，長大後也容易有失敗的婚姻。失敗生出失敗。

有一位男士曾到我的辦公室協談，他正考慮結束自己的第三次婚姻。在我們談了一段時間之後，我問他：「在你的家族裡面，有沒有人離過婚呢？」

「喔，有！」他說：「我媽媽離過四次婚，而我爸爸剛結束他的第六次婚姻。」那離婚、失敗、受挫的靈一直存在他們的家族之中，而且一代傳給一代。我們一起禱告之後，那位男士心有所決地說道：「停在這裡！我不允許我的婚姻再破碎。」於是他回到家與妻子努力修復關係。這對夫婦攜手一同抗拒家族中的離婚浪潮。

也許你活在一個存在著兩代或三代之久的家庭問題，諸如酗酒、毒癮、貧窮、憂鬱、暴怒、低下的自我形象等等。無論問題為何，這裡有個好信息要給你，就是，你可以成為那

一個停止這惡性循環的人。你可以選擇這樣說：「靠著上帝的幫助，我要止住這個循環，我要信靠上帝並為自己的行為負全責，我要建立一個新的標準。」

上帝會幫助你破除來自家庭的咒詛，但你也必須以堅毅的意志力與上帝同工，不單只是每次作一個簡短的禱告。你必須改變想法，相信上帝要為你成就更好、更多的事。你的態度應該是：「*我不在乎這個家庭在過去是何等的失敗。這是一個全新的一天，我要大膽地相信，我會得勝有餘。無論過去我們如何殘破，我宣告：有一天我將是給的人而非向別人伸手的人。無論面前的困難如何艱鉅，我宣告：沒有任何武器能抵擋我成為富足。我不在乎敵人如何勇猛，因那在我們裡面的比在世界的更大。我們不再是戰俘，我們是得勝者。我們是受祝福，而不是被咒詛的。*」

痛下決定，求上帝點燃你的靈火。開始說正面的得勝話語，而不要再氣餒地嘆息。你的話語有神奇的力量，所以，不要再說你做不到的話語，而要開始訴說：在上帝凡事都能。將你的心專注在上帝的美善，保持得勝的信心和意念，這樣你就能從過去世代的捆綁中得釋放，並站穩了成為已改變的人，超越來自過去的限制。不要妥協地接受別人丟給你的一個生活模式。你生而能贏，能成就大事，能在生命中創造冠軍。

> 求上帝點燃你的靈火。

你可能會說：「在我的家族中，從沒有人真正成功過，我看不出我如何能成功。」

也許在你的家族當中，從沒有人認真領受上帝的話。突破

那些來自過去的限制！今天是全新的一天，而上帝要在當中做新事，擴大你的境界，開展你的信心。你可以成為第一個，你可以成為那個「打開監獄門」的人。只要你信，凡事都能。

常常，我們的禱告就像是在麻煩上帝。我們這樣說:「上帝，能否請祢給我一間比較大的公寓就好了？我不想太過麻煩祢。」

不，上帝想給你的是一間屬於自己的房子。上帝對你的生命有一個美好的夢想。

「這怎麼可能呢？」你說:「我賺的錢不夠。」

也許你的是不夠，但是上帝的綽綽有餘，祂不曾有過財務困難，祂擁有一切。何不向上帝求那更大的呢？

我們有時候會這樣禱告：「上帝啊，可否請祢向我所摯愛的一位親人彰顯祢對他的愛？我要求的不多，就這麼一個。」

不，上帝要向你家族中所有的人彰顯祂的愛。現在就張開你的視界。

我們可能這樣禱告：「上帝，請祢讓我成交這個新客戶，好讓我這個月有佣金可領，然後我才有辦法應付這個月的開銷。」

不，上帝要為你成就超過你所求所想的，也許上帝要你去管理整個行銷部門。

朋友，上帝要告訴你，你已經在曠野流浪太久了，是時候往一個新的層次提升了，是時候更新你的視界，超越過去的限制。把你心中的堅固營壘拆毀！記住，你必須改變你的想法。無論你家族中的何人曾做過或從未做過何事，不要讓他們成為你的限制。下定決心成為那個立新標竿的人，成為那個影響世世代代的人。

第 **5** 章

在恩惠中增長

有一對夫妻想把他們的兒子送進一所私立學校就讀，但他們孩子的出生日期比申請條件上的最後期限還晚了四天，如此一來，孩子需要再等一整年才能入學。這對夫妻深覺讓孩子與同年齡的孩子一起入學會比較好，因此他們致電學校，詢問他們是否能法外施恩，破例一次。

「不可能。」註冊組人員告訴他們：「很抱歉，這違反規定，而且我們從不設例外。你們的孩子必須再等一年。」

這對夫妻始終態度溫和，並不因此而無禮。他們並沒有氣得去掐住註冊人員的喉嚨，也沒有試圖操控情況，他們深知上帝的恩惠與他們同在。因此他們禮貌地說：「沒關係，我們想與你的上司談談。」

註冊人員將副校長介紹給他們，於是我的朋友致電給他，並陳述了他們的狀況。副校長給了相同的答覆：「我們很想幫

忙，但就是不能違規。你們得等明年再說。」

「沒關係，」這位父親說道：「我們想和你的上司談談。」

最後他們找到了校長，但他的答覆也是一樣。「規定就是規定，」他說：「很抱歉，我們無法改變規定，你們還是必須等。」

這對夫妻說：「不要緊，但我們想見見你的上司。」

校長說：「我的直屬長官是督學，我會安排你們見面。」

這對夫妻見了這個學校的督學，並講述了他們的狀況。

在他們講話時，這位督學並沒有下任何評論，他沒有答應，也沒有拒絕，他只是聽。等這對夫妻講完了，他說：「我會再回覆你們。」這對夫妻結束了會面，但仍宣告上帝的恩惠。他們期待能接到好的答覆，期待事情能有轉機。

在會談結束的一個月後，他們接到學校註冊人員的電話，也就是他們第一個談話的女士。她頗為困惑地說：「我在這裡任職十五年，可從沒做過這個。我甚至不曉得我們為何要這麼做，但我們的確要開個先例，接受你的孩子在這學期入學。」

> 若你堅心忍耐……上帝將為你開一扇門。

朋友，這就是上帝的恩惠。學校當局可能不明白何苦他們要這麼做，但我們明白。這是因為上帝的恩惠就像盾牌一樣護衛著我們。無論你生命中的光景看來如何，無論有多少人說你不可能完成你想做的事，但只要你堅心等候，宣告上帝的恩惠並保持信心，上帝將為你開一扇門，為你改變環境。

　　擴大視界的第四個要素，也是爲了要建立你生命中新視界的最重要步驟之一，就是要發掘如何經歷上帝更多的恩惠。聖經清楚地記載：「上帝以榮耀尊貴爲我們的冠冕。」[1]

　　「尊貴」(honor)一詞也可解釋爲「恩惠」(favor)，而恩惠的意思就是「幫助；提供特別的好處並接受優先待遇」。換句話說，上帝要讓你的日子順心些，祂想幫助你，提升你，給你好處；祂想要給你最優渥的待遇。因此我們若想經歷上帝更多的恩惠，就得活得更「心懷主恩」。而「心懷主恩」僅僅意味著去期待上帝的特別幫助，釋放出我們的信心，並深知上帝要幫助我們。

　　我終其一生都在覺察上帝的恩惠。從我的兄弟姊妹與我還年幼時，我們每天上學之前，母親都會如此禱告：「天父，感謝祢讓祢的天使掌管我孩子們的生活，祢施恩的手一直與他們同在。」

　　我必須謙虛的說，結果是我期待受到特殊、優先的待遇，我學到去期待別人會想來幫助我。

　　我的態度是：我是至高上帝的孩子，我的父親創造全宇宙。祂以尊貴爲我的冠冕，因此我可以期待有特殊、優先的待遇，我可以去期待人們會想伸手幫助我。

　　請別誤解我所說的。我們絕不可妄尊自大，自以爲我們高人一等，別人理當對我們低聲下氣或卑躬屈膝。但身爲上帝的兒女，我們可以活出信心與剛強，期待好事發生。我們能期待特殊優惠的待遇，並非是因爲我們是誰，而是因爲我們是誰的孩子。我們能期待因著我們父親的緣故，人們會想來幫助我們。

　　我深深覺得，因著我在地上的父親，我接受了無數的恩惠。我的父親約翰・歐斯汀在我們的社區一直是深受敬重並具有影響力的，人們通常僅僅因為愛我的父親，而為我做許多好事。在我還是個少年時，有一次我因開車超速被警察攔下。當時我才拿到駕照不久，一看到追趕我的閃光燈，我緊張得不得了，而讓人不寒而慄的警察正隱約出現在我的車窗外。但當警察一看到我的駕照，他認出我是約翰・歐斯汀的兒子。他對我報以失散多年兄弟般的笑容，並在勸告我後便將我放行。

　　另一次我在59號公路上被警察攔下，那裡剛好靠近父親牧會的湖木教會。我實在開太快了，這一次警察可不怎麼友善。他樣貌兇狠且口氣粗暴，在我把駕照交給他時還唸唸有詞。他就這樣盯著我的駕照看了好幾「百年」（其實只有幾分鐘，但對我來說已經像是永恆！）而我永遠也不會忘記他對我說的話及他的語氣：「你和那個，呃……呃，那個牧師……是不是有親戚關係？」

　　當他吞吞吐吐說出那些話時，我不知道和父親有關係是不是件好事。我也不知道為何我會這樣說，不過我想大概是因為緊張的關係，我報以一笑並對他說：「這個嘛，警察大人，要視情況而定。」

　　他盯著我並說：「年輕人，此話怎講？」

　　我說：「這可要看你喜不喜歡他了。」

　　他抬頭凝望一會兒，時間之久讓我至少有時間思考：「嗯，若他還得想一下，這可不是個好跡象。」

　　然後他低頭看我，看來像是要笑，並說：「是的，我喜歡他，非常喜歡他。」

　　「很好！」我說：「因爲他是我爸，我確信他不會高興你給我開罰單。」信不信由你，這位警察就讓我通行了。當然這件事的重點在於，我接受了特殊優惠待遇，不是因爲我自己，而是因爲我父親。

　　同樣的，這也存在於屬靈的層次。我們並不是因爲自己是誰或做什麼而受到恩惠，不是因爲我們很特別或因爲我們自身的優點，也不是因爲我們比別人好。不是的，你接受特殊優惠待遇，通常是因爲你的父親是萬王之王，而祂把榮耀尊貴傾倒在你身上。

　　然而，奇怪的是，當你「心懷主恩」活著，並宣告上帝的美善，你將會對人們是如何挺身而出來幫助你，感到萬分驚嘆。他們可能根本不知道爲何要幫助你，但你會知道這是因爲上帝的恩惠。

　　一位年輕的成功生意人請我與他一起，爲一個能爲他事業帶來重大成功的面試機會禱告。一位老先生辭職了，因此在這個大公司出現一個大好職缺，無數資歷顯赫的經理人都從世界各地飛來應徵這個職位。我的朋友承認，他們大多比他經驗豐富，資歷也比他好，至少從書面履歷表看來是如此。然而，他已經與這家公司面談好幾次，幾天後就要等候最後的評選結果。

　　在我們禱告之後，我鼓勵他：「你必須每天起床就宣告你已得著上帝的恩惠，無論情況看來如何，要剛強壯膽並以信心宣告你得著上帝的恩惠。這幾天你要宣告：『上帝的恩惠讓公司想要雇用我，上帝的恩惠讓我脫穎而出，讓我能夠戰勝其他競爭對手。』」我繼續說：「要每天不斷宣告，保持信心，並

期待得到那個職位。」

　　幾個月之後，我在教會遇到他，看見他全身閃耀著喜樂。我的經驗告訴我，他得到了那份工作。後來他描述與公司高層面談的經歷，他說真的是有趣極了：「當我走到董事會成員的面前，他們可說是一直在抓頭，看來摸不著頭緒。董事們說：『我們還真不知道為何要錄取你，你不是最有經驗的一位，也不是資歷最棒的一位。』還說：『但你就是有些特質是我們欣賞的。我們想不透，也說不出是什麼，但你就是有些東西讓其他競爭者黯然失色。』」

　　那就是上帝的恩惠。

宣告上帝的恩惠

　　容我激勵你在生命中期待並宣告上帝的恩惠。每天在你離開家門前，要說這樣的話語：「*天父，我為能擁有祢的恩惠獻上感恩。祢的恩惠是開啟機會之門，祢的恩惠為我的人生帶來成功，祢的恩惠讓人們想要幫助我。*」接著，帶著信心出門，期待好事發生，期待大門為你而非為別人而開，明白你佔優勢。你有過人之處，因為你有上帝的恩惠。

　　當你上床就寢，繼續感謝上帝並宣告祂的恩惠慈愛充滿你的生命。任何時候當你處在需要上帝恩惠的景況中，學著去宣告。若你喜歡，你不需要大聲向全世界嚷嚷，你也可以輕聲宣告。重點不在聲音音量的大小，而是你的信心。雖然從世界的觀點看來，宣告並不會讓你得著上帝的恩惠，但上帝要你這麼做。舉例來說，也許你走進一家擁擠的餐廳，你的時間有限，

　　而你需要盡快有位子坐。你可以說：「天父，我感謝祢在帶位這件事上賜我恩惠，帶位人員將盡快幫我找到位子。」

　　也許你在鬧區正要找個停車位，此時要說：「天父，我為祢的帶領及指引獻上感恩，祢的恩惠將領我找到停車位。」

　　你會問：「若我照著做，卻還是沒找到好車位時怎麼辦？」

　　此時你要走出車外，每走一步便感謝上帝，感謝祂讓你健康、強壯並有步行的能力。聖經上應許：「萬事都互相效力，叫愛上帝的人得益處。」[2]若你愛上帝，祂會為你生命中的好處作工，而且全是為了叫你得益處。

　　不久之前，我與維多利亞及兩個孩子駕車到靠近休士頓市中心的赫曼公園。當我們到了那兒，整個地方擠得水洩不通，到處都是人潮與車子。我們當初沒料到，這時正逢春假人最多的時候。

　　起初看來，我們是別想在這時找到停車位了，半打以上的車環繞著停車場，等著有人把車開出來好讓他們能停進去。當時我與家人耍寶嬉戲玩得正開心，於是我對車上的每一個人說：「看著噢，爸爸將找到一格前排的停車位，我可以感覺到，我全身上下充滿上帝的恩惠！」

　　我繼續耍寶，講得好像真有那麼回事。結果令人大吃一驚的是，正當我開車沿著前排停車格行進時，一輛車就從停車格開出了。那就好像我們計算得分秒不差，他把車開出來，而我就正好把車停進去，我根本無需減速慢行。更棒的是，那可是停車場裡最好的位置呢！

　　我靠向維多利亞並開玩笑說：「維多利亞，快來我這兒把

恩惠拿走一些吧，實在多得讓我消受不起咧！」

維多利亞只朝我翻了個白眼。

我轉向我們的小男孩：「來吧，強納生，摸摸爸爸，你需要一些恩惠，來拿吧！」

他看看我，然後說：「爸爸，你真奇怪！」

我們都承認，生活不總是這麼順心如意，你不會總是搶到最好的位置。幾個月前，我也曾處在一個類似的情境中。我開進一個擁擠的停車場，車上載了好幾個人，我對他們誇口說：「我有上帝的恩惠，我將找到一個很棒的停車位！」但這一次，沒人出來把停車位讓給我，我們一直開、一直開，十五分鐘過後我們全都只好搭接駁車。

我沒得到我想要的，並不表示我就要停止相信上帝的恩惠。不，我知道上帝總將我的益處揣在心上，祂總在作工，好讓我得益處。一個遲延很可能讓我免去一場意外，一個遲延很可能讓我遇到一位需要鼓勵的人，或一位需要看到笑容的人。無論發生什麼或未發生什麼，你一定要在生命中相信上帝的恩惠。

> 只要做你該做的，上帝就會做祂要做的。

心懷主恩地活著吧！每天起床時期待並宣告上帝的恩惠，要如此說：「我有上帝的恩惠。」別消極地退坐著。只要做你該做的，上帝就會做祂要做的，而你會擁有一切所需的。

第 **6** 章

感恩的心

上帝希望能在你生命中的各個領域幫助你，不單只是大事、大方向。當你存著一顆感恩的心，你將開始在每一天的生活中看見上帝的美好，無論是在雜貨店中採買日用品、在球場觀賽、在購物中心、在辦公室，或在家裡。你可能正陷在車陣中，看著隔壁車道暢行無阻，自己的車道卻動彈不得，這時，沒有任何理由，有一個人忽然慢下車來，好讓你能轉進移動中的車道。這就是上帝的恩惠。

你可能正在量販店排隊等著結帳，你趕時間，可是隊伍卻排得很長，這時，另一個收銀員點了一下你的肩膀說：「過來這邊，這裡開另一道結帳區。」這就是上帝的恩惠在幫助你。上帝的恩惠讓人特別對你伸出援手。

也許你正要去吃午餐，這時，「恰巧」就遇到一個你一直希望能見面的朋友。也許是一個你很欣賞或希望向他學習的

人，也許是一個你希望能有生意往來的客戶，但一直苦無機會面談。這絕不是一個偶然的巧合。這是上帝的恩惠讓你能在對的時間出現在一個對的位置。

> 不要將上帝的恩惠視為理所當然。

有一天我和維多利亞一起逛購物中心。我不愛逛街，但我妻子可是購物高手！她在店裡選了幾件衣服，我先拿到櫃檯結帳，好讓她繼續挑選別的東西。

當我站在櫃檯前無意識地作著白日夢、看著店員結帳時，這位女士忽然對我說：「這件短衫過幾天就要減價了。不過我現在就給你折扣。」

「真的？哇，真的很謝謝你。」我說：「謝謝你提前給我折扣。」

當她開始摺那件短衫時，她眼睛瞥見另一個地方說道：「你看，」她指了指短衫的下緣。「這裡看起來有一個小點。如果這是瑕疵品，我會再給你折扣，你覺得呢？」

我說：「喔，對，這看起來像個瑕疵品。」

她說：「如果你同意，我就以半價給你。」

我說：「好，半價我可以接受。」

我隨後告訴維多利亞：「以後我要多和你一起逛街，這樣可以幫我們省很多錢哩！」

這就是上帝的恩惠。那位店員沒有必要給我們折扣價，我也不會注意到有什麼差別；店員無須為了那個小瑕疵再給折扣，事實上，若不是她指給我看，我根本沒注意到。

但是當你存著一顆感恩的心，聖經說：上帝要大大傾福於

你，甚至使你無處可容。換句話說，你是無法用盡上帝的恩惠。不論你走到哪兒，因著上帝的恩惠，情勢會為你而改變。每當你轉身，就有人拿好東西給你，或沒有任何理由，就特別幫助你，這就是上帝的恩惠，讓你在人群中與眾不同。

有一次，我坐在飛機上靠機門的位置等著起飛，忽然，我聽到空服員廣播叫我的名字，要我按服務鈴回應。開始時我嚇了一跳，以為自己是不是有什麼東西掉在登機口的櫃檯了。

空服員從走道上過來，彎下腰來對我說：「麻煩跟我來，我們在頭等艙為你預備了一個位置。」

坐在我旁邊的乘客瞪大了眼睛，一定在想，為什麼是他？他為什麼可以坐到頭等艙？

我跟著空服員往前走，一直到頭等艙她說要給我的一個位置。後來在飛行當中，我問她：「為什麼選我坐在頭等艙呢？」

空服員說道：「喔，因為我們的經濟艙需要多一點空間，所以，電腦隨機選擇，讓經濟艙的乘客升等到頭等艙。」

我心裡想著，那是你的想法！我知道這是天上的父親給我的特別待遇。我清楚這是上帝讓我與其他人有所不同。

這些都是當我心存感恩時，會「自然」發生的事情，這就是為什麼我們要養成習慣訴說上帝在我們生活所行的恩惠，並且不單是我們自己的生活，也包括我們的事業、我們的員工、我們的孩子、我們的家庭。

如果你從事行銷工作，你要宣告上帝會施恩在你的客戶身上。每一天你都應該說：「天父上帝，我感謝祢讓客戶對我保持忠誠度，與我建立生意關係。」如果你從事房地產事業，你

應該爲所經手的房子向上帝求恩惠：「天父上帝，我感謝祢，因爲我知道這棟房子即將售出。我感謝祢，因爲祢將帶領適合的人給我。是祢的恩惠讓人想買下這棟房子的。」試著在生命中的各個領域訴說上帝的恩惠。如果覺得你還沒經歷上帝夠多的恩惠，開始宣告，你將經歷上帝更多且豐富的恩惠。更勤於講述上帝在你身上所做的美好事，你甚至不需要刻意說得很大聲，你可以輕聲地感謝上帝，可以在上班的途中分享給坐在旁邊的人，也可以在一場正式的演說之前感謝上帝。記住，當你愈是存心感恩，你將經歷上帝更多的恩惠。

> 試著在生命中的各個領域訴說上帝的恩惠。

　　上帝的恩惠會引領人開始有所期待，並改變他們的例行公事，開始嘗試新的事，即使是一些從未做過的。幾年前，我在機場等著搭國際線的航班。我帶著一架非常昂貴的電視攝錄機，所以我很不希望託運。我問航空公司的櫃檯小姐，我能不能把它帶上飛機當隨身行李。

　　「很抱歉，不行。」她說：「我們的規定很嚴格，任何行李超過座位前面下方的空間或上頭的行李艙，就必須託運。」

　　我了解她是按著規定做事，但我也深信上帝的恩惠能給我一個例外。我很有禮貌地請問她：「請問我可以和誰談談，看看是否能讓我將這架攝錄機帶上飛機。」

　　她說：「不行，很抱歉，你這樣做沒用的。你是不可能將攝錄機帶上飛機的。」

　　就在此時，有位身穿機長制服的男士走了過來，我不曾見

過他，也不認識他，他向我走來，問我：「有什麼可以幫忙的嗎？」

「我希望能將這台攝錄機帶上飛機，」我說：「這樣才不會被託運的行李給撞爛。」

「你要到哪裡？」

「我要去印度的新德里，去看我父親。」我回答。

「真的？」他向我眨眨眼說道：「這班正好是我要駕駛的班機。」他接著說：「等會兒你登機之後，就將攝錄機給我，我放在機長座艙。」

站在櫃檯後面的小姐瞪著我，搖著頭一副怒不可遏的樣子。我只是微笑說道：「不好意思，小姐。上帝的恩惠！」

上帝的恩惠讓人想站出來幫助你。想想看，是什麼原因讓機長在繁忙的航站中向我走來。在那裡有上百個人在其他十五到二十個櫃檯排隊。他為什麼選上我？

是上帝的恩惠！

這就是上帝給我特別的待遇，給我特別的恩惠。不是因為我是牧師的孩子，或是知名傳道家的兒子，而是因為我是祂的孩子。上帝也希望在你的生命中做相同的事。

一位年輕的姊妹來到湖木教會找我，她告訴我，她因為意外必須動緊急手術，但不知是什麼緣故，她的保險卻沒有給付這個部分，也因此她欠了醫院美金二萬七千元。醫院幫她規劃了償還計畫，每個月償還一部分，但這對她而言負擔還是很大。她是個單親媽媽，任何一項額外支出對她都是沉重的負擔。然而，她沒有因此而氣餒或抱怨。她沒有埋怨醫院對她如此殘忍，相反的，她保持著信心和期待，宣告上帝的恩惠臨到

她的身上。她留意觀看上帝所賜的恩惠。

就在聖誕節前，有一天她收到一封來自醫院的信，大意是說：「我們每年會選擇一些家庭，為他們做一些特別的事。今年，我們選中了你們家，我們要通知你，你所積欠的二萬七千元款項已取消。」那封信接下來寫著：「我們不但免除你的款項，連同之前你已償付的部分，我們也會一併寄還給你。」

這是上帝的恩惠！

你可能會說：「約爾，這聽起來實在太好了。但是你不知道我的情況，你不了解我曾做過的錯事，我做了太多蠢事。我想上帝是不會這樣祝福我的。」

你說對了，除非你改變想法，否則事情是不會發生的。你必須開始心存感恩。你必須開始去期待上帝超乎你所求所想的恩惠臨到，而且是以一個新的方式臨到。我們誰不會犯錯，誰不曾尋求赦免、饒恕。一旦你做了，就讓事情過去，要知道上帝將傾倒恩惠在你的生命裡，祂要透過你做大事。

一個新的開始

以色列人的第二個國王——大衛王，也曾犯下很多錯誤。他曾犯下淫亂的罪，還派人謀殺別人的丈夫。但是當他在上帝的面前悔改，上帝原諒他並且給他一個新的開始。聖經這樣稱許大衛：「耶和華已經尋著一個合祂心意的人。」[1]大衛並沒有一直活在做錯事的悔恨陰影中。不，他開始過一個心存感恩的生活。他寫到：「我一生一世必有恩惠慈愛隨著我，我且要住在耶和華的殿中，直到永遠。」[2]注意看，大衛期待上帝的

恩惠與慈愛，不是只有此時此刻，乃是一生一世，直到永遠。我喜歡《信息》(The Message)版聖經，裡面的翻譯這樣寫著：「無論我行到何處，上帝的慈愛與恩惠緊跟著我。」大衛的態度就是：「我被上帝美好的事緊緊抓著！」

　　與其在這裡哀苦得一籌莫展，何不開始期待讓上帝的福分追著你跑；與其只是期望夠用的恩惠，何不求上帝讓你福杯滿溢。你可能會說：「這些都很棒，可是我有一堆的問題。我面對的難處極大，我有太多負面的東西還在我的生命當中。」

　　上帝的恩惠將帶你超越這些難處，並將它們轉變成為你生命中的益處。大衛說：「在我敵人面前，祢為我擺設筵席。」聖經中還有許多例子，是人靠著上帝的恩惠，生命得以從極大的需要裡整個被翻轉過來。

　　想想看挪亞如何面對他生命中的最大挑戰。整個世界即將被洪水毀滅，而上帝給他一個巨細靡遺的藍圖，要他建造一座大型的方舟，卻沒告訴他是要裝載各種活物。毫無疑問地，挪亞幾度想要放棄，然而令人驚訝的是，聖經上這樣說：「惟有挪亞在耶和華眼前蒙恩。」[3]換句話說，上帝喜悅挪亞，因此上帝的恩惠以一個新的方式臨到他，給了他新的能力，讓他能將方舟建造完成，救了他的家人、動物和他自己。

　　想想看路得，她的丈夫已死，那地又遭逢飢荒，她便與婆婆拿俄米回鄉，卻沒有任何食物可吃，於是路得每天出去田間，跟著收割的人拾取打捆剩下的麥穗。從聖經中，我們可以看到，莊稼的主人特別憐恤路得，[4]吩咐其他僕人從捆裡抽出些麥穗來，留在地下任路得拾取。再注意看一次，上帝的恩惠在危機中臨到路得和她的婆婆，她們的難處翻轉了，她們的需

要得到充足的供應。

　　約瑟的故事是聖經中另一個蒙上帝恩惠的例子。他被賣到埃及為奴，被利用且受盡凌虐。然而聖經說：「但耶和華與約瑟同在，向他施恩。」[5]無論其他人如何惡待約瑟，無論他被帶到什麼地方，他所做的盡都順利。即使波提乏的妻子污陷他非禮，使他成為階下囚，他還是在司獄長面前蒙恩。上帝繼續賜恩給約瑟，到了最後，他甚至掌管埃及全地。

　　在這所有的例子當中，上帝的恩惠在每一次的試煉中臨到：在飢荒中臨到、在被人惡待時臨到。當你正遭遇痛苦，如同約瑟，被人陷於不義；如同路得，有財務上的困難；或是如挪亞，整個大環境即將瓦解，然而不要害怕喪膽、或是生出苦毒。在這個時候，你更要心存感恩，開始宣告上帝的恩惠將臨到，開始期待上帝的賜福。

活出滿有信心的生活

　　今天有人對你不好嗎？開始這樣對上帝說：「天父上帝，我感謝祢，因為祢的恩惠以一個新的方式臨到我，我知道整個情勢將會被翻轉過來。而這些人會開始以一個正確的態度來對待我。」

　　相同的，如果你有財務上的困難，試著這樣說：「天父上帝，我謝謝祢，因為祢讓我能在適當的時候身處在適當的地方，祢將為我帶來美好的財務生機。」

　　如果你以信心來過每一天，就如同聖經中那許多如雲彩般聖者的見證，上帝的恩惠就會臨到，將整個情勢翻轉成對你有

益的。想想看約伯，他遭逢了人所能忍受的痛苦極限，就在短短一年之內，他失去了家人、事業與健康。他全身流膿、長瘡而活在極大的痛苦中。然而在這些黑暗的時刻，約伯說：「上帝啊，我知道祢已應許賜給我恩惠！」[6]

　　然而，這個故事令人讚嘆的地方在此：整本約伯記有四十二章，約伯在第十章作出他的信心告白。然而，他一直到了最後才得醫治，得著釋放，那是直到第四十二章！即使在情況最糟，看來毫無盼望的時候，約伯仍舉目仰望並且宣告：「上帝啊，我知道祢應許賜給我恩惠！」這就是真實的信心。約伯是在說：「上帝，我不在乎情況看起來有多惡劣，我不管自己的感受有多糟，我知道祢是一位慈愛的上帝。祢的恩惠將會翻轉這一切。」

　　這就是為什麼上帝最後加倍賜福給約伯，這就是為什麼約伯的仇敵無法勝過他。

　　朋友，如果你也能堅心信靠上帝，在最黑暗的時刻大聲宣告你的信心，那麼再沒有任何事能擊倒你。也許你今天所處的光景似乎毫無盼望，不要忘了上帝的恩惠與你同在。只要上帝觸碰你的生命，一切都會改觀。

沒有任何事能擊倒你。

　　聖經說，仰望耶和華，等候祂施恩；換句話說，永遠不要放棄，要堅心相信，期待並宣告。存著一顆感恩的心，因上帝應許，好事即將臨到你。如果你在主身上持續抱持盼望，上帝的恩惠終將臨到。也許你現在還看不到任何端倪。事情從表面上看起來就是毫無起色，然而，好消息是，只要

你繼續抱持希望，上帝的恩惠必然臨到。而當上帝的恩惠臨到時，一切都會改觀。上帝會讓你解決你的問題，祂讓你的敵人無法傷害你。無論你的情況如何，都要繼續勇敢地宣告：「上帝，我知道祢的恩惠就要來到！」

2001年那年，我們希望能將我們的電視福音事工往另一個全國性的網路開展。我向前來會談的代表表示希望能上週日晚上十一點的時段。

那位代表說：「約爾，這不可能的。這是全國的頻道，那個時段太熱門，他們不可能輕易出讓的。」

我說：「聖經說，我們得不著是因為我們不求。所以，讓我們試試吧！」

我們自己的工作人員也飛到頻道的總部去會見他們的高階主管，所得到的答案也是如此：「不可能的，這個時段太過搶手，我們不可能給你們，你們試試別的時段吧。」

我說：「好，我們繼續仰望上帝的恩惠。」我每一天宣告：「天父上帝，我感謝祢的恩惠以一個新的方式臨到。祢的恩惠能夠開啟任何一道人所無法打開的門。我感謝祢，因為這家公司將給我們特別的待遇。」幾個月過去了，我沒有接到來自電視公司的隻字片語。但是我不放棄，不氣餒，我繼續仰望上帝。我知道只要不放棄，上帝應許的恩惠終將臨到。也許我現在看不到，但我知道上帝已經在動工，恩惠已在半路上了。

六個月後，我們的代表打電話給我，他說：「不知道發生什麼事情了，電視公司打電話給我，要我再去和他們見面，再談一次。」

「很好，」我說：「但是我告訴你，我改變心意了。我不

想要十一點的時段了，我要十點的時段，緊接在他們最熱門的節目之後。」

「約爾，你在開玩笑吧？」我們的代表笑著對我說：「你知道他們聽了會說什麼嗎？」

「聽好，」我說：「我們已經得著上帝的恩惠。上帝要為我們開啟一扇人關不了的門。你儘管走進會議室，剛強壯膽，要知道上帝的恩惠已臨到你。」

他笑了，說道：「好的，我會照做。」

他和那些高階主管見了面，然後打電話給我：「約爾，我盡了最大的努力，但他們還是不答應，他們拒絕了。」

我說：「不要緊。我們仍舊繼續仰望上帝。我深信，只要我們不放棄，上帝的恩惠將開新的道路。」

在會議過後的一個月，我們的代表打電話給我，按捺不住興奮之情，激動地對我說：「你不會相信發生了什麼事！剛剛電台的老闆，不是他們的代表喔，是老闆親自在機場打電話給我，他說：『聽著，我知道你們一直想要星期日晚上的時段，我很欣賞你們的年輕牧師，所以我已經挪出了那個時段，你們可以隨時開始。』」

朋友，這就是上帝的恩惠。絕對不要放棄上帝。聖經說，仰望耶和華，等候祂施恩。[7]

當你真正了解這些恩惠將臨到你，活出充滿信心的生活對你來說就會更容易。你可以大膽地求，求你通常不敢去奢望的一些事物，然後可以一個新的觀點察看自己的處境。在你心深處，你會知道，你的生命得天獨厚，你是萬中選一。你已得著上帝的恩惠！

【第二部】
培養健康的自我形象

第 7 章

你認為你是誰?

以多數人的標準而言,柯麗應該無法成功。柯麗不但體重過重,也因為小時候的一場意外,使她變成長短腳,而且她還是一家男性主導的公司中惟一的女性。她幾乎每天都必須耗盡全力,讓公司裡的人聽到她的意見。有些人嘲笑她的身材與蹣跚的走路姿勢,有些則在背後講些刻薄、惡毒的話,有些則是當面給她難堪,但柯麗不在意。她知道她是誰,也知道她在工作上所做的是她拿手的事,所以當別人想要讓她難過時,她認為他們心理有問題。「情感上受到威脅,」她常這麼嘲諷這些惡意的批評者。

儘管種種因素皆對她不利,柯麗卻不斷獲得升遷,最後還成為她任職公司的執行長,以及所從事領域中的第一把交椅。她是如何辦到的?

柯麗的祕訣在於她無比正面的自我形象。身為虔誠的基督

徒，柯麗深信她是按著上帝的形像所造，祂賦予她生命內在的價值。她並不汲汲於尋求別人的肯定，也不倚靠上司或同儕的讚美來欣賞自己。開朗、友善、率直，以及在工作上的極具競爭力，柯麗以微笑過她的人生。當其他人在對柯麗的態度驚嘆著搖頭時，柯麗正活出她當下最好的生活！

健康的自我形象

要活出當下最好生活的第二步，就是要建立健康的自我形象。這表示你必須將自我的形象奠基於上帝所說的話語，而非奠基於一些錯誤與善變的標準，像是你居住的社區、你所開的車款，或是主流團體的看法等等。你對自己的看法及對自己的感受，將會深遠影響你生命的走向，或是能否實現你的使命。事實上，你永遠無法超越自己心中擁有的自我形象。

> 你永遠無法超越自己心中擁有的自我形象。

你的自我形象是什麼？在現今自我意識大為提升的時代，很容易就讓人對這些術語感到困惑。自我形象和自我尊嚴或自我觀感是同一件事嗎？我要如何衡量我的自我價值？雖然臨床心理學一直熱衷於從語法中分析這些名詞實質意義上的差異，但多數人通常將自我形象、自我尊嚴、自我觀感或自我價值互相替代，就我們的目的來說，其實是都可以。

自我尊嚴是你內心深處對自己的觀感，是你如何看待自

己、你對自我價值的意見與判斷，以及你認為自己在生命中重要的程度。這是一種「我喜歡我自己」，或「我討厭我自己」的感覺。你的自我形象就像一幅自畫像，是你對自己是「誰」，以及是「什麼」的描述。有趣的是，你的自我形象可能是、或可能不是你真正自我的反映，卻是你認定自己為何的寫照。你認為你是誰？

　　無疑地，一個健康的自我形象是任何個體成功及快樂的重要因素之一。你的自我觀感如此重要，是因為你將可能依照你所自認的那個人來說話、行動或反應。心理學家已證實，你會依最符合自我形象的模式來行為。當然了，即使你有負面的自我觀感，偶爾你也會打破既有模式或成就一些大事，像是交到新朋友，或在公司的公園餐會上打贏壘球比賽。相反地，就算那些有健康自我形象的人有時也會把事情弄砸，但通常，你的心智會去完成你下令要它描繪出的一幅自畫像。

　　如果你認為自己不夠格、不重要、沒有吸引力、卑下或沒有才能，你將可能會依照你的想法去行動。若你的自我價值低落，你將會把自己想像成一個天生的輸家、失敗者、不配被愛與被接納。

　　「我永遠也不能成大事。」「為何是我？」「我只能一文不名。」

　　這些都只是一個自我尊嚴低落之人的一些對話片段。反過來說，那些以上帝看他們的角度來檢視自己的個體，通常對自我感到快樂。他們明白自己是按著上帝的形像所造，且上帝以極大的尊榮為他們的冠冕。[1]他們對自我感覺良好，因為他們深知上帝珍愛他們且對他們很滿意。他們可以老實地說：「天

父，感謝祢以祢的方式創造了我。我知道祢對我有個目標及計畫，我就是我，我不願成為世上的其他人。祢已應許為我預備一切美善，而我等不及要去發現它們了！」

　　你的自我形象並非你身體的一部分，而較像是一種潛意識的「掌管」來控制你的行為與表現。這種功能就好像汽車的速度控制，一旦速控系統將速度設定為一小時七十哩，車子就會視不同情況來加速或減速，但速控系統總會讓車子運轉成所設定的速度。同樣地，當你超出你的期待或是有點過頭時，你的自我形象會將你拉回到這個限制裡，若你落在設定之下，你的自我形象也會把你拉回來。

　　你由何處尋得自我尊嚴？諷刺的是，你目前的自我形象很可能是別人怎麼評論你的結果，像是你的雙親或同儕如何看待你，或者可能是自我加諸的形象——你在心中就你自己的人格、外貌、能力或成就所描繪出的自畫像。每個人都有一幅自畫像，問題在於，你認為自己是什麼的自我形象，是否符合上帝所說關於你的話語？

　　上帝希望我們有健康、正面的自我形象，祂看待我們好似無價之寶，祂要我們喜愛自己。上帝深知我們不是完美的，我們會犯錯，也會軟弱。但好消息是，無論如何上帝都愛我們。

　　上帝依祂的形像創造了我們，持續塑造我們，使我們與祂的性格一致，幫助我們更像祂。因此我們必須珍愛自己，無論好壞，並非因為我們的自我作祟或是為我們的自我缺陷找藉口，而是因為我們在天上的父親就是那樣愛我們。你大可帶著上帝無條件的愛抬頭挺胸，以信心昂首闊步。祂對你的愛單單基於你的本質，而非你做了什麼。祂將你創造為獨特的個體，

絕對不會有另一個與你一模一樣的人，即使是雙胞胎也不會完全一樣，祂將你視爲祂的曠世鉅作！

不僅如此，你在上帝的眼中是個冠軍。祂相信你的程度，比你自己對自己的相信還要多！我們常常都感受到上帝告訴我們，祂要爲我們行大事，但因著我們低落的自我形象，我們總說：「上帝，我做不來。我只是個無名小卒。祢得找個更夠格的人，學歷更高的人。上帝，我條件不夠。」

這就是一位叫基甸的仁兄在聖經中的回應。有個天使出現在基甸面前說道：「大能的勇士啊，耶和華與你同在。」[2]（擴大本聖經寫作：「剛強無畏的大能之人。」）

信不信由你，上帝就是這樣看你的，祂視你爲剛強、勇敢、成功與得勝者。

「噢，約爾，祂可不會對我那樣說，」你也許會說：「我不是那一型的，我既不強壯，也不成功。勇敢？你在開我玩笑吧？我？上帝只可能會對基甸說那些話，他既有安全感又有信心，他可是個偉大的領袖。」

絕對不是這樣。當天使來到基甸面前告訴他，上帝要他拯救以色列人脫離邪惡、不信與佔領他們家園的米甸人之手時，基甸的本性就顯露出來了，他回答：「主啊，我有何能拯救以色列人呢？我家在瑪拿西支派中是至貧窮的，我在我父家是至微小的。」[3]

是不是聽起來很耳熟呢？

不過最有趣的，莫過於留心注意基甸如何看自己與上帝如何看他的差異。雖然基甸自覺不夠格，充滿恐懼與缺乏信心，但上帝仍指派他爲大能無畏的勇士。

基甸覺得軟弱，上帝卻看他為剛強；基甸覺得自己不夠格，上帝卻看他為勝任有餘；基甸缺乏安全感，上帝卻視他為壯膽、有信心之人，得以帶領百姓爭戰並贏得勝利。

基甸做到了！

同樣的，上帝視你為冠軍。你或許不這樣看自己，但這一點也不影響上帝對你的看法。上帝對你的看法與祂描述你的話語完全一致，分毫不差。也許你自覺不夠格、不安、一敗塗地，也許你覺得軟弱、害怕、不受重視，但上帝看你為已經得勝！

改變你的自我形象

思考一下：你可以改變自我形象。但要怎麼做？就從認同上帝的看法開始著手吧。千萬記得，上帝視你為剛強壯膽、尊榮大能的兒女，而且得勝有餘。開始像上帝看你一樣地看待自己，別再找藉口，踏出信心的步伐，回應上帝對你的呼召。

你會允許自己的軟弱與不安攔阻你表現出色嗎？你正為了何以自己在工作上不能晉升領導職位、不能參與教會重要計畫、不能為社區服務與不能幫助有需要的朋友找藉口嗎？注意，上帝可沒否定基甸，但祂也沒讓他找到藉口不用服事。你也許正讓失敗感攔阻你相信上帝要行更大的奇事。雖然你軟弱，上帝仍想要使用你。別專注在你的軟弱上；要注目仰望上帝。若上帝要選到完美的人才使

> 別專注在你的軟弱上；定睛仰望上帝。

用，那祂根本找不到人用。

　　上帝喜歡使用像你我一般的凡夫俗子，去行不平凡的事。你也許自覺能力不足，但無所謂。使徒保羅說：「何時我們是軟弱，祂就是剛強。」[4]上帝的話表明祂總會讓我們成功，祂期待我們過得勝的生活。祂可不高興我們成天鬱鬱寡歡，抱著「我真可憐」的態度、或是「塵世中的可憐蟲」的心態。

　　當你這麼做時，你就在允許自我形象以與上帝作對、不合聖經的方式來塑造。然而許多人還是那麼做了，結果他們深受自尊心低落之苦；他們自覺無足輕重，不配得上帝的注意，更別提蒙祂的賜福。這種低落的自我形象讓他們無法運用上帝的恩賜及權柄，也使他們無法經歷天父要他們擁有的豐盛生命。缺乏生命的喜樂與意義，常成為他們如此看待自己的原因。

　　要儆醒，不要與這些負面及缺乏自我尊嚴的人深交、或採取與他們一樣的態度，因為這會剝奪上帝在你裡面的大能。典型的案例就記錄在舊約，在上帝以超自然方式幫助摩西帶領兩百萬以上的希伯來人脫離埃及為奴之地後，他們跋涉曠野，來到迦南地的邊界那個流著奶和蜜的地方。他們就在應許之地，也就是上帝給他們的「夢土」旁紮營。上帝已應許祂的子民有豐盛的產業與美好的未來，只有一個問題就是：他們的夢土已經有人先佔了。

　　摩西知悉他們可能會陷入一場苦戰，便在開戰前派了十二個探子進入迦南地探聽敵情並勘查情勢。六週後，探子們回來報告。

　　「就像我們聽到的！」他們在歡迎會上興奮地分享著。

　　「阿們！」所有人應和著。

「那是個流著奶和蜜的地方，」探子繼續說道。

「快看看這些葡萄，看看這些石榴！為什麼呢，因為這可是我們看過最大、所嚐過最甜美的。還有這些蜜，豈不妙哉？」

「阿們！」人們應道。

接著壞消息來了：「但那裡有巨人，與他們比起來，我們只像一群蚱蜢。」

所有人接著叫著：「噢，老天爺啊，我的天哪！」

十二個探子中的十個人說道：「那裡的確是個流著奶與蜜的地方，但我們根本沒機會。我們永遠無法打敗那些人，他們太高大、也太強壯了。」

不僅如此，他們繼續說：「摩西啊，在我們眼中，我們是蚱蜢。」請注意這個用語「在我們眼中」。換句話說，相較於前方的攔阻與障礙，他們心中看待自己的形象就是軟弱、渺小、鬥敗的蚱蜢、等著被輾碎，不用等到巨人來對付他們就已經夠無助了。

那十個探子帶來負面的消息，因為他們專注在自己的景況中。他們未戰先敗。但另外兩個探子，約書亞與迦勒，則帶來全然不同的報告。他們與其他十個探子掌握相同的資訊，卻彷彿他們去的是另一個地方。

「摩西啊，我們絕對可以擁有那塊地。」他們說。

「沒錯，那裡的確有巨人，巨人也的確難對付，但我們的上帝更屬害。對，這些人很強壯，但我們的上帝更強壯。因為祂，我們一定行的。讓我們進攻並奪取這塊地。」

真是驚人的事實啊！你我都是「有能」之人。不是因為我

們有權、有勢，而是因為上帝滿有權能！當我們在生命中遇到逆境與難關時，我們能靠信心奮起壯膽，深知因為有上帝，我們有能力克服一切。

約書亞與迦勒並非天真無知之人，他們與同袍面對相同的情況。他們都承認巨人、不利的情勢與攔阻的存在，但相異之處在於他們的態度：他們相信上帝。他們的自我形象是他們拒絕視自己為將被踏扁的蚱蜢。相反地，他們相信自己是上帝的人馬，被上帝帶領並被賦予能力。約書亞與迦勒他們和懷疑之輩有著相同的資訊，但他們做出不同的結論。

朋友，上帝已經有夠多的「蚱蜢」了。祂要你成為一個「能夠做到」之人，一個樂意、做好準備且「有能」去執行祂的指令之人。

令人難過的是，在所有出埃及的人之中，只有兩個人曾進入上帝打算讓他們進入的地方，他們就是約書亞及迦勒。其餘之人（除了摩西與亞倫）則被上帝所責備；他們使祂蒙羞，以致窮耗餘生的光陰流浪徘徊在曠野中，直到死去。他們的缺乏信心及缺乏自尊，剝奪了上帝為他們預備的大好前程。

記得，上帝已經向希伯來人承諾勝利，但因為他們低落的自我形象，他們永遠無法成功進入迦南美地。他們沒有實現生命，全因為他們看自己的方式。

你怎麼看自己？你認為自己成功嗎？健康嗎？樂天嗎？快樂嗎？你認為自己被上帝使用嗎？你認為自己「有能」去行上帝要你行的，在祂和祂的大能中剛強嗎？亦或，你允許自己採取「蚱蜢心態」？蚱蜢心態會說：「我這輩子永不會成功；我的夢想永遠不會實現；我的婚姻太慘了；我欠太多債；我永遠

也沒辦法從深淵中爬出來。」

　　你必須學習丟下負面的想法，並開始以上帝的角度來看自己是一個贏家、一個衝破難關之人。祂看你為「有能」。若你盼望生命中的景況開始好轉，首先必須經由你的「信心之眼」看到它們改變。你必須視自己為快樂、富足、成功、過著得勝的生活。

> 以上帝的眼光看自己是個贏家，是得勝者。

　　要明白，你不是宇宙中的一個偶然，終身漫無目的地遊蕩。上帝對你有個特別的目標，祂並不想要你過著悲慘、沮喪、孤獨、病魔纏身與失敗的人生。你也許因為已經被生命中的掙扎、磨難徹底擊倒，因而習慣受挫；也許你一直被欺騙去接受遠遠不及上帝心意的生活；也許你曾一度有良好的自我形象，但現在只認為自己在苟延殘喘。上帝要你看自己的方式已經扭曲變形；你所看到的自我的鏡子——反映出你的父母、同儕或曾經傷害過你之人的話語、行為、意見，已是殘破不堪，投射出你變形扭曲的自我形象。當你接受這些偏差形象，就將自己投身於沮喪、貧窮，甚至更可怕的境況中。如果你一不小心，就會馬上開始認為你在那些扭曲鏡子中看到的形象，就是生活的真實投射。你將不會期待生命變得更好。

　　你將不會期待上帝賜下的祝福與勝利，你將漫無目的地飄蕩，無論任何事你都接受，昏頭轉向直到死去。

　　但朋友，這不是上帝的意念！上帝是良善的神，賜下好東西給祂的兒女。無論生命中有誰中傷你，無論經歷過多少傷痛、多少挫折，你都不能允許自己認為生命本該如此。哦不，

生命不是本該如此，上帝已爲你預備更好的。你必須用上帝的話語重新設定你的心態，改變那些負面、挫敗的自我形象，並開始認爲你可以成功地攀登頂峰；將你的婚姻看作已修補完整；將你的生意看得蒸蒸日上；將你的孩子看作上帝的美善成果。你必須透過信心之眼來看，然後這些事情都將開始成眞。

學習保守你的心，控制你意念中的生活，並開始住在上帝的美好之中。若你總是思想負面、信心不足、無所期待，那你將會一無所獲。若你總是想到失敗、打擊、你有多軟弱及情勢看來多不可能，那你將會像那十個探子，會陷入「蚱蜢心態」。

有個年輕人曾經對我說：「約爾，我的祖父母很窮，而在他們之前，我的曾祖父母則住在貧民窟。我的父母也好不到哪裡，我猜這就是我的命。」

這就是蚱蜢心態。

「不，你必須破除這種貧窮的心態並改變低落的自我形象，」我激勵他：「別讓過去決定你的命運及自我形象。要用上帝的角度看你自己，描繪一幅你經歷上帝爲你預備最好的藍圖。」

就像我之前提到，我父親生長於一個貧困的棉花農家中，他們在1920年代晚期到1930年代初期的經濟大蕭條中失去一切財產。但到了1939年，在我父親十七歲時，我父親把心交託給上帝。幾年之後，父親告訴我：「從那時開始，我做了一個重大決定，我要讓自己的孩子及家人從此再也不用經歷我所經歷過的貧窮及匱乏。」他並且開始以不同的眼光看自己，不將自己視爲貧窮、失敗、沒有希望、沒受教育與沒有未來的農家子

弟。相反的，他開始將自己視爲至高神的孩子，他開始翻遍經文尋查上帝所說有關於他的話語。

父親領悟到上帝對他的生命有個更大、更美好的計畫。這些年以來，他已建立一個更好的體認，知道他是上帝的孩子，也知道因著他與上帝的關係，他有權享有美好的事物。他開始以上帝的角度看自己，他發現上帝是加添福分的上帝。一旦心中認清了這項事實，父親超越了原本的現況，並破除了我們家族中貧窮的咒詛。但這一切，都是從他看到上帝眼中的自己開始。難怪他每次服事都抱著聖經並說：「這是我的聖經，它說我是什麼，我就會是什麼；它說我有什麼，我就會有什麼。」

若你知道上帝要賜多少福分給你，你可能會嚇呆了。上帝要你成就生命中的偉大事物，祂要你在世界上留下印記。祂將無窮的潛力、天賦、才華放在你裡面，並準備好當你以祂的角度看自己、以信心邁出，並實踐祂放在你心中的夢想與渴望時，就大大地使用你。

眞令人興奮，不是嗎？你將開始以上帝的角度看自己；你將擺脫蚱蜢心態。是的，你的道路上也許有個大阻礙，但你的上帝是更大、更大的。你是個「能夠做到」之人。你要建立一個「有能」(well able to)的態度，將自己看作上帝所造的冠軍。繼續向前，繼續向前！上帝已爲你預備更多！

第 **8** 章

明白自己的價值

$\mathbf{\mathcal{H}}$ 的父親與一位好友傑西一同前往一所高中參觀足球賽。傑西的兒子捷夫擔任守衛，因此整場球賽下來，幾乎沒有碰到球。其中有一局，對方踢了一記懸空球，捷夫立刻向前撲去。他迅速抓到球，向四處望去，往左跨一步，又往右跨一步，企圖抱著球往前跑，然而沒有任何可以前進的空間。這時，對方十名壯漢一擁而上把他擊倒。我的意思是，捷夫連一吋也沒有向前移動。

有好長一段時間，父親就安靜地坐著，想著該與傑西說些什麼。然而，看著那些球員無情地將捷夫推倒在地，這實在是一個很難堪的混亂場景。連我父親也想不出能說什麼正面的話來安慰傑西。就在此時，傑西推一推父親的手肘，得意地微笑點頭說道：「牧師，你看到那兩個完美的動作了嗎？」只有一位慈愛的父親看得見孩子那兩個完美的動作，而無視除了啦啦

隊之外，全場球員都將他的兒子扳倒在地。

上帝看到我們的兩個完美動作

然而朋友，這就是上帝看待我們的方式。上帝沒有專注於我們被扳倒在地的時刻，祂沒有專注在我們的過犯上面。祂專心看著我們那兩個完美的動作。上帝專注在我們做對的事情上面，祂看到你生命中最美的部分。也許你沒有好好地控制脾氣；也許一時衝動說了不該說的話。只要為此尋求上帝和人的原諒，然後，就停止再鞭打你自己，咒罵自己。只要你能繼續往前，就能昂首闊步，知道「一切在掌握當中」，而上帝也在改變你，祂在看著你那兩個完美的動作。

當然，我們不要輕易犯錯，然而，有一個事實是，我們每個人都有亟待改進的地方。我們不能一直專注在自己的過犯上而失去了上帝當初造我們的喜樂。你要欣然接受現在的自己，接納自己的一切，包括所做過的錯事。

以上帝的眼光來看自己的關鍵，在於了解自己的價值，無論你所做是對還是錯。太多時候，我們專注在自己的過犯、軟弱和失敗上。挫折和其他痛苦經驗奪去了我們的自我價值，讓我們覺得自己一無是處，沒有安全感。

你的價值感不應來自你的成就、你的表現，也不在於別人如何看待你，或是你有多麼受歡迎或多麼成功。你的價值感單單來自於你是至高神的兒女。因著祂獨特的創造，你可以賦予這世界無人能及的價值，帶來無可取代的益處。

接納自己並學著喜愛上帝創造你的樣式。如果你真的想要

享受生命，就必須與自己和平共處。許多人一直對自己極不滿意，他們對自己的要求過於嚴苛，並將罪惡感加諸於己。無論如何都無法使自己快樂起來；他們在內心交戰著，無法與自己和平共處。如果你無法和自己相處愉快，你也絕對無法和他人有美好的關係。起始點就在於喜悅當初祂所創造的你。

> 喜悅上帝當初
> 所創造的你。

也許你並不完美，但又有誰是呢！

當然，你會有一些缺點，這點大家都一樣！但是要得享真正的自由，就必須有一個健康的自我形象，儘管你並不完美。

有些人總是把自己看得很低。「我的動作超慢。」「我永遠改不掉那些壞習慣。」「我長得太不討喜，看看我的鼻子；我真不知該如何整理我的一頭亂髮。」

別對自己這麼嚴厲！當然，你生命當中有些部分是你不滿意的；有些不好的習慣是你要去對付的；但是記得，上帝還在「施工中」，祂還在進行改造你的過程。

聖經說我們是「上帝的工作」[1]。「工作」這個詞意味著你是一個未完成的作品；你正在被建造之中。在我們的一生中，上帝都在建造我們，模塑我們成為祂希望我們成為的樣式。走向未來的關鍵就在於，不要讓過去的或現今的挫折失敗攔阻你「成聖」的進深。聖經說我們將榮上加榮，如同從主的靈變成的。[2]無論你知曉與否，上帝現在正把你推往更高的境地，帶領你走一條義人的路，好像黎明的光，愈照愈明。[3]

如果你現在失望沮喪到幾乎要放棄，以上帝的話來提醒自

己，你的未來將如同黎明之光，愈發光亮；你正走在一條邁向榮耀的旅程中。你可能想著還有好長一段路要走，然而，你該回頭看看，你已經走了多遠。你或許還沒達到你所想要的境界，但是至少你如今可以感謝上帝，因為你已不再是從前的那個你。

我們的價值是與生俱來的，並不是你或我做了什麼而賺得的。沒錯，我們是無法去賺得生命的價值的。當上帝在創造我們的時候，祂賦予我們生命的價值。對上帝而言，我們就是祂最終的創作。這就是說，你可以停止指控自己，給自己一個喘息的機會。每個人都有軟弱，即使是聖經中最偉大的男女聖者也都犯過錯。他們都有各自的弱點，然而，這並不影響上帝繼續愛他們，賜福給他們，並且使用他們成就大事。除此之外，面對我們的短處，我們要以更超然的態度面對，想想看，縱然你做過很多錯事，你豈不也成就了很多對的事！

好的是，上帝知道你所有的事，不論是好壞，而祂仍舊以無條件的愛來愛你；但上帝無法永遠認同你的做法，也不喜悅我們違背祂的旨意。而且，我們也必須自付代價，然後花上更多的力氣與上帝同工並更正自己的想法、言語、舉止或態度。當你努力在改善短處的同時，上帝不會因此而少愛你一些，或者多愛一些。祂信實的愛是你可以全心倚靠的。

要知道，你在上帝眼中的價值是永恆不變的。有些人以為當我們做錯事觸怒了上帝，上帝就會拿出祂的大筆一揮，將我們從生命冊中除名，然後說：「我就知道他們不行，我就知道他們做不到。」不，上帝是一位寬容的神，祂是一位樂意給人第二次機會的神。無論你讓上帝失望幾次，無論你犯了多少過

錯，你在上帝眼中的價值始終如一。

　　想像一下，如果我今天掏出一張嶄新的百元美鈔給你，你想不想要呢？當然想。再想像一下，若我把這紙鈔揉一揉，捏一捏，弄得皺成一團之後交給你，你還想不想要呢？當然要！但是等一下，如果我再把這張紙鈔拿到停車場，任由過往的汽車輾過，來往的行人踐踏，直到紙鈔上的圖案模糊不清了，這時候，你還想要這張滿是塵土、污漬、髒兮兮的紙鈔嗎？

　　當然。為什麼呢？因為它的價值不會因為表面的髒污而有所折損。一張百元美鈔就是價值一百美元（我們暫時先別去管其他因素，如幣值起落或通貨膨脹等問題）。它不會單單因為老舊了，或是不再完好如新而失去價值。生命不會因為一些顛簸衝撞、受傷瘀青而折損價值。

　　這就是上帝看待我們每一個人的方式。我們都會經歷挑戰和掙扎，有時候我們覺得自己就像是那張百元紙鈔，又皺又髒。然而，就像那張紙鈔仍舊保有其價值，我們也是一樣的！事實上，我們決不會失去我們的價值。我們的價值是在上帝創造我們時所賦予的，這是任誰也無法奪走的。

　　別讓其他人、其他系統或其他機構來影響你對自我價值的評估。你也許才經歷一場創傷，例如有人背叛你，利用你或是拒絕你；也許是你的丈夫或妻子離你而去，而你正經歷失婚的痛苦；也許你的好友在沒有任何理由的情況下，完全不再與你聯絡，以致你感覺自己孤單寂寞，毫無價值。又或者，你像個小孩一樣被一口拒絕，讓你常感到羞愧而無地自容。你甚至會覺得所有過去發生的不幸都是因為你的錯，所以應當承受這些傷心、痛苦、罪惡感和譴責。

朋友，這些想法是大錯特錯的。

上帝知道你的價值

　　我想起一個從小就不被接納的青年史蒂夫。史蒂夫的雙親從小就用言語精神虐待他，說他永遠不會有出息，告訴他這輩子別想有什麼成就。日積月累，這些破壞性的話語進到史蒂夫的腦海裡，深入他的潛意識，徹底摧毀他的自我價值，使得他的自我形象殘破不堪。史蒂夫後來告訴我，他發現整個問題的根源來自雙親在懷他時希望是個小女嬰。當他一出生，他的雙親極為失望，以至於十七年後，他仍舊活在無盡的罪惡與羞恥當中。為什麼會如此呢？單單就因為他出生了！可悲的是，史蒂夫也認為自己要為家中所有的不快樂負責，是自己讓父母活得如此不快樂，是他做錯了，他的生命是一場無可彌補的錯誤。

　　我告訴他：「史蒂夫，你不能讓你的自我價值和自我形象由別人對待的方式來決定。聖經告訴我們，上帝接納我們，縱然全世界的人都離棄我們。」

　　我看見史蒂夫的眼中閃出一道亮光，所以我繼續鼓勵他：「我很喜歡詩人在詩篇廿七篇10節所說的：『我父母離棄我，耶和華必收留我。』上帝絕不會離棄你的，史蒂夫。祂永遠都會接納你。不要因為別人的拒絕而放棄你自己。」史蒂夫後來花了好長一段時間，才真正領受我所告訴他的真理，如今，他過著一個喜樂而豐富的人生。

　　也許你和另一個人同住或共事，而他不斷在情緒上壓迫

你、貶低你、批判你，指責你是一個很糟糕的人。讓這些沒有建設性的話語從一個耳朵進，另一個耳朵出。不斷提醒自己，你是按著全能上帝的形像所造的。提醒自己，祂為你戴上尊榮的冠冕，因你是上帝獨有的傑作。別讓人隨意玩弄你的心智而欺騙你，以致你相信自己毫無價值可言。

　　你可能覺得自己的理想抱負已被當初錯誤的選擇──無論是自己或是別人做的決定──完全破滅了，也可能覺得自己陷入泥沼中動彈不得。但是，在上帝有盼望！上帝要你提升你的自我價值。大衛寫道：「祂從禍坑裡，從淤泥中把我拉上來，使我的腳立在磐石上，使我腳步穩當；祂使我口唱新歌。」[4]上帝要放一首新歌在你的心中，祂要以盼望充滿你。祂要你知道，祂愛你超過你所能想像，祂要將你破碎的夢轉為一個更美的盼望。

　　我最近又讀了一次那令人反覆誦讀的經典童話──三棵樹的故事。這本虛構的童書敘述一棵橄欖樹、一棵櫟樹和一棵松樹它們崇高的願望，每一棵樹對自己的未來都有一個美夢。橄欖樹希望自己將來能成為一個精緻的珠寶盒，裡面裝著各樣珍貴的金銀珠寶。有一天，一個木匠來了，從森林眾多的樹木中挑選了這棵橄欖樹，並且將它砍了下來。這棵橄欖樹好興奮。然而，當木匠開始工作之後，橄欖樹隨之發現，自己不會變成一個美麗的珠寶盒；木匠要把它變成一個馬槽，承裝各種難聞的動物飼料。它的心碎了，美夢也碎了一地。它覺得自己毫不起眼，沒有價值。

　　相同的，櫟樹希望自己將來能變成一艘大船，載著國王到世界各地遊歷。當木匠砍下它時，它興奮又期待。但是隨著時

間慢慢過去，它知道自己不會成爲這艘大船，他們把它做成了一隻小小的漁船。它好傷心，好失望。

　　而一直長在山巔的松樹，它惟一的夢想就是一直站立著，好提醒世人讚嘆上帝的奇妙創造。然而，就在一瞬間，一道閃電使它轟然落地，破碎了它的美夢。木匠來了，把它撿起來丟在廢木堆中。

　　這三棵樹都覺得自己失去了價值，它們失望而沮喪，沒有一個夢想成眞。然而，上帝對這三棵樹有其他計畫。多年之後，當馬利亞和約瑟即將生下小男嬰卻找不到容身之處之際，他們最後來到了一個馬廄，而當小小耶穌誕生時，他們將祂放在一個馬槽中——你猜到了嗎，一個用橄欖樹做成的馬槽！這個橄欖樹希望能裝滿各種珍貴珠寶，然而上帝有更美好的計畫，現在它裝了最珍貴的至寶——上帝的兒子。

　　幾年後，當耶穌長大，有一天祂需要一艘船渡到湖的那頭。祂沒有選一條又大又新潮的大船，祂選了一艘小小的漁船——你猜到了嗎——一艘用櫟樹作成的小船。這棵櫟樹希望能帶著國王到處遊歷，而今上帝有更好的計畫，這棵櫟樹載的是萬王之王。

　　又過了幾年，有一天一群羅馬兵丁來到一堆廢木前翻翻找找。這棵松樹被選中了，心想著自己即將被燒了生火。然而，出乎它意料之外的是，這些兵丁只砍下兩段樹枝做成十字架。而這就是耶穌最後被釘的十字架，這棵樹如今仍在對世人訴說上帝的愛與憐憫。

　　這個故事的重點很清楚明白：這三棵樹都認爲自己已失去價值，故事已經結束，然而，事實上是，他們最後都成爲最偉

大故事中的重要環節。

　　上帝知道你的價值，祂看見你的潛力。也許你不明白如今遭遇的所有事，但是別忘了舉目仰望上帝，記得上帝在掌管一切，祂對於你的人生有一個更好的計畫。你的夢想也許未如預期的實現，但是聖經說上帝的道路高過我們的道路。縱然所有人都拒絕你，請記得，上帝站在你面前張開雙臂迎接你。祂永遠接納你，永遠肯定你的價值。上帝看見你的兩個精采動作！你是祂所珍視的寶貝，無論你的人生遭遇了什麼，你經歷了多少失敗、挫折，你在上帝眼中的價值永遠不變。你永是祂眼中的瞳人，祂永遠不會放棄你，所以，你也不要放棄自己。

第 **9** 章
成為你所相信的

我們的思想與期望會在生活中形成巨大的力量與影響。在生命中，我們並不總會得到我們應得的，我們通常也不會得到比我們預期能得的要多，我們只能得到我們相信會得到的。不幸的是，這個原則的負面運作力量，與它的正面運作力量一樣強大。

尼克是個高頭大馬的壯漢，在鐵路維修場任職多年。他是全公司最傑出的員工之一，總是準時上班，值得信賴，努力工作且與同事相處融洽。但尼克有個重要問題，他的態度一直都非常負面，是鐵路維修場的工作崗位中公認態度最悲觀的人。他長久以來一直在擔心受怕，苦惱著有壞事即將發生。

在一個夏日，同仁們被告知為了要

> 我們只能得到我們相信會得到的。

慶祝一個工頭的生日,他們可以提早一小時下班回家。所有的工作人員都離開了,但尼克不小心把自己鎖在一個維修場保養的冷凍貨櫃內。這是一節空車廂貨櫃,並未與任何火車連接。

當尼克發現自己被鎖在冷凍貨櫃裡,他極度恐慌。他開始用力猛搥貨櫃的門,以至於他的手與拳頭到處是血。他不斷狂叫,但同事們都已經離開公司去參加慶生會。

沒人聽到尼克絕望的求救聲,他不斷向外呼喊,直到聲音變為沙啞的低語。尼克意識到他在一個冷凍貨櫃中,他猜想這裡的溫度已經相當低,大概只有華氏五或十度。尼克嚇壞了。他想:「我該怎麼辦?若我不能離開這裡,我將會凍死。我撐不過這一晚。」他愈想到眼前的情況,就愈覺得冷。門緊緊地關著,看來已經沒有逃生方法,他坐下來等死,看是先窒息還是先凍死。

為了打發時間,他開始算他的死亡時間。他在上衣口袋找到一枝筆,在貨櫃一角找到一塊舊板子。他一邊不自覺地顫抖,一邊潦草地寫字留給他的家人。尼克也注意到他所處的兇險環境:「我覺得好冷,身體凍僵,若我不能趕快出去,這將會變成我的遺書。」

那的確成了他的遺書。

第二天早上,當同事們回到工作崗位,他們把冷凍貨櫃打開並發現尼克的屍體扭曲在角落。當驗屍完畢,結果顯示尼克的確是凍死的。

這下出現一個詭異的迷團:調查員們發現,在尼克受困的冷凍貨櫃中,冷凍系統根本沒有啟動!事實上,它已經故障多時且在這個人死亡時也沒有在運轉。尼克凍死的那一晚,車廂

內的溫度是華氏六十一度。尼克在僅低於一般室溫的溫度下凍死，因爲他相信他在一個冷凍貨櫃內。他預測他會死！他深信自己沒有存活機會，他已做了最壞的預測。他認爲自己注定無法逃出去，他在心理上就已經輸了這場生死之戰。[1]

對尼克來說，他最害怕與預測的事已然成眞。古諺有云：「生命就是一個自我實現的預言。」對他來說已經一語成讖。而這在你的生命也通常會成眞，因今日許多人都與尼克相似。他們總預測最壞的事會發生，他們預期失敗、預期挫折、預期平庸。他們也通常得到所預測的，變成自己所相信的。

期待好事

但你可以去相信好事。運用你在自我形象上的改進，去相信更多事情是可能的，看見自己在生命中表現出更高水準也是可能的。當你遇到困境時，別預期原地踏步，要預期脫困而出，要期待上帝會翻轉一切。當生意不好時，別預期會破產，別爲失敗訂計畫，要禱告並期待上帝爲你帶來更多客戶。

若你在婚姻中遭遇困難，別在沮喪中放棄地說：「我早該看清這個婚姻從一開始就注定要失敗。」不行，若你這麼做，你的反應就和尼克一樣。你的負面期待會毀了你的婚姻，你的錯誤思考會讓你失敗。你必須改變你的想法，改變你所期待的。別再期待失敗，要開始相信你會成功。

即使生命跌落谷底，你的態度應當是：「上帝，我知道祢會翻轉一切，並使我得益處。上帝，我相信祢會讓我比以前更強壯而得以脫困。」

　　如同我們已經建立的，自我形象就在此時真正發揮了作用。我們從上帝的角度看自己是非常重要的，因為我們永遠不可能超越對自己的評價。如果我們認為自己幾乎不可能成功，總是陷入麻煩，永遠不快樂，我們潛意識就會走向那樣的生活。生命要向前行，我們就得改變焦點。我們必須去相信。

　　要了解：上帝將要幫助你，但由你投下決定性的一票。如果你決定專注在生命中的種種負面因素上，專注在你不能成功上，專注在你未擁有的事務上，那麼在你的決定裡，你已同意失敗。你門戶大開，允許毀滅性的思想、話語、行動、態度來掌管你生活的方式，成為仇敵的共犯。

　　反過來說，若你與上帝站在同一陣線，若你專注在正面的可能性上，你的信心就會帶來上帝的同在，並讓祂在你的生命中以超自然的方式作工。你的信心將助你克服困難，並帶領你進入勝利的新境界。但一切都要由你決定，取決於你的人生觀。你是將目光定睛在困難上，還是定睛在上帝身上？

　　在新約中，有一段奇妙的紀錄是描述兩個瞎眼的人，他們聽聞耶穌要來，於是心裡的信心開始滋長。他們一定想過：「我們不需要成為這樣。上帝能夠翻轉環境。未來是有希望的。」所以他們開始呼喊：「耶穌，大衛的兒子，憐憫我們，醫治我們吧！」

　　當耶穌聽到他們的呼喊，祂就在途中停了下來，走向他們，並問了一個引人入勝的問題：

　　「你們信我能做這事嗎？」[2]耶穌知道他們求的是什麼。祂想知道他們相信什麼，他們是否有真正的信心。瞎眼的人以極大的信心回答。他們說：「是的上帝，我們信。我們毫無懷疑

地相信祢能醫治我們。我們深知祢有能力，我們相信祢，也信賴祢。」

聖經記載著，當耶穌聽見他們的信心，祂就摸他們的眼睛，說：「照著你們的信給你們成全了吧！」他們的眼睛就開了。[3]那些人相信上帝能在他們的生命中行奇事，而他們看見了！

注意，是他們的信心翻轉了情勢，是他們的信心帶來了醫治。沒有人可以代替你擁有信心。當然，其他人能為你代禱，他們可以為了你去相信，他們能夠對你引用聖經節，但你必須為自己釋放出信心。如果你總是要依賴他人讓你快樂，依賴別人鼓勵你，或幫助你脫離困境，你將會一直活在軟弱與失望中。你必須下定決心成為信心之人：「無論發生什麼壞事，我相信上帝。我要有積極正面的人生觀。」別人的信心可以支持你，但你自己的信心能為你帶來奇蹟的速度，是別人的信心遠遠不及的。你所相信的，將遠比其他任何人所相信的，為你的生命帶來更遠大的影響。

《信息》版聖經以一種有趣的方式，闡述這兩個瞎眼人的故事：（耶穌）摸他們的眼睛，說：「成為你所相信的吧！」

真是一句有力的話啊！成為你所相信的！你相信什麼？你相信生命可以達到更高層次，超越你的困難，活在健康、豐盛、醫治與得勝之中嗎？你將會成為你所相信的。事實

> 你所相信的，將遠比其他任何人所相信的，為你的生命帶來更遠大的影響。

上，我昨日的信念造就了今日的我，而明日的我會成爲今日我
所相信的。

　　要留意你所相信的。如果你總是懷著可憐的老我心態，認
爲你不配得上帝的祝福，以致專注在你的失敗上，總是對自己
感到不滿，那麼你最多只能過著悲慘的生活。但如果你改變信
念，並開始從上帝的角度看自己是得勝有餘，有能力成功，在
主裡剛強，作首不作尾，是得勝者而非受害者，那麼你將會成
就新的人生。這要取決於你，依據你的信念，讓這些成就在你
身上。

放膽相信更好的事

　　你敢勇於爲了更好的事情相信上帝嗎？上帝不要你虛度人
生，白活一場。祂不想要你拮据度日，每天只能爲柴米油鹽、
棲身之所與舟車開銷掙錢過活，或憂慮要怎樣把孩子送進大學
就讀。祂不希望你在婚姻中不快樂，祂不希望你活在痛苦之
中。

　　上帝要你擁有美好的生活，充滿愛、喜樂、平安與成就感
的人生。這不表示你總會一帆風順，但總會一切有益處。上
帝總是讓萬事都互相效力，叫愛祂的人得益處。[4]你儘可放膽
爲了更好的婚姻相信祂；開始爲了更好的健康相信祂；爲著平
安、喜悅與快樂相信祂；爲著豐富及繁盛相信祂。成爲一個眞
正去相信的人，明白你將成爲你所相信的。

　　上帝對亞伯拉罕說：「我必賜福給你，……你也要叫別人
得福。」[5]上帝也正在對你說相同的話，祂要用豐盛來賜福予

你，所以你也可以再去成為別人的祝福。

　　也許你曾經歷徹底失望，無法形容的壞事曾發生在你身上，讓你已無法再相信生命中會有好事發生。你已經失去了你的夢想，像行屍走肉，對任何事情消極以對。你會想告訴自己：「我已經這樣活了太久，我不可能會變得更好。我曾一度禱告過，也相信過，我所知道的，我都試過了。但什麼也沒改變，什麼都沒用，我看我放棄算了。」

　　我曾聽過有人告訴我：「約爾，我並不想抱著希望，我在過去已經歷過如此多的傷害。好事就算沒發生在我身上，只要我不抱希望，至少我不會再失望。」

　　朋友，那種態度與上帝對你的期望是相反的，無論你經歷多少挫折，上帝對你的生命仍有一個偉大的計畫。你必須燃起盼望。若你沒有盼望，就不會有信心；若沒有信心，就無法使上帝喜悅，無法見識祂在你生命中釋放的大能。在你的心中讓盼望活潑起來，別放棄你的夢想，別讓挫折或失敗攔阻你去相信上帝為你所說的話。

以 加 倍 的 福 分 代 替 困 苦

　　如果你保持正確的態度，上帝會帶走你的失望、破滅的夢、傷害與痛苦。祂會衡量所有曾折磨你的困苦及憂傷，並給你雙倍的和平、喜悅、快樂與成功。聖經上說：「你們必得加倍的好處代替所受的羞辱。」[6]如果你單純地相信，如果你將信心及倚靠放在上帝身上，祂會以加倍的祝福代替你的困苦。

　　上帝希望你的後半生比前半生好，你永遠不會離上帝太遠。有些人會說：「你無法把炒蛋回復成生蛋。」話是沒錯，但上帝卻能把炒蛋變成美味的烘蛋捲。在上帝沒有難成的事！

　　聖經講到：「我深信那在你們心裡動了善工的，必成全這工。」[7]這表示上帝想要與你一起完成你生命中的功課。上帝不會疲倦也不會半途而廢，更不會違背祂所立的約。祂會一直堅持，直到把你帶領到祂要你到達之處。上帝不要你只是「有點」快樂，祂不要你只是「有些」蒙福，祂不要你只是「部分」得醫治。上帝要你的生命顯出歡喜快樂，被喜樂大大充滿；祂要你活在豐盛之中，要你燃起心中的希望；祂要你既完整又滿足。

　　當日子難捱或不如意時，保持你的信心高昂。當挫折來臨或人們說你的夢想永不會成真，你永遠不會得到快樂，你永遠沒辦法改變時，勇敢地提醒自己是誰在你的生命中作工。上帝在為你的益處翻轉事物，上帝在為你開啟機會之門，祂在修補關係，使人心柔軟轉向你，上帝在完成祂開始的善工。你也許無法以肉眼看見，但你必須相信那眼所不見的世界，上帝正在為你作工。

　　請記住，凡為攻擊你造成的器械，必不利用。這不表示你生命中不會有困難；生命中會有攻擊，它們可能很嚇人也很難對付，但它們至終將無法傷害你。上帝會保守你的未來完好無缺，你不會被擊垮，你會安然度過。聖經上說：「義人多有苦難，但耶和華救他脫離這一切。」[8]

　　聖經說，要成就一切，還能站立得住。[9]你必須讓仇敵明白

你比牠還有決心。不住禱告，不住相信，不住讚美，堅守這場美好的信心之戰。如果你如此行，上帝應許要把勝利帶給你。

我喜歡《信息》版聖經對腓立比書一章6節的解釋：「我心中沒有任何一點懷疑，我深信在你裡面開始偉大工作的上帝，會繼續這工，並在耶穌基督再來的日子充足地成全這工。」最好的還沒來到，你可以每天起床時期待事情會為你好轉。開始期待上帝的美善，開始期待祂的賜福。如果你有信心，必如耶穌所說的：「萬事都可能。」

讓我挑旺你成為一個信心之人。讓信心在你心中升起，進入與上帝所立的約，祂所做的會超出你的所求、所想。

你必須相信好事情已經快要來到。你必須相信上帝正在你生命中作工，祂正把你調整到正確的位置。換句話說，你必須看見那些事情都將發生。你必須看到你的婚姻被修補，看見在外遊蕩的孩子回家，看見生意有起色；你必須在心中設想著，透過你的信心之眼將生命帶入眼所不見的世界，並看到你的夢想就要成真。

請記得：「信就是所望之事的實底，是未見之事的確據。」[10]注意，信心必須發生在眼所不見的世界。今日你也許無法以肉眼體驗到任何積極正面的事將發生在你的生命中，相反的，每件事好像都在等著瓦解，不論是財務、健康狀況、事業、孩子等都出了狀況。你也許有著各種問題，而在自然律中，或許沒有任何事情看來有好轉的跡象；但別灰心喪志，看看那眼所不見、超自然的世界，經由你的信心之眼，看見情勢被翻轉，看見你的平安喜樂正在復甦。

世界告訴你：「你要眼見為憑。」但上帝說的是相反的

話：惟有你相信，你才得以看見。你必須透過信心之眼向外，就得以看見。一旦你以信心之眼看見，這些事將在眼所能見的物理世界中發生。

關於自己，你相信什麼？你看見生命中的事情好轉了嗎？亦或你只是飄蕩著，默默承受每一件事？像是「我知道我沒機會升遷。從來沒好事發生在我身上，這就是我的命。我知道永遠結不成婚，永遠也得不到祝福。」

朋友，上帝要在你生命中做新事，別讓你狹隘的思維限制了祂。要在你生命中懷有偉大的異象，懷抱更大的夢想，帶著信心及期待而活，你將會成為你所相信的。

我很喜歡舊約中的一段描述。當上帝告訴亞伯拉罕，他與妻子撒拉將會有個孩子，即使他們已年近百歲。當撒拉聽到這個消息，她竊笑。

她可能會說：「亞伯拉罕，你一定在開玩笑吧。我才不會有小孩，我太老了，這事可不會在我身上發生。而且看看你，你也不是年輕小夥子了！」

撒拉沒有正確的異象，她的心理狀態不正確。她無法看見自己有孩子，她在心中無法孕育那個孩子。

也許你還記得這個故事：年復一年過去了，亞伯拉罕與撒拉並沒有生出孩子。隨後他們決定要「協助」上帝來實現祂的應許。撒拉叫亞伯拉罕與使女夏甲同房，於是他們生出一個孩子，叫以實瑪利。但這不是上帝所預備最好的，上帝要給撒拉一個孩子，一個她自己親生的孩子。

又過了好幾年，仍然沒有孩子出生。最後，撒拉終於懷孕了。有什麼改變了嗎？上帝的應許自始至終都沒變。我深信讓

應許成就的關鍵因素是，撒拉在讓自己的肉身懷孕之前，必須先開始在心裡孕育一個孩子。她在自己懷孕之前，必須先相信自己能夠懷孕。

在上帝說出應許將近二十年後，亞伯拉罕與撒拉生出了小以撒。我相信，他沒有早些出生、應許的成就會延遲好幾年的原因，最主要就是單單因為撒拉在心中沒有孕育這個孩子。她無法透過信心之眼看到。我相信上帝要在你的生命中行許多偉大的事，然而我們就像撒拉，心中無法孕育，以致我們無法認同上帝，便一直與祂所賜的福擦身而過。耶穌說：「我來了，是要叫人得生命，而且得的更豐盛。」[11]許多時候，當我們在聖經中讀到類似的話，我們馬上想到的是，為何這不能發生在我們身上。

「上帝，我永遠不可能健康，我身體已經有太多的不對勁。我已經看到醫生給我的檢驗報告。」「上帝，我永遠也不能發達，我沒有那些條件，我沒唸過大學。」我們一直不斷告訴上帝，好事不能發生在我們身上的理由：「我太老；我太年輕；我的性別不合適；我的膚色不對；我的教育程度不高。」一直以來，上帝不斷試著將勝利的種子植入我們的心田，祂要讓我們孕育它。祂明白，我們若不能靠信心在心中孕育它，它就不會開花結果。

就像撒拉一樣，太多時候是我們延遲了上帝的應許。因為我們的思想，我們延誤了上帝的恩惠。我們的心理狀態不正確，我們充滿懷疑與不信。而悲劇就是，如果我們不改變信念，很可能終其一生都會錯過上帝為我們預備的美好事物。

朋友，請停止用狹隘的思想來限制上帝，學習去孕育夢

想。要在你眼前懷有你想成就事物的夢想，你將成為你所相信的。也許上帝已經告訴你某件事情，而這事在自然律上看來完全不可能。當你看著環境，就像撒拉看著她的身體，你會想說：「上帝，我真想不透祢能如何讓這件事發生；我不知道祢要怎樣才能讓我的孩子不再嗑藥；我看不出我要怎樣得醫治；我看不出祢要怎樣祝福我的事業。」

別再專注於你沒有能力做到的一面，開始專注於上帝有能力做的一面。聖經上說：「在人所不能的事，在上帝卻能。」[12]讓種子在你裡面生根發芽，你不必費勁猜想上帝要如何幫你解決問題，也無須去想上帝要怎麼讓你的夢想實現。那是祂的責任，不是你的本分。你的本分是成為一個信心之人，你的本分是活出信心與期待。單單把一切交託給上帝，並相信祂會處理。上帝是超自然的上帝。聖經上說：「上帝的意念非同我們的意念，上帝的道路高過我們的道路。」[13]上帝能做到人類不能、也不會做的事。祂不受自然律的限制。若你讓種子在心中生根發芽，將信心與信賴放在上帝身上，祂必定會讓這些成真。若你能看眼所不能見之事，上帝也將行人所不能行之事。

別限制你的願景，而是要將自己看作上帝的兒女，將自己看作正在接受天父所賜的美好禮物。朋友，如果你懷抱信念、生命中有異象、活出信心與期待，並以上帝的角度看自己，即使別人說這事若非在天堂不可能發生，上帝仍將為你實現它。你會成為你所相信的！

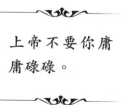

第10章
建立富足的心態

以上帝的角度來看待我們自己的最重要方式之一，就是建立一個富足的心態。就如同我們已經建立的，我們看待自己的方式可能造就我們，也可能毀滅我們。

要記住，上帝已經用一切我們所需的來裝備我們過豐盛的生活。祂將裝滿了可能性、無限潛能、創意點子與夢想的「種子」種在你心中，然而光有那些東西在你的心裡，不表示他們將開花結果，你必須開始去挖掘它們。

換句話說，你必須衝破懷疑去深信你有成功的條件。你必須牢記自己是至高上帝的兒女，你是為了偉大的事物而被創造。上帝不要你庸庸碌碌；上帝要你出色，並賦予你能力、見識、才華、智慧

> **上帝不要你庸庸碌碌。**

與祂的超自然力。現在你就已擁有你要去完成上帝使命的一切

所需。

　　聖經上說，上帝已經以各種屬靈的福分來使我們得福。請
注意，這句話在原文裡用的是過去完成式。上帝已經在做了，
祂已將成功的一切所需放在我們裡面。現在是我們做決定去運
用他們的時候！

　　請記住，那也是亞伯拉罕必須去做的。在他有孩子的二十
年之前，上帝就對他說：「亞伯拉罕，我已使你成為多國之
父。」

　　亞伯拉罕可以說：「誰？我？我不是個父親，我根本沒有
孩子。」但相反地，亞伯拉罕選擇相信上帝的話。他的態度
是，「上帝，這在我的一般常識中不太可能發生，但我不懷疑
祢的話。我將不會試圖以理智去追根究底，我就是聽從祢。如
果祢說在我和撒拉這把年紀還能生孩子，雖然聽起來很希奇，
但我相信祢。」

　　有趣的是，上帝對亞伯拉罕說的話用的是過去完成式，雖
然當中包含了現在及未來完成的事實，但上帝認為那件事已經
發生：「我已使你成為多國之父。」顯然，上帝計畫要給亞伯
拉罕一個兒子，但就祂的認定，那是一件已經成真的事，亞伯
拉罕有責任要相信並信賴上帝。相當確定的是，二十年後，亞
伯拉罕與撒拉生了一個兒子，他們為他取名以撒。

　　同樣地，關於你的事，上帝在聖經中也說了美好的事。但
那些祝福不會自動發生，你必須先完成你的部分，相信你是蒙
福的，看自己為蒙福的，並表現得如同你已經蒙福。當你如此
行，這些應許就會變成你生命中真真實實的事情。

　　舉例而言，聖經上說：「我們已得勝有餘。」[1]聖經並不是

說，當我們比較剛強、比較成熟、靈命較成熟時，我們將會得勝有餘。聖經上說，我們現在就得勝有餘。

「拜託，約爾，那在我生命中是不可能發生的，」我聽見你如此說：「我有這麼多問題，這麼多事情排山倒海而來。也許當我脫困時，我才將會得勝有餘。」

不，上帝清楚表明你現在就得勝有餘。如果你也表現出這種樣子，照這種樣式講話，視你自己得勝有餘，你將會過著興盛與得勝的生活。你必須明白你要過著平安、喜樂與幸福生活的代價已被付上，那就是上帝為你準備的精緻套餐。

別錯過上帝最好的東西

許多年前當跨洲旅行還不普及的時候，有個人就想要從歐洲到美國旅行。這個人努力工作，存下每一分錢，最後終於存到一筆剛好能買船票的錢。當時那趟旅程大約要花上二至三週橫渡大西洋。他去買了一個皮箱，裡面裝滿起士與餅乾，因為他只負擔得起那些食物。

一上了船，所有人都跑到富麗堂皇的餐廳去吃美味的餐點。而在同一時間，這個窮人就躲到角落去啃他的起士與餅乾。他就這樣過了好些日，聞著餐廳裡的菜香味，聽著到餐廳裡的人以各種形容詞形容食物的美味，還一邊摸著他們的肚子抱怨吃得太撐，旅行結束後可要好好減肥。這個貧困的旅人也想加入這些人一起在餐廳用餐，但他沒有多餘的錢。有時他還會半夜睡不著，夢想著那些乘客口中的奢華大餐。

在旅程即將接近尾聲，有個人走來對他說：「這位先生，

我在用餐時間忍不住注意到你總是在啃吃起士與餅乾，你何不來到餐廳與我們一起吃呢？」

旅人因羞愧漲紅了臉。「這個嘛，告訴你事實好了，我的錢只夠買票，沒辦法負擔得起這些昂貴的餐點。」

那位乘客驚訝地挑起眉毛，搖搖頭並說：「先生啊，你不知道餐飲費已經內含在票價嗎？你早已經付過餐費了。」

當我第一次聽到這個故事，我忍不住想：有多少人就像這位無知的旅人。因為他們不知道生命中一切的美好事物早已被付清了帳，於是他們錯過上帝最好的東西。他們也許正前往天堂之路，但他們不知道票價裡含有什麼好處。

每一次當我們懷著卑微的心態，就好比是啃了更多起士與餅乾。每當我們退縮並說：「喔！我做不到，我條件不夠。」我們就是在吃更多的起士與餅乾。每當我們充滿懼怕、擔心、焦慮，或為某件事緊張不堪時，就正是在吃更多的起士與餅乾。朋友，我不認識你，但我已厭倦了老是啃起士與餅乾。該是去上帝的餐桌吃飯的時候了。上帝為你預備豐盛的宴會，其中充滿了各種難以想像的好東西，而且都已經幫你付清了帳單。

上帝有你要的每樣東西──喜樂、寬恕、平安、醫治，無論你需要什麼，都已在上帝的餐桌上擺著，只等你拉開椅子坐到座位上享用。

也許你在生命中經歷過重大的失望、或面對過重大挫折，歡迎來到現實世界！但必須記得，你是至高上帝的兒女。只因為有些事情不如你意或是有人讓你失望，並不會改變你的身分。如果一個夢想破滅，就去開創另一個新夢想。如果你被擊

倒，要再接再厲。當一扇門關上，上帝會為你開另一扇更大、更好的門。抬起頭來，看看上帝為你生命預備的更好願景，別縮到角落去啃起士與餅乾。

> 如果一個夢想破滅，就開創另一個新夢想。

　　也許你的生命有個崎嶇不平的開始；也許你曾經歷可怕的貧窮、沮喪、受虐或童年時期所發生可怕的事，你也許會讓那些不好的經歷決定你後半生要走的路，然而即便你生命的起始是那樣，卻不表示也要那樣結束。你要建立新視野，看到上帝能在你生命中所做的，並建立富足的心態。

　　我父親也曾需要去做同樣的事，就如我之前描述的，父親在「貧窮的心態」中成長，因為那是他惟一知道的。當他開始牧會時，教會一個月只能付他112美元。我的父母親幾乎無法單靠這筆錢活下去，特別當時我與兄弟姊妹又相繼出生，但他們生活中最可怕的，莫過於父親逐漸在預期貧窮的到來。有好幾年的時間，父親甚至無法接受已經臨到的祝福。

　　當教會正進行一段特殊事工之際，雖然當時我們一家幾乎不得溫飽，但父親仍在家中接待一位客座牧師為期一週。接下來的一個主日，教會中有個生意人對我父親說：「牧師，我知道你已經接待講員一週了，我也知道你負擔不起這樣的開銷。我要你收下這筆錢作為私人用途，請接受這點心意。」他給我父親一張幾千美元的支票，相當於今日的一萬美元！

　　父親為此人的慷慨深受震撼，但當時他是如此被自己的思維限制住，於是他拿著支票的一角，好似再握緊一點就會玷汙

他一般，他說到：「喔不，弟兄，我絕不能收下這筆錢，我必須把它納入教會奉獻。」

父親後來承認：在他的內心深處，他很想收下那筆錢。他知道他與母親都極需要那筆錢，但他有一種錯誤的羞恥感。他無法接受那個祝福，他認為保持貧窮是在給上帝恩惠。

父親隨後又說：「當我要走去把這張支票投入奉獻箱時，我每走一步，內心就有一個聲音說到：『別那麼做，接受上帝的賜福，接受上帝的恩惠。』」

但他沒有聽進去。他不甘不願地把支票投入奉獻箱。後來他說：「當我這樣做了之後，我只覺得反胃。」

上帝要使我父親富足，祂要使他興旺，但因著父親內心深植的貧窮心態，使他無法接受。父親在做什麼呢？他正在啃更多的起士與餅乾。上帝想要把他帶到宴會桌，但因為父親受限的心態，他無法看見自己能擁有額外的幾千元！

我真高興後來父親學到身為上帝的兒女，我們能夠過富足的生活。富裕並不是壞事，我們甚至要期待獲得更多祝福。的確，學習接受祝福與學習樂於給予祝福是一樣重要的。

也許你來自一個貧窮的環境，也或許現今的你在物質上並不充裕。這都沒問題，上帝已為你預備上好的在你面前。但讓我提醒你：別讓貧窮的陰影深植你心。別習慣於活得較窮，做得較少，甘於卑下以致最後退坐著接受現狀，認為：「我們向來都很窮，反正事情就是這樣。」

不，要以信心之眼來看見自己已達到新的境界，看見自己繁榮興旺，並將這個影象放在你心中。此刻也許你正活在貧困中，但千萬別讓貧窮活在你裡面。

聖經上說，上帝喜悅讓祂的兒女興旺。當祂的兒女在靈裡、身體以及心理上興旺，他們的增長也讓上帝喜悅。

若我帶了兩個孩子，全身衣服都是破洞，頭髮沒梳，腳沒穿鞋，指甲裡滿是污垢，你會作何感想？你也許會說：「這人真不是好父親，他沒把孩子照顧好。」的確，我兒女的貧困會是我作父親的寫照。

同樣地，當我們以貧窮的心態度日，這不是在榮耀上帝，也不是在榮耀上帝的名。上帝不喜悅我們慘淡過生活，為環境感到失敗、沮喪、與挫折。惟有我們建立富足興盛的心態，上帝才會喜悅。

我們太常變得滿足現狀而認命：「這已經是我的極限了，我再也無法升遷了，這就是我的命。」

這不是真的！你的「命」是不斷的增長，你的「命」是克服困境，在每一方面興盛。別再啃起士與餅乾了，踏進餐廳吧，上帝已為你創造了美好的餐飲。

我們在上帝的眼中是王子的身分，而在我們的眼中卻以赤貧者的身分來過生活，這是多麼可悲的事。這恰恰就是舊約中一個名叫米非波設這少年的故事。

別甘於平庸

米非波設是掃羅王的孫子，也是約拿單的兒子。你也許記得掃羅的兒子約拿單，他是大衛的好朋友。他們其實已經有盟約的關係，像是古代說的「歃血為盟的兄弟」。那表示其中一人擁有什麼，另一人也在其中有份。如果約拿單需要食物、衣

服或錢財，他就可以到大衛家裡去拿他所需要的。甚至，在這樣一個盟約關係中，如果有事發生在其中一人身上，另外一個兄弟就要照顧這個人的家人。

掃羅王與約拿單是在同一天戰死的，當消息傳到宮裡，一個奶媽抱住約拿單的小兒子米非波設，帶著他逃跑。在抱著他倉皇逃出耶路撒冷城的時候，奶媽被陷阱絆倒。米非波設因此變成瘸腿，奶媽帶著約拿單的兒子一路逃到一個叫羅底巴的城，那是一座全國之中最窮困、最荒涼的城市。在那裡，米非波設——國王的孫子——幾乎度過了他的一生。想一想，他是國王的孫子，然而他卻活在那樣糟糕的環境中。

大衛接續掃羅做王，幾年之後，當掃羅與約拿單只是許多人心中的一段記憶時，大衛問起他的幕僚說：「掃羅的家中是否還有任何人留下，好讓我能為了約拿單的緣故而向他施慈愛呢？」記住，這是約拿單與大衛所立約的一部分：如果我發生了什麼事，你將照顧我的家人。但是現在，掃羅大多數的家人都已經死了，也因此大衛會問這個問題。

大衛的幕僚之一回答道：「是的，大衛王。約拿單有一個兒子仍然活著，但他已瘸腿，他住在羅底巴城。」

大衛說：「去找他並把他帶到宮殿來。」

當米非波設到了宮殿，無疑地他當然很害怕。畢竟，他祖父曾經跑遍全國追殺大衛。現在既然掃羅的家人已被殲滅，對大衛不構成威脅，米非波設可能會感覺大衛也計畫要處決他。

但大衛對他說：「別害怕，我要因著你的父親約拿單向你施慈愛。我要把曾經屬於你祖父掃羅的土地全部還給你。並且從今以後，你會像我的眾子一樣，與我同桌吃飯。」大衛把米

非波設當王族一般對待，畢竟他曾是國王的孫子，而且大衛也與他的父親立了盟約。

米非波設的生活於是快速地改變，那是個好消息。但想想他住在骯髒的羅底巴城那幾年：從頭到尾他都知道自己是個皇族；不只這樣，眾所週知大衛與約拿單有著盟約的關係；單單基於這項事實，米非波設就應知道他有權利。為何他沒有直接到宮殿裡說：「大衛王，我是約拿單的兒子。我在羅底巴城過著窮困的日子，而我知道我應得的不只是那樣。在此，我依我父親與你所立的約，來要求屬於我的東西。」

為何米非波設甘於平庸？我們從他對大衛的內在回應來找線索。當大衛告訴他，他將照顧他時，聖經上記載，米非波設伏地叩拜並說：「僕人算什麼？不過如死狗一般，竟蒙王這樣眷顧！」你看見他的自我形象了嗎？他看自己為失敗者、為一隻死狗；他看自己為一個無家可歸的人。是的，他是國王的孫子，但他的自我形象攔阻他去接受理當屬於他所有的各種權益。

有多少時候，我們是在做同樣的事情呢？我們的自我形象與上帝看待我們的方式是如此地不吻合，因而我們錯失了上帝為我們預備最好的東西。上帝看我們為冠軍，我們卻認為自己是條死狗。

就像米非波設必須捨棄他的「死狗心態」，換上富足的心態，你我也必須做同樣的事情。也許你在生命中曾犯過錯誤，然而，如果你真心悔改，並從此以後盡你所能地做正確的事，就不必再與罪惡和羞恥為伍。你也許無法心想事成，也許在身體上、靈命上、情感上是殘缺的，但那不影響上帝與你立的

約，你仍然是至高神的兒女。祂仍然為你預備一切最棒的事物，你必須坦然無懼地來要求屬於你的東西。活在自己的羅底巴城、以死狗心態活在貧窮與低落的自尊心當中，並不能帶給上帝喜悅。

若你的孩子對你也抱持著這種態度，你會做何感想？想像一下：你在晚餐時間花盡心思準備了一頓美味的大餐，桌上滿是食物，你正準備要開動之際，你的一個孩子低著頭走進來，拒絕與你和家人同坐一桌，卻在地上滿地爬找，等著看有沒有食物的碎屑掉下來。你會說：「孩子，你到底在幹嘛呀？快起來坐到你的位置上，這些都是為你準備的。你是家中的一份子，當你表現得像隻狗在乞討食物時，你就是在羞辱我。」

上帝也在說相同的話：「你是我的家人。把起士和餅乾放下，起身並得著屬於你的東西。」

在我與妻子組成的家中，我們有兩張大型的懶人椅放在臥室裡。這些椅子真是舒服，偶爾當我在看球賽、閱讀、或只是在思考、禱告時，我就會回到臥房把門關上，並坐在那張椅子上，那真是個休息的好地方。

有一天我回到家，卻怎麼也找不到我的兒子強納生，當時他大概只有四歲，所以我非常擔心。我到他的臥室、遊樂間、廚房等每個地方去找，卻都找不著，我甚至還跑出去環顧車庫，但就是找不到他。最後我回到自己的臥室，而我看到門是關著的。當我開門後，看到小強納生正坐在我最喜歡的椅子上。他把雙腳翹起來，舒服地往後躺。他一手拿著電視遙控器，另一手則拿著爆米花，我看著他並露出微笑，因著找到了他而鬆口氣。

　　強納生看著我並說：「爸爸，人生享受莫過於此。」

　　我試著不要笑出聲，但強納生說的話讓身為父親的我感到開心極了。我很高興他有足夠的信心直接進入我的房間，並坐在我最喜歡的椅子上；我很高興他明白他是家裡的一分子，而我所有的一切也都是他的。

　　朋友們，你們想讓天父開心嗎？那就上桌大快朵頤吧。開始享受祂的祝福，放下起士與餅乾，並進來餐廳享受。你再也不需要活在羞恥與定罪當中；再也不需要在憂慮與恐懼中過活，因為代價已付。如果你起身並回到你的座位，你的自由將已含括在票價當中。來爬上「爸爸的椅子」並建立富足的心態，將自己視為上帝所造的貴族！

第 **11** 章

樂於作自己

現在你可以放膽去欣賞並接納你自己，無論是好是壞，許多人並沒有發現這一點。然而導致許多人際關係、身體與情緒上問題的根源，常常就是因為人們不喜歡他們自己。他們不喜歡自己的外貌、講話方式或行為；他們不喜歡自己的個性，總是拿自己與別人比較，希望他們不是現在這個樣子。

「如果我的個性像他一樣……。」

「如果我長得和她一樣……。」

「如果我屁股沒那麼大……。」

「如果我這裡少一點，那裡多一些，我就會比較快樂。」

不，你可以因著上帝給你的形象而歡喜，並停止希望你有所不同。若上帝希望你像個時裝名模、電影明星、超級運動員或是其他人，祂就會把你造得看來像他們。如果上帝希望你有

不同的個性，祂就會給你另一種個性。別拿自己與別人比較；要學習因為上帝造你的樣式而喜樂。

許多人對自己感到不安，所以他們一直不停地要去得到周遭每一個人的肯定，好讓他們可以更喜歡自己。他們最後會變成為了取悅別人而活，把自己塞入別人的模式好讓自己被接納。他們在老闆的面前表現一套，在配偶面前則有另一種樣子，在朋友面前又更是不一樣。他們活在假面中，穿戴各種面具，希望取悅到每一個人。簡而言之，他們面對任何人都不真實以對，尤其是在面對他們自己時。

但如果你想完全享受人生，就必須對上帝造你成為這一個體有信心。要了解這點：你不是為了模仿別人而被造，你是為了作自己而被造。當你到處去模仿他人或試著讓自己更像其他人時，這不僅在貶損自己，也竊走了你的與眾不同、你的創造力，以及你的獨特性。

上帝並不想要一群複製人。祂喜愛多元性，而你不應該因為自己無法符合人們認為你應該成為的形象，就讓他們壓制你或討厭你自己。有些人花了四分之三的時間試圖成為別人，這是多麼愚昧的事！

作個原創者，而非盲目的模仿者。放膽與別人不同，要對上帝所造的你有信心，盡你所能地向外拓展，無須在外貌或行為上與別人相似。上帝有意給我們不同的恩賜、才華與性格，你不需要等有了別人的肯定才能去做上帝要你做的事。

當然，你應該總是對智慧的建議敞開。我並不是勸你頭腦簡單或冥頑不靈，也沒勸你在屬靈生活上捨棄自由而甘願受限制。雖然我們從未被允許去過不合上帝心意的生活，但上帝的

確賜福使我們有自信，別讓外界的壓力強迫我們成爲我們所不是的人。若你想把髮型裝扮成某種樣式，那是你的特權，不需要問過所有的朋友才認爲可行。要對自己有安全感。若你想參加教會的詩班、開展新事業或買新車、新房子，在你能去做你知道上帝要你做的事之前，你不需要任何人的許可。你的態度應該是：我對自己有信心。我不需要到處去假裝或期待自己成爲其他人，或是把自己融入每個人的模式中，我有我自己的步調。

作你自己是沒問題的！上帝有意把你創造成這種樣式，祂費了好大一番功夫，確保我們每一個人都是原創的受造物。我們不應該爲了自己的個性、品味、興趣或靈命程度與他人不同而感到難過。有些人外向又精力充沛；有些人則內向又羞怯；有些人喜歡穿西裝打領帶；有些人則偏好牛仔褲。有些人在敬拜上帝時會閉上眼睛、舉起手；有些人的敬拜方式則比較含蓄。而你猜怎麼著？上帝全然喜歡，祂欣賞多元性。

別認爲非得遵循別人的模式不可。同樣的，當別人與你的模式不同時，也別生氣，只要成爲上帝要你成爲的人就好了。

有趣的是，我與妻子在許多方面完全相反。我是個中規中舉的人，極度客觀與富組織能力。我每天定時起床，作同樣的事。每週都照固定的作息時間按表操課，每次都去固定的餐館吃固定的菜色。多數情況下，我甚至不必看菜單，因爲我知道我每次會點的就是那些東西。反過來說，我妻子則一點也不規律。她喜歡富有變化，她個性外向、精力充沛、有趣、喜愛冒險而且膽子很大。她下一步要做什麼是從沒個準的！我總是禱告說：「拜託，上帝，別讓她被逮捕就好了！」

最奇妙的地方就在此，那就是上帝造她的樣式！我們關係美好的原因之一，就是我不花時間去改變她，她也不會讓我討厭作我自己，她當然不會因為我不像她而對我喋喋不休。我們已學會欣賞彼此的相異之處，我們已學會喜愛上帝造我們各自的樣式。

在相處過程中，我們彼此互補。我客觀而規律，她則有趣並富冒險精神。若沒有她，我的生活會枯燥無味；若沒有我，她早就被送進大牢了！（純屬玩笑！）

學習欣賞相異之處

事實就是：我們都必須學習去欣賞我們的相異之處。別試圖把每個人都塞進你的小盒子，也別讓任何人扭曲你的風格。當然，我們總能從別人身上學到東西，有時我們也必須對變化抱以開放的態度。但你無須為了自己沒有其他人擁有的身材、情感、智能特質而感到不安。要對上帝所造的你感到滿意。

今日許多人不滿足的原因，是因為他們拿自己與他人相比較。你知道那是怎麼回事：一開始你心情好得不能再好，直到你看見同事開了輛新車，心情就有所變化了。你開始想到：「我好希望也有輛新車。瞧我，開著這輛破銅爛鐵。」沒過多久，你的好心情便蕩然無存，隨即感到沮喪與不滿足。或當你看到一位朋友走進房間，而她的護花使者是她那位帥得活脫是男性時尚雜誌模特兒的丈夫。接著你再回頭看看自己的丈夫……。嗯……你知道我的意思。

拿自己的配偶與別人的配偶相比，和拿自己的才華、能力

或教育程度去與別人比較是一樣愚昧的。這種比較幾乎總是招致反效果，讓你失去喜樂。走你自己的路，別去管其他人！

不久以前，我在電視上看到一位宣教士說，他每天早上四點就起床並禱告兩小時，當時我的第一個想法是：喔，我的天，我每天禱告不到兩小時，當然也沒那麼早起。我愈想就愈覺得難過！

最後，我必須喘口氣並對自己說：「他那樣是好的，但感謝上帝，這樣未必對我最好！我要走自己的路，我不要因為做不到他能做的，就感到罪惡或難過。」

上帝對我們每個人都有一個個別的計畫。有些事物對某人管用，並不一定表示對你也一樣管用。上帝在對我們每一個人的呼召上都有特別的恩典，若我們錯誤地模仿別人，就會經常感到挫折，並浪費時間與精力。更慘的是，我們會錯失上帝為我們所預備的美好事物！

我看過有些母親成天東奔西跑，投注大量時間在孩子身上。她們的孩子參加各項社團與體育活動，雖然這通常是不錯的。但有些母親只是在跟著別人做，或是讓小孩參加各種活動是出於罪惡感。有些父母為孩子忙得昏頭轉向，只為了要樣樣趕上他們的同儕（是他們的，不是孩子們的）！他們其實一開始就錯失了潛能開發計畫的精髓，不僅如此，成天奔波也把他們累得半死！

這裡有個好消息是，你不必努力追趕任何人，你可以保有自己的步調成為完全獨立的個體。

上帝已給你恩典去做祂要你做的事。祂沒有給你恩典去做別人做的事，你無須成為全世界最好的母親，只要盡力而為就

好。

　　我也許不是世界上最好的牧師，也許不是最好的丈夫或最好的父親，但我決心盡我最大的努力，我也不打算因此討厭我自己。如果有人比我做得更好，沒關係。因為我不是個競爭者，我不將自己與人比較。就我所知，我是第一名！我知道我已經盡我最大的努力了。

> 盡力而為，你就能欣賞自己。

　　這就是聖經上所教導的。聖經上說：「各人應當查驗自己的行為。」[1]換句話說，盡自己的本分而別再管別人做什麼，你不須與別人比較就能以自己為榮。如果你盡了本分並盡力而為，就能欣賞自己。

　　我們都承認，去做別人都在做的事、試圖取悅每個人，以及去達到他們所有的標準，會為你帶來極大的壓力。若你一不小心，你的生命可能從原創真品變成一個不清不楚、毫無生氣的複製品。但你不需要取悅其他人，你只需取悅上帝。事實就是，若你只顧在田徑場上跑自己的比賽，你可能無法達到其他人的期望；你不可能成為每個人心中不可或缺的人物，你必須接受有些人不喜歡你的事實，不可能每個人都同意你所做的每個決定。你可能無法讓周遭的每個人都歡喜快樂，但你不能讓他人的要求、壓力與期望攔阻你去做你知道上帝要你做的事。

　　梅蘭妮是個亮眼的年輕女子，她無論在母親與妻子的職責上，或是在家庭之外的事業心上，都取得完美的平衡；但她在工作升遷上則倍感壓力。當一個新職缺出現時，她的老闆督促她接受這個升遷機會。她的丈夫也表示同意，而梅蘭妮亦深覺

這是個大好機會，但某個內在的因素讓她沒有勇往直前。她對
接受這個新職缺的感覺並不好。

她不想在壓力這麼大的環境下工作，此外，她對現有的職
位也感到滿足並富成就感。她在工作上極具競爭力，她享受
她的工作，而她的工作時間也很彈性，讓她有時間經營家庭生
活。

「我很榮幸我的上司想讓我升遷，」梅蘭妮說：「但我喜
歡現狀。可是我很害怕一旦拒絕這個新工作，會讓許多人失
望。我覺得，要是我回絕這個大好機會，我就無法達到他們的
期望。你認為我該怎麼辦？」

「梅蘭妮，你無法為了取悅每個人而活，」我告訴她：
「也許這些人都是好意，都是為了你好，但只有你內心深處會
知道什麼才是對你最有益的。你必須學會聽從你的心聲，你不
能讓別人施壓去做你所不是的人。若你在生命中想要得著上帝
的恩惠，就必須成為祂所造的樣式，而不是你上司想要你成為
的人，不是你朋友想要你成為的樣式，甚至也不是你父母或丈
夫想要你成為的人。你不能讓來自外界的期待阻擋你跟隨你的
心。」

梅蘭妮婉拒了這個新職位，而她與家人都很高興。在她的
案例中，一個升遷機會卻也可能成為一個退步。

尋找好的建議

當你面臨困難的決定或是不確定的抉擇時，找你尊敬的人
詢問意見是有幫助的。當然就如聖經所說：「在眾多的策士中

多有安全。」而我們也絕不該冥頑不靈，應該總是以開放的心樂於接受建議。但當你已爲一件事禱告並環顧了所有選擇，若你仍感到不足，你就要放膽作出你認爲正確的決定了。若你想藉著做你不想做的事來取悅每個人，認爲如此才不會傷害他們的感情，或是你想讓每個人都快樂，那麼你是在欺騙自己。你可以一直陷入循環成爲並非眞正的你，但你將承受錯過上帝爲你生命預備了最好事物的風險。

有時你甚至會聽到太多建議。若你不小心，各種相左的建議只會造成迷惑。

有時給你建議的朋友，他們甚至連自己的生活都管不好，但他們顯然對告訴你怎樣過日子十分在行。要對你允許他們影響你決策過程的人保持儆醒，要確保提供你建議的人是你所尊敬並尋求智慧的人，並確保他們清楚知道他們所給的建議是什麼。此外，有安全感的人在七成五的時間是遵循自己內在的方向，而只有二成五的時間倚靠外部建議。這表示在你多數所下的決定中，你不應該去尋求別人的意見與首肯。你必須跟隨你的心，特別在上帝的話語上，並去做你認爲有益及正確的事。

同樣地，爲人父母的，你們不該爲了自己的夢想而對孩子施加壓力，你應該允許他們去完成上帝放在他們心中的夢想。當然，爲我們的孩子提供建議與指引是好事，但別變成控制狂與操縱者。別將不切實際的期望加諸於孩子身上。

我對我父母的教養方式最感激的一點就是，他們從不爲我和兄弟姊妹的生活作規劃。當然，他們將我們引導至正確的方向，給予建議與智慧建言。他們幫助我們發現自己的天賦與才能在哪裡，甚至是那些未被發覺的才華。他們總是讓我們追求

自己的夢想，從我還年幼開始，我知道我父親希望我去傳道，

你正在成為上
帝要你成為的
人嗎？

但我根本沒興趣。雖然他很失望，但父親卻沒有強迫我。他從未因為我沒去做他想要我做的事，就讓我感到罪大惡極或低人一等。事實上，他常告訴我：「約爾，我希望你去完成你生命中的夢想，不是我對你生命的夢想。」今日我可以自由地傳道，知道我不僅在做讓我父親與其他家人開心的事，更是在做讓上帝喜悅的事。

你正在成為上帝要你成為的人嗎？還是你一直在假裝，試圖成為別人要你成為的人、達成他們的期望，並追尋他們對你生命的夢想？

當我父親蒙主寵召，而我首度開始牧養湖木教會時，我最大的擔憂就是：「要如何讓每個人都接受我？」畢竟父親在那裡已經有四十年，每個人都很習慣有他。他的風格與個性與我相異甚多，我父親像個會燃燒發光的牧師，總是精力充沛且激勵人心。我則是溫和許多。

有一晚我正在禱告，求問上帝我該怎麼辦：「我該依循爸爸的模式嗎？我該模仿他的風格嗎？我該傳講他的信息嗎？」我一直求問，因為我實在很擔憂。但上帝對我說話，不是大聲說出，而是在我內心深處。祂說：「約爾，別模仿任何人，做你自己就好。成為我所造你的樣式，我不想要一個你父親的複製品，我要原創的。」這個真理讓我得著自由！

我喜歡約書亞記裡的提醒。摩西剛過世，而上帝希望約書亞接下領導百姓的位置，上帝對約書亞說：「我怎樣與摩西同

在，也必照樣與你同在。」注意上帝並未對約書亞說：「約書亞，你得試著照摩西去做，這樣你才行得通。」不，上帝對約書亞說：「作原創的，成為我造你的樣式，如此你將會成功。」

我在湖木教會牧會成功的祕訣之一，就是我遵循自己的步伐，並未試圖依循父親或其他人的，我深知那是來自於上帝。我並未試著成為我所不是的人或是模仿他人，我並未在講台上是一個樣子，回到家又成了另一個樣子。你看到的就是真實的我，那就是上帝要求我做的。

那也是祂要你做的。若你學著成為上帝的原創，上帝會讓你未曾想過的事發生。你也許會犯錯，也有些部分是你要修正的，但記得，上帝正在改變你。若你能為了上帝造你的樣式而歡欣並決定盡你全力去做，上帝將把祂的恩惠傾倒在你的生命中，你將會過著祂所為你預備的得勝生活。

第三部

話語及思想所蘊藏的能力

第 **12** 章

選擇正確的思想

一場爭戰正激烈地進行著，然而，驚人的是，你可能甚至毫無感覺。這場戰役並非為了爭奪土地，也不是為了珍貴的天然資源，如石油、天然氣或水資源。這場戰爭的獎賞更有價值，是你的心！

決定你是否能**活出最大潛能的第三步是，發掘你的思想與話語的力量**。讓我們首先來討論你的思想。

你仇敵最首要的目標就是攻佔你的思想，[1]牠知道一旦掌控並操縱你的想法，就可進而掌控並操縱你的全人。沒錯，思想確實決定我們的行為、態度和自我形象。的確，思想決定命運，這也就是為什麼聖經警告我們要保守我們的心。我們不僅要特別留意眼睛和耳朵所吸收的，還要注意自己腦袋裡在想什麼。如果滿腦子負面的想法，你就會過一個消極的人生。如果你一直受負面思考的影響，你整個人、行為、人生觀和生活型

態都會漸漸消沉。你的人生總是跟著你的想法走。

　　就像磁鐵一般，我們受經常性的思想所吸引。如果你常朝向樂觀、快樂、充滿喜悅的方面思想，就會變成一個樂觀、快樂、充滿喜樂的人，而你也會吸引其他積極而有朝氣的人。

　　我們的想法也會影響我們的情緒。我們怎麼想，就會怎麼感覺；你不會感到快樂，除非你先有快樂的想法。相反的，你也不可能沮喪氣餒，除非悲觀的想法已經在你裡面。人生許多的成功與失敗是從我們的心裡開始，並且深受我們自己如何去思想的影響。

將你的心思放在更高層次的事上

　　許多人不了解這一點，就是我們真的可以選擇我們的想法。沒有人能命令我們去想任何特定的事，上帝不會這麼做，仇敵也辦不到。你自己決定你心裡要想些什麼，即使仇敵放了一些負面、沒有建設性的想法在你的腦子裡，並不代表你就得去澆灌、施肥，助長這些想法。

　　不，你大可把這些負面思想從你的腦袋中移除，刪掉。這就好像你的腦袋是一部大型電腦，裡面儲存了所有你曾有過的想法。當你想找出汽車鑰匙時，電腦的這個記憶功能就很好用，可是，若進一步考慮到淹沒在我們生活周遭中大量的負面「輸入」，諸如劣質新聞、淫穢的話語，和不信上帝的論調等，這個記憶功能就不是那麼完美了。然而，就算是這些具破壞性的思想都存在你的心智電腦中，並不代表你必須把這些檔案開啟，然後在你的心智螢幕上出現。

　　如果你真的把檔案叫出來，然後開始想著它們，這些想法就會開始影響你的情緒、你的態度，然後，如果你繼續任由它們控制你的心智，它們進而就會影響到你的整個言行舉止。你會愈來愈容易沮喪和憂鬱，更甚者，如果你一直默想著這些負面思想，它們就會漸漸耗弱你的潛能，讓你裡面的能力及力量出不來，你將失去朝正向前進的動力。

　　我們愈是去思想仇敵的謊言，就是允許牠把愈多的垃圾倒進我們的腦袋裡。這就好像我們敞開大門，還立個告示牌寫著：「垃圾請進！」

　　我們任何人都會有失望與低落的時刻，畢竟，人生路艱，難免失足跌倒、受傷瘀青，但是你不能就此潰坐不起。如果你覺得自己很沮喪，要記得，沒有人強逼你這樣憂鬱消沉。[2] 如果你覺得不快樂，沒有人逼你不快樂；如果你悲觀消極，脾氣很壞，沒有人強迫你不耐煩、不合作，說話帶刺又鬱鬱寡歡。是你自己選擇一直處在那樣的光景之中，而跨出這個困境的第一步，是要認清：惟一能讓事情有所改變的就是你自己！

　　我們必須為自己的行為負責，只要我們還一直在找藉口抱怨──抱怨出身，抱怨大環境，抱怨過去認識的人，或是現今周遭的人、事、物，甚或上帝、撒但、任何人、任何事──我們就永遠無法真正得著自由並擁有健康穩定的情緒。我們必須在相當程度上意識到，我們能控制自己的命運。

　　有些人會說：「哎呀，我的情況真的糟到讓人一蹶不振，你實在無法想像我現在所處的環境。」

　　事實上，你的情況不會糟到讓你一蹶不振，是你對於所處環境的想法讓你一蹶不振。另一方面，即使你正面臨生命中最

大的難關，你仍舊可以充滿喜樂、平安和得勝，只要你學會如何去選擇正確的想法。現在，是時候好好思考你正在想些什麼了！

你允許你的心想些什麼呢？你專注在你的問題上面嗎？你時常想著一些負面的事嗎？你看待生命的方式會讓整個世界看起來不同，尤其是你！

> 是時候好好思考你正在想些什麼了！

顯然地，我們不能故意忽視問題而假裝一切太平無事，這是不切實際的。好人的確也會遭遇壞事，就像壞人也常遇到好事一樣。鴕鳥心態絕非答案；或是說一些讓自己看起來更屬靈的話也同樣無濟於事。如果你病了，就承認病了沒關係；但是要繼續仰望上帝，祂是你的醫治者。如果你的身體累了，你的靈命軟弱了，不要緊，我們都可以了解；有時候，你所能做的最屬靈之事，就是好好休息。但是要定睛在上帝的應許上：「但那等候耶和華的，必從新得力。」[3]

我們每一個人都會經歷人生的苦難。耶穌說：「在世上你們有苦難，但你們可以放心，我已經勝了世界。」[4]祂沒有說我們從此不會遭逢難處；祂在說，當面對難處時，我們可以選擇面對的態度。我們可以選擇相信祂已勝過我們的問題；我們可以選擇正確的想法。

當你思想著上帝話語的應許時，就會充滿盼望。你會發展出正向的信念，引導你走向得勝。就像書桌上的迴紋針受磁鐵的吸引一般，你也會被上帝的美好、良善所吸引。

許多人會說：「好啦，只要我的情況一有好轉，我的心情就會好起來了。只要我能脫離這惡劣的環境，我就能有比較好

的態度。」

　不幸的是，這並不會發生。你必須逆向操作，要先讓心情好起來，然後上帝才會翻轉你的處境。只要你懷著可憐、挫敗的心態，就會繼續活在可憐、挫敗的生活當中。

　有趣的是，聖經說：「就要脫去你們從前行為上的舊人。……又要將你們的心志改換一新，並且穿上新人。」[5]你不能被動地退坐著，然後期待這個新人突然出現；你也不能每天憂心忡忡地過日子，然後希望日子會漸入佳境。不，你需要脫去那些老舊的負面思想，「穿戴」全新的態度。換句話說，你必須改變你的思維模式，並且開始默想著上帝的一切美好。當你失焦然後又開始有消極的思想時，就會變得容易沮喪。

　我們第一個需要得勝的戰場，就是我們的心。如果你不覺得自己會成功，就永遠不會成功；如果你不覺得身體會得著醫治，那就永遠不會；如果你不覺得上帝會翻轉你的情況，那麼祂大概就不會。要記得：「因為他心怎樣思量，他為人就是怎樣。」[6]如果你心裡都是失敗的思想，那麼你就註定要失敗。當你老是想著馬馬虎虎，那麼你就註定這輩子得過且過、普普通通。但是朋友，若你決定與上帝的意念並進，開始思想著上帝話語的應許，開始想著祂的得勝、恩典、信實、權能和力量時，就再沒有任何人、事、地、物可以攔阻你。當你有正面、卓越的思想時，就被驅策著往崇高邁進，必然會加增、提升，得到上帝在靈裡的祝福。

> 當你有正面、卓越的思想時，就被驅策著往崇高邁進！

　我們必須持續將心思放在更高層次

的事上。聖經說:「你們要思念上面的事。」[7]再次注意,這裡有一件事是我們要去做的,就是我們必須不斷地選擇——從早到晚,一天廿四小時,讓我們的心思選擇保持在更高層次的事上。什麼是上面的事?什麼是更高層次的事?很簡單,就是屬上帝的正面事。使徒保羅提供了一份很好的表列讓我們得以藉此來評估自己的思想:「凡是真實的、可敬的、公義的、清潔的、可愛的、有美名的,若有什麼德行,若有什麼稱讚,這些事你們都要思念。」[8]

有時候別人會揶揄我說:「約爾,你說了太多要積極正面的話囉。」但是上帝就是積極正面!在祂沒有任何負面消極。如果你要照著上帝的方法過日子、活出祂希望你成為的樣式,就必須調整眼界與上帝的一致,並學習過一個積極樂觀的人生,學習去期待事情最好的結果。

無論你遭遇什麼,只要你保持一個正確的心態努力去看,就能在每一次的經歷中看見美善的部分。當你被裁員,你可以選擇負面、苦毒和埋怨上帝;或者,你也可以說:「上帝,我知道祢在掌管我的生命。當祢關上一扇門,必定再為我開啟另一扇更大、更好的門。因此,天父上帝,我迫不及待要看看祢為我安排了什麼。」

當你碰到大塞車時,可以選擇惱怒或是洩氣,或者,你也可以說:「天父上帝,祢說萬事都互相效力,叫愛上帝的人得益處。因此我感謝祢引領我,並且保護我,讓我走在祢美好的旨意當中。」

你必須選擇將心思專注在更高的事物上。這不會自動發生,如果你要將心定準在上帝的良善並經歷祂最好的安排,就

必須下定決心，然後全力以赴。

　　身處逆境或面臨個人的挑戰時，我們尤其要小心謹慎，因為困難來臨時，我們最先想到的往往不是更高層次的事，不是正面的思想，乃是負面思潮會從四面八方一湧而上。在這樣的時刻，我們必須選擇信靠上帝，而不要讓自己心情低落、消沉或者乾脆就放棄。

　　我們的心可比作汽車的變速器。有前進檔，也有倒退檔，我們可以選擇要往前或往後。並不是說往前就比往後費力，一切端視選擇。相同地，我們自己決定，也自己選擇我們的人生要怎麼走。如果你選擇積極樂觀並將心思意念放在上帝的良善上，那麼黑暗的勢力就無法攔阻你往前進，去實現你的人生目標。但是，如果你錯選消極悲觀，鑽牛角尖在你的問題或你的不足上，這就好像把車打倒檔，向後駛離上帝所為你預備的得勝。你必須決定你要走哪一條路。

選擇積極樂觀

　　我聽過一個故事，描述一個樂觀的農夫和一個悲觀的農夫。當下雨的時候，看著雨水落在土裡，樂觀的農夫會說：「上帝，感謝祢啊，謝謝祢澆灌我們的莊稼。」

　　悲觀的農夫則說：「是沒錯。但是如果雨不斷地下，這些農作物的根就會爛得一塌糊塗，我們根本就沒法兒收成。」

　　當太陽出來後，樂觀的農夫說：「感謝祢，上帝，謝謝祢賜下陽光。現在這些作物都得著它們所需的維他命和礦物質。我們今年可望大豐收了。」

　　悲觀的農夫說：「是沒錯，但如果一直這樣下去，太陽會把植物都給曬焦。我們到時候連日子都過不下去的。」

　　有一天，這兩個農夫一起去打獵，樂觀的農夫帶著他的捕鳥獵犬一同前去，他是如此地自豪這隻狗以至於迫不及待想要炫耀一番。他們划了一艘小漁船，然後就在船上等著。沒多久，一隻大鵝從他們的頭上飛過。砰！樂觀的農夫一槍將大鵝打落湖心。他轉過身來對他朋友說：「現在看看我這隻狗會怎麼做。」那隻狗立刻跳下船，迅速地在水面上往湖的中央跑去，咬起大鵝，又飛快地跑回船上。樂觀的農夫高興地揉了揉那隻狗的雙耳，然後轉身對朋友說：「你覺得怎麼樣？」

　　那悲觀的農夫搖著頭不屑地說道：「我就知道，」他說：「這隻狗連游泳都不會！」

　　當然，這故事只是個笑話，但是你知道嗎，很多人就是這樣，他們總是著眼在負面的事上。如果你非得和一個悲觀的人相處在一起，特別注意不要被他們的負面態度給傳染了！

　　將目光停留在人生的光明面上。心理學家已經確定地告訴我們，人會順著心中最主要的想法走。如果你心中一整天下來想的是喜樂、平安、得勝、豐富和祝福滿滿這種種，這些主要的思想會讓你往這些美好事物靠近，在此同時，它們也會被你所吸引。你的生命會跟著你的想法走。

　　當你的想法照著固定的模式走了很長的一段時間後，這就好像你在挖掘一道河床，好讓水能順著同一個方向流去。想像有個人經年累月地習慣性作負面思考，而每一個悲觀的想法就像是把河床掘得更深一些。當水流的速度加快時，帶出來的力量也更大。日復一日，年復一年，漸漸地，河水愈來愈湍急，

最後所有從這條河出來的每個想法都是負面的，因這已成了河水惟一的一條河道了。這個人已將他（或她）的思考設定在一個負面的思維模式上。

幸運的是，我們可以再挖一條新的河道，一個正面流向的河道。我們的做法是一次使用一個正面的想法。當你默想上帝的話語，開始去看事情的光明面，一點一滴、一次一個想法，你就慢慢在改變河水的流向。剛開始的時候，只有很少的水會從負面河道中引流到正面河道來。一開始甚至看不出有任何不同，但是只要你繼續抵擋負面思想並更正思潮的流向，只要你選擇以信心取代恐懼：開始去期待生命中的美好事，開始去掌管自己的人生思想，如此必涓滴成流，終為江河，假以時日你終將看見負面河道日漸窄小，而正面河道的水流則愈來愈強勁。如果你繼續持之以恆，那條舊的負面河道終必完全乾涸，而你也會發現一條全新的、流著積極樂觀、滿有信心的得勝江河，就在你面前展開。

有時候，你會被試探而有灰心的想法出現，像是：「你是永遠無法成功的；你的破口太大，無藥可救了！」

如果是從前，你可能回到那條舊河道，然後心想：「喔，老天，我到底要怎麼辦？上帝啊，我如何才能從這場混仗中全身而退？」但是這一次，你有一道新的江河流過。你可以抬起頭來說：「不，那在我裡面的比那在世界的更大。在基督裡我凡事都能，因此我必定能勝過這一切。」

你可以開始往新的河道跨步，每一次你這樣做的時候，就是將這個正面的河道往下掘得更深一些，如此河水得以更自由地運行其中。

負面的思想會繼續攻擊你：你永遠還不清這筆貸款的。你是不可能致富的。你會永遠活在貧乏和窮困中。

若在從前，你可能走到那條失意之河而嘆息道：「唉，沒錯，我的家庭一向就是這樣窮兮兮的，沒有人發過什麼財。我想這就是我的命。」但是這一次不同。現在，走回到那條正面樂觀的信心樂河說：「*天父上帝，我感謝祢，因為祢呼召我作首不作尾，居上不居下。祢說我是那借給人的而不是伸手向人借的，祢說凡我手所做的都必興盛。因此天父上帝，我謝謝祢，因我是受祝福而非被咒詛的。*」

你在做什麼？你在重新設定你的心思意念。

朋友，不要被動地退坐著任由負面、批判及壓抑的思想左右你的人生。學習去默想那美好良善的；重新設定你的心思意念。聖經告訴我們要「心意更新而變化」[9]。如果你更新變化你的心，上帝就要更新變化你的生命。

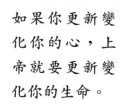

如果你更新變化你的心，上帝就要更新變化你的生命。

然而，讓我們實際些。或許你所挖掘的負面河道已經深到一個地步，需要花很大的力氣才能改變。河道不會在一夕之間形成，因此要改變它也需要你持之以恆地付出心力。上帝會幫助你，但也需要你每天認真地作決定，就是去選擇良善的，拒絕那不好的。堅定地將心志持續設定在上帝的一切美好事上，開始去期待美好事的發生。每早晨起床時都要認定上帝已為你充足預備，因此當你一起床就要這樣說：「*天父上帝，我對今天充滿期待。這是祢所定的日子，我要歡喜快*

樂在其中。上帝，祢賞賜凡尋求祢的人，因此我要為著
*今天祢所賜下的福分、恩惠與得勝，預先獻上感謝。」*然
後，滿心期待地走出去，活在信心中。

　　我們的思想裡蘊含著極大的能力。記住，我們心裡常想著
什麼，我們就為自己的生命帶來什麼。如果我們一直心存負面
的思想，就會吸引一些消極的人、經驗和態度；如果我們總是
心生恐懼，就會引來更多的擔心害怕。你的想法決定了你的人
生方向。選擇權在於你。你沒有必要去反覆思想每一個進到心
中的想法。你所要做的第一件事，是分辨這些想法來自何處，
這個意念是從上帝而來，還是你自己的主意，還是從仇敵而來
的破壞性思想。

　　你如何分辨？很簡單。如果這是一個消極負面的想法，就
是從仇敵而來；如果這是一個沒有建設性，具破壞力的思想，
它就會帶來恐懼、擔憂、懷疑或者不信；如果這個意念讓你覺
得軟弱、無法勝過、或者缺乏安全感，我可以向你保證，這意
念絕非來自上帝，你需要立即對付它。

　　聖經上說：「將各樣的計謀，各樣攔阻人認識上帝的那些
自高之事，一概攻破了，又將人所有的心意奪回。」[10]簡單地
說，就是別再去想它，立刻放下。選擇去想一些正面的事。如
果你錯將仇敵的謊話信以為真，就是任由負面種子在你的心
中生根發芽。而你愈多去思想它，它就成長得愈快，於是，你
就在心裡建立了一個堅固營壘，仇敵也就據地攻擊你。從早到
晚，仇敵會不斷地對你投射類似的想法：你永遠不會成功的；
你的家族中無一人有所成；你不夠聰明；你的父母都很窮；你
的祖母老是垂頭喪氣；你的祖父沒有一個工作做得長久；就連

你養的狗都病懨懨的！你根本就生長在一個錯誤的家庭。

如果你聽信這些謊言，就是開始在給生命設限，而且是一些你幾乎永遠無法超越的界線。你一定要開始養成習慣丟掉這些來自仇敵的想法，並且開始相信上帝對你說的話。上帝不會受限於你的家庭出身，祂也不會受制於你的教育背景、你的社會地位、經濟狀況、或者你的膚色。不會，惟一會限制上帝的只有你的信心不足。

> 跟著上帝，你絕對不會走錯路。

跟著上帝，你絕對不會走錯路。只要你信任祂，祂會使你的人生有意義，祂期待在你的生命中創造極大、極美的事。祂要將一個無用之人塑造成為一個有所為的人，但是你必須在上帝的計畫中與祂同工；你必須開始視自己為上帝親手所造的曠世傑作。

上帝對你有信心

如果你得以一瞥上帝對於你的極大信心，就再也不會退縮回到那個自卑、可憐的軀體中，你會勇敢地昂首闊步。當我們知道有一位敬重的人對我們有信心時，通常能激發我們相信自己會更好。而且，許多時候，我們甚至能超出他的期待。

有一次我和一群球技遠遠在我之上的球員打籃球。這些人多半從大學時就開始打球；我則沒有。我們愈打愈激烈，陷入熱戰。比賽接近終了時，我們打成了平手，這時候，我們這邊叫暫停。當我們聚在一起討論最後的戰略時，有一位隊員貼近

我的耳朵對我說：「約爾，我們要你投最後一個球。我們都被緊緊地盯著無法出手。」

這實在是一個很大膽的決定，但是老實說，那整場球賽我連一分都沒拿下過！防守我的那傢伙整整高過我一個頭。

一開始，我心想，這不是個好主意吧。但隨後，我想到，如果這些隊員對我那麼有信心，如果他們都相信我能夠投進那關鍵性的一球，那麼我應該就可以。

我們拿了球，進場開打。我竭盡所能地搶進一個空位，然後隊員把球傳給我。防守我的球員就在我頭頂上揮動雙手，但是我反身運球，瞬間從他拱起的手臂間將球投出（我甚至看不見籃框），然後這球在空中畫出一道恰似彩虹的弧線，遠遠高出我平時所能投出的高度。我看著球飛向天際，就像自己在空中演出慢動作一般，我甚至有時間禱告：「喔，上帝啊，請幫我把球推進！」然後球咻的一聲，空心進籃，我們贏了比賽！（那時我就知道上帝至今仍然回應禱告！）

當有人對你有信心，相信你的時候，事情就從不可能轉變為可能。我的妻子維多利亞一直都相信我什麼都辦得到，她對我總是極具信心。我今天能走到什麼境地，全是因為她不斷對我說：「約爾，你做得到。你已具備一切所需的才能。」幾年前，當她和我一同參加湖木教會的崇拜時，她常對我說：「約爾，有一天你要在台上帶領這個教會。有一天這裡會成為你的教會。」

我說：「維多利亞，別再這麼說了。這讓我光是想就覺得很緊張，而且，我連怎麼講道都不會。」

「你當然會，」她向我使了一個淘氣的眼神：「就像你對

我說道理那樣講道就行了！」

　　年復一年，維多利亞繼續鼓勵我：「約爾，你擁有的很多。上帝要用你，你會成為湖木教會的牧師。」一粒種子已深植在我的心中。而當我父親安息主懷之後，我相信我之所以能在這麼快的時間內承接父親的工作，最主要的原因之一就是維多利亞對我的信心，是她一點、一滴地將自信倒入我的心中。

　　維多利亞的信心不僅幫助我擴大自己的視野，也幫助我了解到全能上帝對我的信心有多大。在父親過世後不久，我首先做的幾件事之一就是取消電視講道。我們當時在星期天晚上有一個家庭頻道。我想，我又不是一個電視佈道家，我甚至不確定自己會不會講道。誰會去聽我的呢？我打電話給在電台的代表，告訴他因為父親已過世，我們不再需要那個播出時段了。

　　當我回家之後告訴維多利亞這件事，她說：「約爾，我覺得你要再打個電話給那個代表，告訴他我們要把時段要回來。我們不能往回走，我們不能退縮、不能恐懼。全世界的人都張大眼睛在看接下來湖木教會怎麼走下去，我們需要那個電視頻道。」

　　我知道維多利亞說對了，我立時被點醒了。那是一個星期五的下午，我打了電話給那個代表，但是找不到他本人。所以我留了言，也傳真並發電子郵件給他。我們知道時間已經很緊迫了，因為那是一個很搶手的時段，電台可以輕易就轉賣給其他的業者。

　　接下來的星期一是假日，但是在星期二一早，我們就接到那位代表的回電，他說：「約爾，我本來上個星期已經賣掉你們的時段了，但是就在我星期五要簽約的時候，心裡忽然有個

念頭告訴我：『下個星期再簽字。』」他繼續說道：「當我今天早上到了辦公室之後，我終於知道這個念頭是什麼了，原來是上帝要把這個時段還給你。」他說他已經撕了另外一份合約，然後他說：「你可以保有原來的時段了。」我相信這是上帝為我們所作的決定。今天，我們在全世界有超過兩百個電視頻道。上帝所做的遠遠超過我們所求、所想。

我在這裡希望你看見的重點是，整個事情會發生，是因為有人把信心放在我裡面。維多利亞幫助我擴大我的眼界，改變我的想法。她相信我遠遠超過我相信自己。當我們有一位所愛、所敬重的人相信我們時尚且如此，更何況是全能的上帝，尤其當你了解到祂對我們的信心是何等大的時候，再沒有任何事能攔阻我們去實現我們天賦的使命。

在你心中的仇敵會告訴你，你沒有能力完成使命；然而上帝要告訴你，你已擁有一切所需的能力。你要相信誰呢？仇敵告訴你，你永遠不會成功；上帝則告訴你，靠著耶穌，你凡事都能。仇敵對你說，你欠的債永遠還不完；上帝卻說，你就要還清，而且今後你要貸給人而不是向人借。仇敵說，你永遠不會康復；上帝卻說，祂要恢復你的健康。仇敵說你永遠成不了大事；上帝說祂要使你高升，使你的生命不同凡響。仇敵說你的問題太大，完全沒有希望；上帝說祂要解決你的問題，不但如此，祂要翻轉這些問題成為於你有益的祝福。朋友，開始去相信上帝向你所說、所有關乎你的事情，開始去思考上帝的意念。上帝的意念就是要你充滿信心、盼望與得勝。上帝的意念就是要建造你、激勵你，祂會給你堅持下去的力量。上帝的意念就是給你一個「能夠做到」的心志。

第13章

重新設定你心靈的電腦

有個小男孩帶著棒球與球棒到後院玩耍。他對自己說：「我是世界上最好的打擊手。」然後他向空中丟球並揮棒擊球，但沒打中。他毫不遲疑地撿起球再往上拋一次，揮棒擊球時又說：「我是全世界最棒的打擊手。」接著又揮棒落空，已經兩好球了。他又丟一次球，更集中精神，並更堅定地說：「我是世界上最棒的打擊手！」他盡全力揮棒打擊，咻！三好球了。這個小男孩放下他的球棒並咧嘴一笑。

「你知道嗎？」他說：「我是世界上最好的投手！」

這是種很好的態度，有時你就是應該要去選擇看事情的光明面。當事情發展得不如你預期時，不要抱怨。尋找事情好的一面，讓你的心中充滿正面的思考。

你的心就好像一台電腦，它會依照你的設定去運作。去抱怨：「我真受不了這台電腦！它從沒給過我正確的答案，它從

沒照著我的意思去做。」是多傻的事啊！想想看，你有的可能
是全世界最厲害的電腦，但你若下了錯誤的指令或灌了錯誤的
軟體，那它永遠不可能照著生產者的意思去運作。

　　除此之外，現在有無數的電腦病毒潛伏在電子空間中，正
在等著機會摧毀你的硬碟及你儲存在電腦中的資料。這些病毒
能夠潛進最完美的電腦，去污染電腦中的軟體。

　　要不了多久，這台電腦就會反應遲緩，然後當機。你可能
進入不了你要的程式或救不回重要檔案。更常見的是，你還會
傻傻地把病毒傳給你的朋友、家人或生意夥伴。你的電腦病毒
也感染了他們的電腦，讓問題變得一團糟。通常這類問題的發
生不是因為你的電腦不好，而是因為有人重新設定程式去破壞
電腦中好的、有價值的程式與資料。

　　同樣地，我們太常讓負面思想、話語和其他可怕的細菌進
入我們的心中，不知不覺地改變我們的軟體，或是破壞我們
的知識或價值。我們是依照上帝的形像受造，甚至在我們受造

之前，祂就設定我們有個豐盛的生命，
要快樂、健康與完整地活著。但當我們
的思想被污染時，它們就不再遵行上帝
的話。我們犯下嚴重的錯誤與作出錯誤
的抉擇，以致靠低落的自尊心、憂慮、
恐懼、不安與缺乏滿足感活著。更糟的
是，我們還把負面的心態傳染給他人。

**上帝造了你，
而且祂設定你
得勝。**

　　當你意識到這些事情正在發生，你必須重新設定電腦；你
必須改變你的思維模式。要了解，你不是瑕疵品。上帝造了
你，而且祂設定你得勝。但除非你依照創造者的使用手冊來

運作，也就是上帝的話語，否則你將永遠無法充分發揮你的潛能。

這是思想上的問題

我最近與一個人談話，他說：「約爾，我一直在電視上收看你的講道節目，就是那些有關變得快樂並享受人生的信息，但那在我身上好像就是不管用。」他解釋說，在五、六年前，他經歷了一段痛苦的關係破裂，使他心碎並痛苦不堪。他說：「我好像就是無法復原，我每天早上起床就感到沮喪難過。雖然白天我照常過日子，卻依舊無法除去悲傷。我回到家，仍然帶著傷心與難過就寢。」他讓我知道他正在接受協談療程，但看不出問題有任何改善。

「你認為你能幫助我解決情緒上的問題嗎？」他問。

「這位先生，我並不真的認為你有情緒上的問題，」我有話直說：「但我相信你有思想上的問題。」

「這是什麼意思？」

「當你早上起床，你腦海中第一件想到的事情是什麼？」

「我想到我有多麼孤單與心痛。」他回答我。

「你平常上班時最常想到什麼？」

「我想到我的生活真是一團糟，我犯了好多錯，我多麼希望生命能重新開始。」

「那你上床就寢時想的是什麼？」

「還不就是一樣的事。」

「這位先生，我不是心理學家或心理醫生，但我覺得你在

情感上沒什麼問題。它們只是在照著上帝造它們的方式運作，既不正面也不負面；它們只是在讓我們感受到我們的想法。如果你一直不停去想難過的事，你就會感到難過。你一直去想生氣的事，你就會感到憤怒。但如果你一直懷著快樂、得勝的想法，就會快樂，你就會得勝。你不能老花一整天去想那些傷害過你的人或你曾犯下的錯誤，而期望過著快樂、積極的人生。你必須把過去放掉，並居住在上帝已為你預備美好將來的真理當中。祂已給你一個全新的開始。開始住在上帝應許要翻轉情勢並使你得益處的真理之中，選擇去想想美好的事情。你必須重新設定你心靈的電腦，當你這麼做時，你的情感也會照著做。」

聖經上說：「我將生死禍福陳明在你面前，正面或負面，因此上帝說要選擇生命。」[1]這不是一次定江山的事，而是我們必須一直不斷做出的選擇。我們必須選擇活在積極正面中，活在美好事物中。不如意的事總會環繞著我們，但我們必須選擇住在正確之中，而非錯誤之中；選擇活在你所擁有的事物中，而非你所沒有的事物中；選擇以正確的思想去思考。

你無法防止負面思想去敲你的大門，但你可以決定是否要大開門戶讓負面思想進來。如果你堅守門口，並將心思專注於上帝所賜的美好事物上，聖經上說：「祢必保守他十分平安。」[2]如果你單單選擇正確的思想，在暴風雨中，你就有平安。這表示生命遇到困苦時，你必須決定住在上帝裡面，而非卡在困難中。要選擇身處在真理中，知道上帝站在你這邊。知道祂要為你打這一仗，知道凡為攻擊你所造的器械，必不利用。如果你開始懷有這種思想，無論生命中遇到什麼，你都將

充滿信心。

你也許經歷過失望，也許事情不曾如你預期般地好轉。人們也許錯待了你，你可能也遭受過重大挫折，但有了上帝，你絕不會走投無路，祂總是為你預備了一個新開始。你要開始身處在解決方法中，處在上帝仍對你有個美好計畫的真理中。當一扇門被關上，上帝總會為你開另一更大、更好的門，但你必須做你該做的，並保持信心，充滿盼望。

要明白，這是一場長期戰。我們永遠也不會找到一個不需對抗負面與毀滅性思想的地方。所以我們愈早學會防衛我們的心與控制我們的思想生活，我們就會愈快好轉。

無論我們相信上帝有多少年，或我們有多積極，我們或多或少都會受到挫折的影響，這就是我們活在這個罪惡世界所要付的代價之一，即使我盡可能地保持思想積極正面，我也無法對這類攻擊免疫。

堅定站立

在2001年12月，當湖木教會決定要租下休士頓的康柏中心，我們就與這個市簽訂一個為期六年的租約，要搬進這個有六萬座位的休士頓火箭隊籃球場。我們的會眾相當興奮，他們簡直等不及要開始整修這個球場。但一家也想得到這座球場的公司為了阻止我們搬進去，對我們展開了訴訟。自然地，我們對這種遲延感到很灰心。然而經過禱告之後，我們知道上帝要我們繼續進行我們的計畫。在2003年3月份，我們的會眾做出了最後決定。

　　不幸的是，在那一年的春天，這個訴訟開始進行。到了該年冬天，訴訟愈演愈烈。最後，我們還必須在2003年春天出庭待審。我們的律師早已警告我們，對方根本不可能與我們和解，因為他們不可能負擔得起這麼多損失。我們討論了幾種選擇，在律師推算輸贏的機率、即將耗費的時間與龐大的訴訟金額中，我們也列出了數種可能性。在我看到了慘淡的報告結果後，事情看起來簡直不可能解決，即使最後我們獲得判決勝利，上訴也要在現行司法制度下纏訟好幾年，我們的大筆經費岌岌可危。

　　在這段漫長擾人的日子裡，我常會半夜醒來，腦中充滿著各種想法：「老兄，你犯下了大錯，你告訴所有的人你能得到康柏中心，你給他們看你的計畫，你還讓他們奉獻出金錢。若你敗訴了會怎麼樣？你會像個蠢蛋。更慘的是，萬一你還要纏訟八、九年怎麼辦？你的經費可能不保，你無法再做別的計畫，到時你要怎麼辦？」

　　失敗與挫折的想法充斥在我心中：「這是不可能成功的。這絕不會實現，你最好趕快把錢拿回來繼續計畫別的事情。」我一直在用理性分析事情，我正失去喜樂。但在當時，我必須決定：是要深陷仇敵的謊言中，感到挫敗不堪並阻擋上帝作工，還是仍堅持信念相信上帝正在為我們爭戰。我要處在上帝掌權的真理中，知道祂正引領我們的腳步嗎？

　　我決定要與上帝同工。當懷疑與不信的思想攻擊著我，我竭盡所能地棄絕這些思想。我作了一個意念上的決定，不去定睛在這些困難上，而是定睛在上帝身上。

　　當那些思想跑進來說：這不可能成功。我就拒絕它們，並

提醒自己：在上帝絕無難成的事。當那些思想跑進來說：這是個爛決定，根本不可能成功。我便棄絕它們，並提醒自己：萬事互相效力，叫愛上帝的人得益處。當思想湧入並說：對手公司這麼強大，你根本不可能打敗他們。我就棄絕這些思想並提醒自己：沒有人或公司能夠站立抵擋我們的上帝。若上帝幫助我們，誰能抵擋我們？當負面思想威脅著說：這將會一團糟，你會把整個教會都拖下水，最後以灰心失望收場，這時我學會舉起雙手並宣告：「天父上帝，祢說當我走在義人的道路上，祢救我的腳免於跌倒。所以我感謝祢，天父上帝，祢已阻止我們犯錯。」

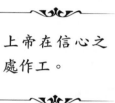

上帝在信心之處作工。

　　每當那些負面與挫敗的思想跑進我心中，我就把它們當作感謝上帝、勝利已在望的機會。我深知，若我們進入不信與懷疑，上帝就無法在環境中作工。而我不希望我所做的會攔阻上帝將勝利帶給我們。

　　當我們總是憂心、喪志或難過，我們真正在做的，其實是在拖延上帝帶來勝利。上帝要在信心之處作工。耶穌說：「若你能信，在信的人凡事都能。」反面來說也會成真，若你不信，若你消極負面、苦惱、憂慮或傷心，那麼超自然的改變對你來說，就是不可能的。當你正在經歷生命中的困苦時刻，即使你覺得無法保持積極樂觀的態度（儘管有時你也可以做到），無論如何你仍要那麼做，要知道你讓自己落入負面態度的任何一分鐘，上帝都無法在其中作工。

　　在康柏中心訴訟進行當中，有一天晚上我醒來並翻開聖

經。上帝好似要催促我去看一段有關猶大的百姓遇上強大的敵人，那真是一個看來相當絕望的景況。但上帝對他們說：「這次你們不要爭戰，要擺陣站著，看耶和華為你們施行拯救。」[3]當我讀到這一段，有個詞從經文中跳出來：「站著」。這表示要保持平靜與安穩，別灰心沮喪，別以自己的理智去測度；相反的，要站立，要有信心，要保持積極的態度，因為「我將為你們爭戰」。

幾個禮拜後，我們接到律師來電，就是當初告訴我們絕對不可能和解的那位律師，他說提出訴訟的那家公司希望次日早上能與我們坐下來談一談。在接下來不到四十八小時之內，我們達成了協議並讓訴訟得以和解告終！

聖經上記載：「人所行的，若蒙耶和華喜悅，耶和華也使他的仇敵與他和好。」[4]而這正是上帝為我們所行的。我們的訴訟不僅得以和解，連當初堅決反對我們教會租用該場地的公司，也同意把康柏中心裡的一萬個車位租給我們，為期六十年。那不僅幫我們省下好幾百萬美金，也讓我們能夠比預期要提早約一年遷入新場地。

如果你信賴上帝，祂將會為你爭戰。若你站立得住，你將看見上帝施行拯救。你經歷的事情與你的對手有多難纏，都不是問題。保持信心，保持平靜安穩，保持積極的心，別試圖以自己的方式解決事情，讓上帝以祂的方式來做。若你單單順服祂的指引，祂將為你的益處改變環境。

你也許正遇到巨大的困苦，你可能會想，我永不可能脫困，事情絕不會改變，我無法戰勝環境。

不是這樣的。聖經上說：「不要疲倦灰心。」[5]記得，你必

須先在內心贏得這場仗，剛強站立。當負面思想出現，要拒絕它們並帶入上帝的思想。當你處在信心的態度中，就是在向上帝開門，好讓祂能在你的環境中作工。也許你無法以肉眼看見事情有任何改變，但別因此喪氣。在眼所不見的領域中，在靈裡的世界，上帝正在作工。祂在改變事物，爲要叫你得益處。若你盡你的本分去保持信心，時候一到，上帝將帶你破浪而出、得著勝利。

關鍵就是選擇正確的思想與心態。不只是當你順心的時候，不僅是在順境中，不只是在你沒有困難時，而是也要在生命的逆境中，特別是在那些困苦的時刻，你必須把心思放在上帝良善的一面。保持滿有信心，保持滿有喜樂，保持滿有盼望，憑著意志做出決定去保持積極正面的心態。

有些人進一步退兩步。他們某一天開心積極，然後第二天卻失望消極。他們進步一些，然後又退步一些。因爲他們搖擺不定的信心，以致一直無法達到上帝要他們到達的境界，他們一直無法經歷上帝爲他們預備的勝利與進步。棄絕任何因負面態度而來的恐懼、憂慮、懷疑與不信的思想吧！你的態度應該是：我拒絕退步，我要與上帝一起邁步前進，我要成爲祂造我的樣式，我要實現我的生命。

如果你那樣做，上帝會在你的生命中持續作工，祂會爲你爭戰。祂會在風雨中給你平安，祂會幫助你活出祂已爲你預備的得勝生活！

第 14 章

你話語中的能力

喬斯‧利馬是休士頓太空人隊、90年代後期的一位明星投手。喬斯是一個率眞、充滿活力而受歡迎的年輕球員，在他身上總洋溢著一股陽光氣息。但是當太空人隊在建造他們的新棒球主場時，就是現在大家所熟知的美莉果體育場，喬斯的不悅寫在臉上，因爲在新球場的左外野外牆與內野距離明顯比舊球場太空巨蛋短了許多。事實上，美莉果體育場從本壘到左外野的距離之短，在所有美國職棒聯盟的球場中是出了名的。短距的左外野是打者的最愛，因爲這對投手來說較具挑戰性，尤其是在面對習慣擊出左外野方向球的右打者時更是如此。

當喬司‧利馬第一次走進新球場的內野，站上投手丘時，他立即注意到那道離自己較近的左外野外牆。「我沒有辦法在這裡打球。」他說。

接下來的這個球季，儘管有熱情的球迷與啓用新球場所帶動的氣勢，卻是喬斯投出他職棒生涯中成績最糟的一年。連著兩個球季，他從一個20勝的金牌投手變成一個16敗的大輸家。在太空人隊中從來沒有任何一個投手有過這麼慘痛的經驗。

自食其果的預言

喬斯怎麼了？我們大部分的人每天都在發生相同的事情，就是被自己說中了，我們的話語成了自食其果的預言。如果你被自己的思想擊敗，然後經由悲觀的想法生出負面的話語，接著你的行為就會相互呼應。這就是爲什麼我們要特別留意我們心裡如何去想，也要格外注意我們口中說出了什麼話。我們的話語蘊含極大的力量，無論我們喜歡與否，我們所說出的話常會成眞，不管好或壞。

可悲的是，許多人活在沮喪中，是因爲他們口所出的話語。他們會這樣說：「從不會有好事發生在我身上。」「我永遠不會成功。」「我不夠聰明，我辦不到。」「我永遠逃不出這個困境。」

有些人甚至給自己起了難堪的字號！「眞是個白痴！你永遠沒有辦法把一件事做對。」他們不了解，是他們所說的話在爲失敗鋪路。

話語很像種子。當你大聲說出來的時候，它們就在潛意識裡發芽成長，開始自己的生命；它們生根、長大，然後結出同類的果實。如果我們說正面的話語，生命就朝著正面前進。相同的，負面的話語帶出不好的結果。我們不能口裡說的盡是失

敗與挫折，可是卻希望過得勝的生活。我們栽種什麼，就收穫什麼。

聖經中將舌頭比喻爲能左右大船的方向舵。[1]雖是小小的舵，卻能控制整艘船的航行方向，同樣地，你的舌頭也能控制你的人生。如果你習慣性地說一些失敗的話語，你就往一個失意挫折的人生前進。如果你的對話中常常有類似的字句：「我不行；我沒辦法；我不夠有才能。」或是其他對自己負面的評價，你就是在預備自己去迎接失敗的到來。這些負面的話語會使你無法成爲上帝要建造你的樣式。

我知道有一個醫生，他深知話語的能力。他給所有的病人一個處方箋，就是要他們每隔一個小時對自己說：「我每一天在各方面都愈來愈好，愈來愈好了。」這個醫生的病人都出奇的好，比起被其他醫生診療的病人都好得多。

當你帶著熱心與熱情把一件事反覆說得夠多次時，要不了多久，你的潛意識就會開始照著你所說的去做，用盡一切辦法讓那些想法和說過的話成眞。可惜的是，大部分的人一生反覆說的多是一些負面的話語，他們不斷用話語貶低自己。他們不明白自己的話語扼殺了自信，也毀了他們的自我價值。

事實上，如果你一直有自卑情結，更應該盡全力地說出充滿信心的得勝話語。每天早晨起床後，對著鏡子說：「*我是尊貴的，我是被愛的。上帝對我的生命有一個很棒的計畫，我走到哪兒都有恩惠、慈愛隨著我。上帝的福分澆灌我，甚至要滿溢出來了，凡我手做的盡都成功興盛。我對未來充滿期待！*」開始開口說這樣的話語，要不了多久，你的生活就會更上層樓，成功和得勝也將伴隨而至。你的話語眞

的帶有能力。

　　在諸事不順、遭遇困難的時刻，我們尤其要格外小心所說出的話語。你的反應和在逆境中所說的話，對於你受困時間的長短有決定性的影響。因此，當你的想法和言語愈是積極正面，你就愈是堅強，而你也愈快能從中脫解。

> 在逆境中所說的話對於你受困時間的長短有決定性的影響。

　　不可諱言地，在面對挑戰時，人的本性傾向去抱怨、訴苦，讓所有願意聽我們說話的人知道我們面對的問題是何等艱鉅，但是這種對話是在自亂陣腳。想要漂亮地全身而退，脫離困境，就要學著盡可能地說樂觀積極的話語。

　　太多時候，我們就這麼接受那些負面的態度，然後埋怨地說道：「我知道我的婚姻是不可能有好結果的。」「我不覺得自己可以脫離借貸度日的生活。」「我想餘生都要忍受這個病痛了。」

　　如果你開始講這種話，你自己就變成了一個最難纏的敵人。若說有什麼時候是最需要去注意言語的，那就是在困難的時刻。當你覺得力不能勝，當你感到壓力重重，當全世界都在與你作對，當那道左外野外牆似乎慢慢向你身邊逼近，這就是你要提高警覺的時候了。這時候你最軟弱，最容易心生怨懟、口出怨言。緊接著你的潛意識就把你所說的話當真，開始盡一切可能去實行它們。等到最後發生事情了，除了自己，你也怨不得誰了，是你太低估自己的思想與話語了。

謹愼所言

　　如果你今天剛經歷了一場風暴，這時候最要注意的就是好好勒住你的舌頭，不要讓負面具破壞性的話語從口中溜出來。聖經上說：「生死在舌頭的權下，喜愛它的，必吃它所結的果子。」[2]換句話說，你以言語創造了一個或善或惡的環境，而且你要生活在其中。如果你總是在絮絮叨叨地唸著、埋怨著人生待你如何苛刻、你生活在一個如何悲慘的世界，這時候你就是被試探著只是一再用自己的話語去反覆描述一個不利的情境。但是上帝要你做的是，去改變這個不利於你的情境。不要去討論問題，要討論解決之道。

　　聖經清楚地告訴我們，對攔阻你的山說話。[3]也許你面對的山是疾病；也許是破裂的關係；也許是不振的事業。無論你面對的是一座什麼山，除了討論它、爲這座山禱告，你要做的，還有對著這座山說話。聖經上說：「讓軟弱的說我已剛強；讓受壓制的說我已自由；讓那生病的說我已得醫治。讓那貧乏的說我已富足。」[4]

　　開始說你自己是健康、喜樂、完滿、受祝福的和興盛繁榮的，停止再去向上帝訴苦你的山如何巨大，開始對著你的山述說你的上帝何等偉大！

　　我極欣賞大衛在面對巨人歌利亞時說的話。他沒有喃喃自語地抱怨說：「上帝啊，爲什麼我總是碰到這麼困難的事？」不，他靠自己的話語來扭轉整個情勢。他沒有去想歌利亞的身高是他的三倍，也沒有去想歌利亞是個訓練有素的戰士，而自己只是個牧羊童。不，他沒有專注在面前的困難如何巨大，他

定睛在他的上帝何等偉大！

　　當歌利亞看到前來的大衛是這麼矮小而年輕的時候，他嘲弄地說道：「你拿杖到我這裡來，我豈是狗呢？」

　　但是大衛堅定地看著他的眼睛，帶著無比的信心回答道：「你來攻擊我，是靠著刀槍和銅戟；我來攻擊你，是靠著萬軍之耶和華的名。」[5]

　　瞧！這就是信心的話語。注意到了嗎，當大衛說這些話的時候，他大聲地說了出來。他不只是默想，也不僅僅只是心裡禱告，他直接站在面前對著他的山宣告：「今日……我必殺你，斬你的頭，又將非利士軍兵的屍首給空中的飛鳥、地上的野獸吃。」而靠著上帝的幫助，他真的做到了！

> 停止再去向上帝訴苦你的山如何巨大，開始對著你的山述說你的上帝何等偉大！

　　那些話就是我們要學習在每天的生活中去說出來的，尤其在面對挑戰的艱難時刻，更要勇敢。面對橫在你面前的攔阻，你要大膽地說：*「那在我裡面的，比那在世界上的更大。[6]凡為攻擊我造成的器械必不利用。[7]上帝要為我爭戰得勝。」* 停止擔心和埋怨困難何等艱鉅，開始去對著它說話。停止抱怨貧乏和不足，開始宣告：*「上帝在各方面充充足足地供應我。」* 停止絮絮叨叨地唸著家人和朋友如何不愛主，開始宣告：*「至於我和我家都必事奉主。」* 停止再發牢騷說什麼好事從不曾降臨，開始宣告：*「凡我所做的都必興旺成功。」* 我們必須停止去咒罵黑暗。讓我們開始去命令光明來到。

　　朋友，你的口中有奇蹟。如果你希望改變你的世界，先去改變你口所說的話。當日子變得艱苦，不要抱怨、叨唸或是和人爭執不休。對著那些難處說話。如果你學會說對的話，保持著正確的心態，上帝會扭轉整個情勢。

　　你可能會想：「約爾，這聽起來太好而不像是眞實的。」這是眞實的！因爲我親眼看見因著思想與話語的能力，讓我的家人得著奇妙的醫治神蹟。來吧，我來說給你聽。

第 **15** 章

說出改變生命的話語

在1981年，我母親被醫生診斷出罹患癌症且只有幾個禮拜好活，我永遠也不會忘記這個消息帶給我家多大的震驚。在我一生中，我從未看過母親生過一天病。她總是非常健康而有活力，她喜歡戶外活動，喜歡在庭院種花蒔草。

當檢驗報告出來時，我正在外地上大學。我的哥哥保羅打電話對我說：「約爾，媽媽病得非常、非常嚴重。」

「這是什麼意思？她是感冒，還是怎麼了？」

「不是的，約爾。」保羅回答道：「她的體重一直減輕，皮膚發黃，而且非常虛弱。她的身體出了嚴重的問題。」

母親住院了廿一天，好讓醫生進行一個又一個的檢查。他們把她的檢驗結果送至全國各地，希望有辦法能幫助她。最後，他們帶回了可怕的檢驗報告，告知她得了移轉性肺癌。他們來到我家門前對我父親說：「牧師，我們實在不想這樣

告訴你，但你妻子只有幾星期好活，不是幾個月，是幾星期⋯⋯。」

他們能做的已是醫學的極限，世上最傑出的醫生已經窮盡一切辦法而皆宣告無效，所以他們只好把我母親送回家等死。

我們由衷地感謝醫護人員的努力，但我們拒絕接受他們的說法。我感謝醫生、醫院、醫藥與科學，但醫護人員只能提供醫學檢驗告訴他們的事。然而感謝主的是，我們可以尋求更上位的權威。我們總可以得到另一種報告，上帝的報告說：「我將為你預備健康並醫治你的傷。」

我們服事的是超自然的上帝，祂不受限於自然律。祂能做到人類做不到的事，祂能在看來只有絕路的時候，為我們開一條活路，而那也正是我們為母親的生命禱告的事。

母親也從未放棄。她拒絕說出失敗的話語，她不埋怨覺得身體多虛弱或病得多嚴重，也未埋怨生命有多悲慘，或是情況有多絕望。她選擇將上帝的話語放在心上及口中。她開始說著充滿信心的話語，她開始呼求健康與醫治。在那些日子裡，我們會聽她在家中到處走動，並說：「我將活著而非死亡，還要宣揚上帝的作為。」她簡直就像一本活聖經！

我問：「媽，你現在身體感覺如何？」

她說：「約爾，我在上帝與祂的大能中很強壯。」她仔細研讀聖經，找到三十至四十處她最喜愛的、有關醫治的經節。她把它們寫下來，每天熟讀並大聲宣告：「祂以長壽使我知足，又向我彰顯祂的救恩。」

母親將她自己的話與上帝的話語結合，而大有能力的神蹟就此發生。她的情況開始改變，不是一夜之間，而是逐漸地，

她開始覺得好轉。她又有了胃口，體重也開始增加，緩慢但確定的是，她的體力也在恢復。

結果發生了什麼事呢？上帝正在促使祂的話語發生作用，上帝為她預備了健康並醫治了她的傷。幾個禮拜過了，母親的身體也逐漸好轉。幾個月又過了，她的身體也更好了。幾年又過了，她繼續宣告上帝的話語。今天，從我們接到報告得知她只剩幾個星期好活之時到現在，已經過了二十多年，所以我寫下了這段話。我母親已遠離癌症，並被上帝話語的大能醫治了！

她仍然不斷宣告上帝的話語，她每天起床並複習那些醫治章節的經文；她仍然說著那些充滿信心、得勝與健康的話。她總在說完那些話後才肯出門。不僅如此，她還喜歡提醒「死亡先生」：祂對她的生命無法有任何作為。每次我母親經過墳墓，她就會大聲宣告：「祂以長壽使我得以知足，又向我彰顯祂的救恩！」她第一次這樣做是在我與她同車時，當時我差點沒從座位上摔下來。

母親拒絕給仇敵留地步。

大膽宣告上帝的話

母親以她的話語改變她的世界，而你也可以做相同的事。也許你正面對一個「絕望」的景況。別放棄，上帝是行神蹟的上帝。祂深知你正在經歷的，祂絕不會讓你失望，祂是比手足還親的密友。如果你信靠祂，並開始說信心的話語，你的景況將會開始改變。

當然，我們不用到了生死關頭才使用上帝的話語，我們可以在每日生活中使用它們。為人父母的，你們應該每天在孩子上學前為孩子說上帝的話。只要說：「天父，祢在詩篇第九十一篇說，祢會差派天使掌管我們，魔鬼無法來到我們家。因此我感謝祢，我的孩子在靈裡是蒙保守的，祢會指引他們並看顧他們。天父，祢說我們作首不作尾，祢將以恩惠環繞我們，所以我為我的孩子蒙福感謝祢，他們在任何事上都是出色的。」

> 上帝是行神績
> 的上帝。

為你的孩子說上帝的話語，可以在他們生命中創造重大的不同。我知道我母親每天在我與兄弟姊妹上學前，都為我們禱告。她特別禱告我們不要摔斷骨頭，所以她養大了五個健康活潑的孩子。我們參加體育活動以及許多瘋狂的事，直至今天，就我所知，我們沒有一個人摔斷過骨頭。

就如我們要以上帝看我們的角度來看自己，我們能以上帝說我們的角度來說自己，也是一樣重要的。我們的話語對於夢想的實現是至關重要的。光用你自己的信心或想像看見還不夠，你必須就你的生命說出信心的話語。你的話語有巨大的創造力，當你說出了一句話，就在賦予這句話生命。這是一個屬靈的原則，而且無論你說好話或壞話，正面或負面的話，都一體適用。因此在這個層面，我們很多時候就是自己的仇敵。我們責怪每個人或每件事，但事實其實是，我們正深層地被自己所說的話影響著。聖經上說：「我們被口中的話語捉住。」[1]

「從沒好事發生在我身上；我的夢想從未成真；我知道我

升遷不了。」像這一類的聲明會阻撓你的生命成長，那就是爲何你必須學習管好你的口舌，只對生命說出充滿信心的話語，這是你能抓住最重要的原則之一。話一說出，你的話語不是造就你，就是毀滅你。

上帝從未命令我們不斷以言語表達我們的傷害與痛苦，祂並未指示我們討論我們的負面處境，拿著「髒衣服」到處揮向我們的朋友與鄰舍。相反地，上帝告訴我們要不斷訴說祂的良善與應許。無論在早晨的餐桌上、在晚餐的飯桌上、睡前的時間，我們都要處在上帝的良善中。只要你停止說出生命中負面的事情並開始訴說上帝的話語，你就可以在家中經歷一種新的喜悅。

如果你總是在談論你的問題，那麼就請別驚訝你活在失敗中。如果你習慣說：「好事不會發生在我身上。」猜猜怎麼著？好事眞的就不會發生在你身上！你必須停止談論你的問題並開始討論解決方法。別再說失敗的話，要開始說得勝的話。別用你的話語描述你的情況，要用你的話語改變你的情況。

每天早晨當我起身，我會說：「*天父，我感謝祢，讓我在祢裡面與祢的大能中剛強，使我有能力做祢呼召我去做的事。*」我引用一些有關上帝給我恩惠的經文。

我在做什麼？我在以正面的信息開始我的一天，將我的心思意念與上帝的話語結合。

當你一起床，盡快將整天的步調設定好。如果你等到看完早報之後才做，你將會以各種令人難過、害怕的新聞開始這一天。試著以上帝的話語爲你的生命帶來好消息，開始新的一天。別等到你看完股市新聞，不然你會有些日子活得高興，有

些日子活得沮喪。在你起床的時候，就開始說出信心及勝利的言語，賦予你的夢想新的生命。

要明白，光是避免負面話語還不夠。這就像一支只會防守卻不會進攻的美式足球隊。如果你的隊伍一直處在守勢，你就不會得分。你必須搶到球並觸地達陣，你必須發動攻勢，必須更積極主動。

> 光是避免負面話語還不夠……你必須發動攻勢。

同樣地，你必須開始大膽宣告上帝的話語，並以你的話語讓人生邁進，讓上帝為你預備的諸般好事得以進入你的生命中。聖經上說：「人心裡相信就可以稱義；口裡承認就可以得救。」[2]這個原則在其他方面也同樣適用。當你相信上帝的話語，並結合你的信心開始說出來，你其實就是在確認這個事實，並使其在你的生命中生效。

如果今天你正在面對病痛，你應該確認上帝有關醫治的話語。要說：*「天父，我感謝祢，祢在詩篇應許我將活命而非死亡，因此我將宣告上帝的作為。」*當你大膽地宣告，就是在確認你生命中事實的發生。

若你的財務發生困難，不要去討論困難，而要大膽宣告：「每件我著手的事都要成功興旺！」朋友，當你做那些大膽的宣告時，所有的天使、天軍都會集中心力去支持實現上帝的話語。上帝給我們成千上萬的應許，不光只是為了讓我們去享受、閱讀他們。上帝將祂的應許給我們，好讓我們可以大膽地宣告它們，帶來得勝、盼望與豐盛的生命。

在1997年，維多利亞與我有機會發展休士頓的全功率電視

台第55頻道。這是個大好機會，卻也是個浩大的工程。我們有的僅是興建許可，基本上，那就只是讓我們有權去建立電視台的一張紙。我們沒有工作室，沒有轉換器或機房塔。喔對了，我們根本還沒有節目！我們真的是從零開始，而且我們只有不到一年的時間開播，不然就會被撤回執照。我們真的需要上帝的智慧去處理建立電視台的每個細節。

　　我決定像我母親一樣的做法。每天早上當我研讀聖經，我會寫下任何有關智慧或指引的經句。在幾個禮拜之後，我已經記下二十至三十篇。在每一天我們出門前，維多利亞與我會研讀並大膽地宣告它們。

　　我最喜愛的章節之一就是：「因為耶和華賜人智慧；祂的每一句話語都是知識和聰明的寶藏。祂為正直人（祂的聖徒）存留真智慧，祂是他們的盾牌，覆庇並保守他們的道。祂也叫他們明辨是非，每次都能作出正確的決定。」[3]我們會說：**「天父，我們感謝祢賜我們屬天的智慧，讓我們的確有能力每次都下正確的決定。天父，祢說義人的腳步被上帝所立定，所以我們感謝祢指引我們的腳步。」**在我們創辦電視台時，上帝超自然地保守我們並阻止我們犯錯，其次數之多真是不勝枚舉。

　　舉例來說，我本來正要拿起電話打去訂購一台非常昂貴的重要機器，就在我這麼做之前，有個人剛好致電給我，而我們討論了許多問題。在我們談話接近尾聲時，他說了些話讓我突然想通並改變我原有的決定。

　　這是怎麼回事？上帝使用了這個人來幫助指引我們，上帝在保護我們免於作出不智的決定，祂賜給我們好的靈感去作正

確的決定。上帝正督促著祂的話語實現。

　　上帝也想為你行同樣的事，但你可不能怠惰，要搜尋聖經並特別找出適用你情況的經文，將它們寫下來並養成習慣宣告它們。

　　上帝已經做了每一件祂計畫去做的事。此刻球正在你的場子中，如果你想要成功，如果你想要智慧，如果你想要富裕及健康，就必須不只是相信與默想，你必須大膽對自己與家人宣告信心與得勝的話語。

　　在下一章，你將知道要如何去做！

第16章

說出祝福的話語

身為父母，我們可以用話語深刻地影響我們的孩子。我相信，為人夫和為人妻皆能左右整個家庭的走向。作為公司的老闆，你能幫助員工設立工作的方向。藉著所使用的話語，我們有能力去模塑任何影響力所及之人的未來。

我們每一個人都對他人有影響力。你可能覺得自己並不是領袖，但你仍舊擁有一定的影響力，總有一些人或團體會聽從你的話。即使你是個未成年的青年，仍有人會看重你的意見。所以向任何我們影響力所及之人說「好話」是很重要的。這不是說，我們就凡事順從他們或不再糾正他們。但是一個基本原則就是，我們對他們說的話要積極正面。

一個出於善意的媽媽可能會不停地嘮叨讀高中的兒子：「你怎麼這麼懶？這樣你成就不了大事的。你再不振作，就進不了大學。你還可能學壞並惹事生非。」

　　這種負面的話語會出乎你意料之外地快速摧毀一個人。你不能一面對著某人說消極的話，回過頭來又希望他受祝福。如果你期許你的兒子或女兒將來有所成就，就要開始以信心的話語向他們的生命宣告，而非預言他們的挫敗與失望。聖經提醒我們，我們的話語可以是祝福也可能是咒詛。

　　在舊約時代，人們清楚了解祝福的力量。當家中的族長即將離世之前，長子會聚集所有的兄弟來到父親跟前。這位父親會一個、一個地按手在每個兒子的頭上，以充滿愛與信心的話語述說他們的未來。這些宣告就是我們後來所熟知的「祝福」。這些家庭成員知道這不僅僅是父親「臨終前的心願」；這些話語帶著靈裡的能力，會為他們的未來帶來成功、財富和健康。

　　許多時候，兄弟間會為了爭奪「祝福」而鬩牆反目。他們不會去計較繼承了多少遺產，也不會去爭論誰能在家族事業中當家。不，他們在意的是那些「充滿信心的話語」。他們知道一旦得著了父親的祝福，那麼財富和成功就是自然的副產品。除此之外，他們也深深渴望能得到心中所敬愛之人的祝福。

　　聖經中最引人注意、有關祝福的記載就是以撒的兩個兒子，雅各和以掃的故事。[1]雅各希望得著父親的祝福，而且不是一般的普通祝福，他要的是那份通常給家中頭胎長子的祝福。以撒年老，行將離世，而且老眼昏花幾乎不能看見。有一天，他叫了大兒子以掃來說：「我兒，往田野去為我打獵。照我所愛的做成美味拿來給我吃，使我在未死之先，給你長子的祝福。」但是以撒的妻子利百加聽見了他們的對話。利百加一直偏愛小兒子雅各，於是她要雅各穿上以掃的衣服打算用計騙

取以撒的祝福。而利百加則照以撒所愛的美味，為他準備了一道豐盛的餐宴。

當以掃外出打野味時，她對雅各說：「現在你帶著這些美味到你的父親面前，求他給你屬於你兄弟的祝福。」

雅各知道這個欺騙的嚴重性，他說：「但是母親，倘若我父親發現我在欺哄他，我的餘生就招咒詛，不得祝福了。」

想想看，雅各知道他是拿自己的未來作賭注，他知道父親所說的話會深深影響他，無論好壞都會影響他的整個下半輩子。

宣告上帝的恩惠

無論我們是否認清這點，我們的話語會影響子女的未來，無論好壞。我們的話語具有以撒所擁有的能力。我們需要對我們的孩子說充滿了愛、信心、肯定、鼓舞和激勵的話語，好讓他們能往上提升。當我們這麼做時，就是在為他們的生命祝福。我們說出了豐盛與加增。我們在宣告上帝的恩典臨到他們的生命。

> 我們的話語無論好壞，都會影響子女的未來。

但是太多時候，我們不經意地就變得很嚴厲而苛刻，專挑剔子女的毛病：「你就不能考好一點？你連割草都不會？去整理你的房間，簡直就是一間豬窩！你就不能做對一件事嗎？」

這些負面的話語，會使我們的子女失去上帝放在他們生命

中的自我價值。身為父母，當他們不聽話、做錯事的時候，我們有責任在上帝、在人面前管教他們，訓練他們，以愛糾正他們。但是如果我們一直用負面批判的話語叨唸孩子，很快的，你就摧毀了孩子的自我形象。你用自己負面的言語為仇敵開啟大門，讓牠得以堂而皇之地將自卑、缺乏安全感放進孩子的生命中。很多成年人至今仍承受著這些童年時父母話語的傷害所帶來的痛苦。

請記得，如果你一直在犯這個錯，對著孩子說負面的話語，你就是在咒詛他們的未來。更甚者，上帝會要你為摧毀孩子的命運負責。上帝給權柄也給責任，就像你有屬靈的權柄去讓孩子感到被愛，被接納，和被肯定，你也有責任去祝福你的孩子。

除此之外，孩子從父親身上認識天父上帝，看見天父的形象。如果他們的父親是一個嚴厲、批判、刻薄寡恩的人，那麼孩子長大後對上帝的觀點也會扭曲。如果這位父親是慈愛、溫和、正義而滿有同情心，那麼孩子也能更正確地體認上帝的性情。

我之所以能夠說出如此多有關上帝的良善，正是因為我看見家父美好的典範。沒有人能夠比父親向我們歐斯汀家的孩子彰顯更多上帝的愛，即使在我們犯了錯誤、走入歧途時，父親仍舊滿懷仁慈、堅定地愛著我們。他以愛引導我們走回正途，從不曾以打罵讓我們歸隊，他用無盡的愛帶著我們回家。縱然他很忙碌，他總是撥時間和我們在一起。他鼓勵我們去做大事，去實現自己的夢想。他常說：「約爾，不要去做我希望你做的事，去做你自己想做的事，去實現你的夢想。」

　　父親對於我的兄弟姊妹和我都極有信心。他一再對我們說：「你們好棒！」即使我們都知道自己沒那麼好。他給我們祝福，即使我們的行為舉止完全看不出曾蒙受祝福。有時候我們實在惹他生氣了，他就說：「我要打死一些祝福了！」

　　家父和家母育有我們五名子女。在我們小時候，教會並不像現在這樣，有如此多兒童主日學課程。我們每個星期都到同一間禮堂，我和姊姊四月總是坐在最前排，和其他兩百位會眾一起坐著聽道。信不信由你，在整個崇拜中，我和姊姊就一直在玩井字遊戲，直到結束。（我這麼坦白是要讓你知道，你的孩子極有盼望。看我完全心不在焉，上帝都能使我成為一位牧師。誰知道上帝要如何造就你的孩子呢！）

　　父親會在崇拜中走上講台，母親則和我們五個小孩並列站一排。當母親敬拜時，她總是高舉雙手，雙目緊閉地唱詩讚美。然而，她好像有超能力一般，即使閉著雙眼，也可以知道她的孩子有沒有在作怪。這讓我極為吃驚，我想這就是我經歷上帝超自然能力的初體驗！每次我總是很確定媽媽已經閉上眼睛之後，才出手攻擊哥哥保羅。可是，分秒不差的，媽媽總是立刻抓起我的手臂，一把捏下去！我會痛得想尖叫，但我也知道最好不要。然後她高舉雙手，繼續敬拜上帝。

　　我總是想：「媽媽，你有恩賜，那是超能力！」

　　我在開玩笑（有一點啦），但是重點就是，我和兄弟姊妹都不是模範好寶寶。我們闖了一堆麻煩，但是我的父親和母親從不曾專注在我們的過錯上；他們看的是解決的方法。他們一直對我們說，我們是全世界最棒的小孩。我們在安定中長大，知道我們的父母不僅彼此相愛，也深深愛著我們而且相信我

們。當我們遭遇困難，他們做我們的堅固後盾。我們知道他們永遠不會批判我們或咒罵我們，而是以無比的信心相信我們。

因為我成長在這個接納與肯定的家庭，現在，身為一位父親，我也試著對我的孩子們做相同的事情。我對他們的生命說祝福的話語，好讓他們可以傳給下個世代。我知道我的孩子會將上帝的美善往後傳給他們的子孫，然後世世代代。

我每天早上會對小兒子強納生說：「強納生，你是最棒的。」我會一直對他說：「強納生，你是上帝賜給爸爸媽媽最好的禮物，我們愛你。」我也和女兒雅麗珊卓說類似的話。

在他們晚上睡前，我會告訴他們倆：「爸爸會永遠作你們的朋友。」我和維多利亞會一直對他們說：「沒有什麼是你們不能做的，你們有美好的未來在眼前。上帝的恩典圍繞著你們，凡你們手所做的都會興盛成功。」

我和維多利亞相信，在他們還小的時候，我們就有機會和責任去對我們的孩子說上帝的祝福，為什麼要等到他們步入青春期，或者二十多歲要結婚了，才開始為他們禱告求上帝賜下福分？不，在他們的一生中，我們都要為他們宣告上帝的賜福。而我們也相信我們的話語會在孩子的成長過程中留下深刻的影響，直到他們有了自己的孩子。

> 祝福若不說出口，就不成為祝福。

你傳給下一代的是什麼呢？光想是不夠的，我們要講出來。祝福若不說出口，就不成為祝福。你的孩子需要聽到你說：「我愛你，我相信你。我覺得你好棒，沒有人能像你一樣，你是獨一無二的。」他們需要聽到你的肯

定，他們需要感受你的愛，需要你的祝福！

　　也許你的孩子已經長大成人離開家了，但你不應該就此打住，你可以拿起電話，打給他，鼓勵他，告訴他你深以他為榮。也許在他的成長過程中，你沒能好好地祝福他，現在還為時不晚。現在就開始！

一言既出駟馬難追

　　雅各站在幾乎失明的父親以撒面前，假裝是哥哥以掃，然而以撒縱然老眼昏花，心裡卻仍舊清明。他懷疑地問道：「以掃，真的是你嗎？」

　　「是的，父親，是我。」雅各說謊道。

　　以撒還是不信，要他靠近一點，他在聞了以掃衣服的香氣之後才相信。他於是給了雅各那屬於哥哥以掃的祝福。他說了類似的話語：「願上帝賜你天上的甘露、地上的肥土，並許多五穀新酒。願多民事奉你，多國跪拜你；願你作你弟兄的主，你母親的兒子向你跪拜。凡咒詛你的，願他受咒詛；為你祝福的，願他蒙福。」[2]注意，我們在往後的歷史看見，這些事後來都一一實現了。

　　在另一方面，當雅各離去後，以掃進到房間來，他說：「請父親起來，吃你兒子為你準備的野味。」

　　這時候以撒困惑了，他說：「你是誰呢？」

　　「我是你的長子以掃。」根據聖經的記載，就在這個時候，以撒大大地戰兢，他知道自己被騙了。他向以掃解釋雅各如何用計奪走了他的祝福。

接下來就是這個故事最令人驚訝的地方，以掃聽了父親的話，就放聲痛哭說：「父啊，你只有一樣可祝的福嗎，我父啊，求你也為我做那給長子的祝福。」

以撒的回答是真知灼見而充滿力量：「不行。這些話已出口，我不能收回了。我已經為雅各祝福，他將來就必蒙福。」

你看見我們話語的力量了嗎？你看見我們對子女祝福的能力了嗎？以撒說：「這些話已出口，我不能收回了。」他給了以掃小一點的祝福，但是和雅各的一樣，也是具深遠意義的祝福。

我們要格外謹慎我們口所出的話語。下一次，在你準備要開口罵人，對孩子說重話或貶低他們時，記得，你永遠無法將這些話收回。話語既出，就有了自己的生命。

用你的言語對人說出祝福的話。停止批評你的子女並且開始宣告他們有美好的未來在等著。

我們永遠不要對任何人說具破壞性的話語，尤其是對那些你在他們身上有權柄或影響力的人。即使你有自己的公司，旗下帶領很多的員工，也不代表你有權利去用不堪的言語怒罵他們，讓他們覺得自己很糟，一無是處。相反的是，上帝會要你對他們所說的話負責，祂會用更嚴苛的標準來審判你。你應該去對他們說正面的話語，建造、鼓勵他們。

同樣的，一個作丈夫的需要知道他的話對於妻子的生命有極大的影響力，他需要用自己的話語來祝福她；而她則用生命來愛他，照顧他，與他攜手同行，共創家庭，養育他的兒女。如果他總是在挑她的毛病，總是在貶低她，他將在自己的婚姻和人生中收成可怕的惡果。今日許多婦女都覺得憂鬱並且感覺

受到精神上的虐待，因為她們的丈夫從來不用自己的話語來祝福妻子。導致的結果就是，這些已婚的婦女覺得自己沒有價值。而這樣的自信心不足，皆因丈夫吝於給妻子她們極需要的祝福。如果你希望看見上帝在你的婚姻當中做新事，行神蹟，開始讚美你的配偶，開始感謝並鼓勵她。

「喔，我妻子知道我愛她。」有一位長老這麼說：「我不需要告訴她，早在四十二年前我們結婚時，我就告訴她了。」

不，她需要一次又一次地聽你說。作丈夫的要每一天告訴妻子：「我愛你，感謝你。你是我這一生中最美好的部分。」而妻子也要對丈夫說一樣的話。你們的關係馬上會有極大的改善，只要你開始說溫柔、正面、祝福配偶的話語，而不是咒罵他（或她）。

宣告上帝的良善

你必須開始宣告上帝在你生命中成就的美好與良善。開始勇敢地宣告：「上帝以笑臉對我。祂渴望以恩典待我。」這不是乞求，這是上帝說我們得福的方法，就是我們開始去宣告祂的美好與良善。

讓我對你的生命作一些宣告：

- 我宣告你將蒙福而得到上帝所賜的屬靈智慧，你會清楚你生命的道路。
- 我宣告你將蒙福而得到創造力、勇氣、能力和豐盛。

- 我宣告你將蒙福而得到堅強的意志力、自制力和自律的能力。
- 我宣告你將蒙福而有信心、恩惠和滿足的喜樂伴隨你；你會有很好的家庭、朋友，以及很美好的健康。
- 我宣告你將蒙福而成功，有屬靈能力，被提升，受到靈裡的保護與遮蓋。
- 我宣告你將蒙福而有一顆順服的心和積極正面的人生觀。
- 我宣告那針對你的咒詛和負面的話語如今都全然斷開。
- 我宣告你在這個城市中蒙福，在這個國家中蒙福。你出你入都受到祝福。
- 我宣告你將蒙福，凡你手所做的都將興盛成功。
- 我宣告你是蒙受祝福的！

　　我鼓勵你領受這些話語並且常常默想它們。讓這些話深深進到你的心裡，成為你生命中的一部分，也對你的家做類似的事情。學習對你的家人、朋友和你的未來說出祝福。記住，祝福若是不說出口，就不成為祝福。如果你做到自己的部分，勇敢地對自己和周遭的人說出祝福，上帝也會在你生命中的各個層面大大地充足供應你，讓你過一個豐盛的人生，一個祂希望你擁有的人生。

　　學習對你的家人、朋友和你的未來說出祝福。

【第四部】

讓過去成為過去

第 **17** 章
放開情緒的創傷

我們身處於一個喜愛找藉口的社會中，而我們最喜歡的藉口就是：「這不是我的錯。」

「約爾，我之所以會成為悲觀的人，全是因為我在一個不健全的家庭環境中長大。」有個人這麼告訴我。

「我的丈夫欺負我，我被拋棄了。這就是為什麼我總是這麼沮喪。」一名四十出頭的婦女說。

「我失去了妻子卻不知道原因為何，這就是我會這麼憤怒的原因。」一個年輕人說。

不，其實，如果我們懷著苦毒怨恨，那是因為我們允許自己這樣做。我們都曾有不好的事情發生，如果你看不開，當然可以輕易地找到讓你不高興的事。每個人都能找到藉口，並為自己不好的態度、錯誤的決定與火爆的脾氣去責怪過往。

你也許有充分的理由去支持現在的感覺；你也許經歷過夠

多人生在世根本不該經歷的事；也許你在身體、言語上、性方面或情感上被虐待；你也許正在掙扎著對付慢性病或無法修補的身體損傷；也許在生意上有人佔你便宜，讓你失去一切，甚至連自尊也失去了。我並非要把這些痛苦的經歷淡化，但如果你想要活出得勝的生活，就不能用過去的情緒創傷，作為你今日錯誤決定的藉口。你不應再把過往作為你現在態度惡劣的藉口，或當作不肯饒恕的正當化理由。**要活出當下最好生活的第四步，就是讓過去成為過去。**

　　該是讓情緒創傷得醫治、放開你的藉口並停止自憐的時候了，也該是除去受害者心態的時候了。沒有人曾應許生命是公平的，即便是上帝也未曾如此應許。停止與別人的生活比較，停止活在你本來可以怎麼樣、你本來應該怎麼樣、早知道你會怎麼做的假設中。不要再問類似下列的的問題：「為什麼會這樣？」「為何會那樣？」或「為何是我？」

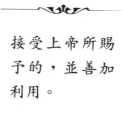

接受上帝所賜予的，並善加利用。

　　相反地，你要接受上帝所賜予你的東西，並善加利用。你也許曾受苦過，忍受巨大傷痛，或經歷許多不好的事；你也許還有情感受傷留下的瘡疤，但別讓你的過去決定你的未來。對於過去發生的事，你無從改變，但你可以選擇如何面對眼前的事。別將苦毒與怨恨的感受緊抓不放，而讓它玷汙了你的未來。放開過去的創傷與痛苦吧，饒恕得罪過你的人，也饒恕自己曾經做下錯誤的決定。

　　甚至你也許需要饒恕上帝。也許你一直在責怪祂奪走你所愛的人，也許你因禱告未蒙應允而惱怒祂，或因事情不如你所

盼望地發展而責怪上帝。無論如何，只要你心中含著苦毒、怨恨，就絕不會有真正的喜樂。你會在自憐中打滾，總是為自己感到難過，認為命運對你不公平。你必須放開這些負面態度與伴隨而來的怒氣，調整你的頻道並開始定睛在上帝的良善上。

調│整│頻│道

我們都知道如何使用遙控器去變換電視頻道。如果我們看見不想看的畫面，沒關係，只要換個頻道看。

而當負面的影像與過往又不經意地從我們的腦海中跳出時，我們需要學習在心態上變換頻道。不幸的是，當有些人在心中的「螢幕」看到那些不好的經歷時，他們不但沒有變換頻道，反而搬張凳子來坐並準備一些爆米花，好像他們打算看場好戲一般。他們甘願讓自己再次浸淫在舊的傷痛之中，然後又一直在想為何他們這麼沮喪、難過或失敗。

學習改變頻道。不要讓你的心思或情緒把你拉進絕望當中；卻要讓自己活在上帝已在你生命中做成的好事之中。

你也許知道有些人沉浸在自憐中，他們享受那些，因為那會為他們帶來別人的注意。他們曾經那樣活了許久，自憐已經變成他們認同感的來源之一。他們因為曾經歷過重大創傷或恐怖的經驗而遠近馳名，大家都知道有些醜惡的事曾發生在他們

身上。誠然，當有些人經歷過慘痛的事，這些人就應當被以憐憫與關心對待，好讓他們能恢復健康與力量，並重新站立。但事實是，有些人其實並不想康復，他們太喜歡得到注意力了。

十五年前，菲爾與茱蒂的獨生子在工作中被心神失喪的殺人狂所殺，這是一種沒有道理，無法解釋，也無法安慰的意外慘劇。親朋好友們陪伴、圍繞在這對夫妻身旁好幾個月，爲他們的哀傷一齊感同身受，並希望幫助他們回到正常的生活。

但不論他們的親友如何細心安慰，菲爾與茱蒂就是拒絕放開他們的悲傷。無論何時他們兒子的名字被提起，他們的眼眶就充滿淚水，並再度開始哀痛地啜泣。漸漸但可以確定的是，那些安慰者不再來訪。人們不再打電話，親戚也避免登門造訪。任何時候，當有人勇敢地想要讓這對夫妻振作精神，他們的努力就會遭到陰鬱的臉色與連珠砲般的轟伐。

「你根本不明白失去獨生子是什麼感受。」菲爾抗議道。

「我不知道，但上帝知道。」有人會這樣告訴他們。

然而菲爾與茱蒂依舊不爲所動。在他們心中，沒有人能體會他們的傷痛，沒有安慰能滿足他們的需要，他們的正字標記就是一對失去愛子的夫妻。結果在事發十五年後，菲爾與茱蒂飽受自憐與自我孤立的折磨。爲什麼？因他們根本不想康復。

如果你曾發生過悲慘的事，別讓那些經歷成爲你生命中的重心，你必須超越它。除非你放開舊事，否則上帝不會將新事帶進你的生命。感覺悲傷與創痛是很自然的，但你不能在五年或十年後仍然繼續痛苦著。如果你眞的想要變得健全，如果你眞心想要痊癒，你的生命必須向前走。

我們太常回到痛苦的過往記憶中，去否定上帝要醫治我們

的願望。就在我們正快被醫治時，我們又開始談論我們痛苦的
經歷。當我們向朋友們提起，我們就是再次重新回到過去，在
我們的想像中看見了那些記憶。突然之間，我們又可以再次
感受到那些情緒，就好像揭開舊傷疤一樣。除非我們不再去管
那些舊傷，我們才會被醫治。記住，你的情感會跟著你的思想
走。當你一直住在過去的痛苦經驗中，你的情感就會跟著回到
那裡，你就會在當下感受到那些痛苦，並在腦海中重新描繪一
些事，而它們帶來的感受就像二十年前發生時一樣的血淋淋。

在我父親於1999年過世幾年後的某一天，我來到父母的家
中，單獨一人在房子裡。我好一陣子沒單獨去那裡了，當我走
在房間中，儘管沒有特別的緣由，我卻開始想起父親過世的那
一晚。父親就是在那個房間因心臟病發作過世的。在我腦海
中，我可以看見那正在發生。我可以看見父親倒在地上，看見
醫護人員為他急救，我還看見父親的表情，此時我開始感受到
那些相同的情緒，那些我在父親過世的當晚所感受到的沮喪、
痛心與挫折。

我大約僅在那裡十五至二十秒，被那些情感所淹沒。最
後，我回過神並想著：「我在幹嘛？我的心神跑到哪裡了？這
些情緒要把我帶往何處？」我必須決定不讓自己重新回到那一
夜。我知道那對我一點好處都沒有，只會讓我傷心失意。

為了不待在過往的傷痛中，我必須開始回想就我所知在那
個房間裡，我和父親曾度過的美好時光。當我憶起父親與我曾
在那個房間看著「幸運輪盤」這電視節目，而他總能比參賽者
先猜對謎題，想到這裡，我露出了微笑。在我心中，我可以看
見父親在那個房間和我的孩子玩耍。他喜愛身邊圍繞著小孩，

孩子們也喜歡與他在一起。

我也憶起有時我會走進小房間，而爸爸正坐在他最喜愛的椅子上。他會抬頭看我並說：「約爾，告訴我你所知的事物，那應該花不到一秒鐘。」爸爸認為他真的很逗趣，而他的確是，他有極佳的幽默感。

當我站在小房間中，我必須刻意不去允許自己的心回到父親過世的記憶當中，反而是去回想他在世時的歡樂時光。但請注意，這不是自然而然發生的，這是我必須下的決心。

關於過往痛苦的經歷，你也必須做類似的事。要拒絕在情感上回到過去，要拒絕挖掘出負面的情感歷程。這些負面的事對你沒好處；事實上，強烈的負面情緒感受，會嚴重阻礙你的進步。

要像這樣來思考：每個人頭腦裡的記憶槽中都有兩個檔案匣。第一個檔案匣全都裝著我們曾有過的美好事物，裝滿了勝利與成就，裝滿了長久以來帶給我們喜悅與歡樂的事物。

第二個檔案匣則剛好相反，它裝滿過去的傷害與痛苦，以及所有曾發生在我們身上的壞事，充滿了失敗與打擊，以及帶給我們傷心痛苦的事物。一生當中，我們可以選擇要打開哪一個檔案匣。有些人一直選擇打開第二個檔案匣，再次經歷他們曾經嚐過的痛苦。他們總是想到別人得罪他們的時候，與他們經歷巨大創傷的時候。事實上，他們一直在使用二號檔案匣，他們被負面的事物所佔據，因此從未去開過一號檔案匣。他們幾乎沒有去想過生命中曾經發生過的好事。

如果你想得自由、如果你想克服自憐，那你就要把二號檔案匣的鑰匙丟掉，而且無論如何永遠別再回去那裡。要將你的

心專注於上帝在你生命中賜下的美好事物。

別｜去｜那｜裡

有個古老的笑話是説：「如果你在三個地方摔斷手，就別再去那些地方。」也許這當中所含的道理比我們想像的還多。當過去的傷痛又想召喚你的注意，別回到那裡。相反地，要提醒自己説：「不，謝了，我要去想些好的事情，想些有建設性而非打擊我的事情，想些鼓勵我並讓我充滿平安、喜樂的事情，而不是去想偷去我盼望與榨乾我心力的事情。」

起身向前行

在聖經中，我們讀到在耶路撒冷城有個瘸腿卅八年的人，他一生中的每個日子都躺在畢士大水池旁的褥子上，等待奇蹟發生。這個人已經久病纏身。

我想今日許多人也同樣久病纏身。他們的慢性病可能不在身體上，可能是在情感上，但他們的確是病了許久。他們可能因為不肯饒恕而抓住過去的怨恨，責怪過去的行為，或是因其他情緒傷害而阻撓了他們的康復。這些纏繞已久的障礙可能影響你的人格、人際關係與自我形象。就像躺在池子旁的人，有些人年復一年地退坐回去，等待神蹟發生，等待某件大事發生，讓所有

「你要痊癒嗎？」

事情好轉。

有一天，耶穌看見了那個躺在池旁有需要的人。顯然他瘸了，但耶穌問了他一個看似奇怪的問題：「你要痊癒嗎？」[1]

我相信今天上帝也在問我們類似的問題：「你想要痊癒，還是繼續躺著為自己感到難過？」

耶穌問了一個簡單、直接的問題，但這人的回應也相當有意思。他開始列出所有藉口：「我獨自一人，水動的時候，沒有人把我放在池子裡；我正去的時候，就有別人比我先下去，我根本沒有機會。」

他會維持這種情況卅八年，難道會很奇怪嗎？

我喜歡耶穌回答他的方式，祂甚至沒有對這人的悲慘故事做任何回應。祂沒有說：「是，朋友，我同意你的說法，你的日子真不好過，讓我與你同悲。」

不，耶穌看著他並說：「如果你真的想痊癒，如果你真想過正常生活，如果你真想結束這一團糟，以下是你必須做的：拿起你的褥子，起身行走吧。」當這個人依照耶穌的指示去做，他就被醫治了！

這也是今日上帝要給我們的信息：**如果你真的想痊癒，如果你真的想要身心健全，你必須在生命中起身並向前走**。不要再躺在褥子上自怨自艾，你必須停止打開二號檔案匣，停止找藉口，停止責怪人們或環境讓你失望。相反地，你要開始饒恕傷害你的人。

今天可能會是你生命中的轉捩點，是個新的開始。別再浪費任何一分鐘去猜想，為何有些醜惡的事會發生在你或你所愛的人的身上。你要拒絕再以受害者的心態活著。

你也許會說：「我就是不明白這為何會發生在我身上。我不明白為何我會生病，為何我所愛的人會過世？為何我的婚姻會破裂？為何我會生長在充滿暴力的環境中？」

你也許永遠也得不到答案，但別讓這成為你沉溺在自憐中的藉口。丟掉它吧，起身讓生命能夠前進。許多生命中的「為什麼」仍是一個謎，但只要信靠上帝，並接受有些疑問就是不會有答案的事實。同時記住，你不知道答案並不表示答案不存在，你只是還沒發現它們。

通常，我們會把一些檔案歸類在我們的想法中來處理某些情況：「他會惹上麻煩是因為和不好的人混在一起……。」

但當事情沒有道理可循時，會發生什麼事？例如，當一個好人生了重病、孩子在出生時就有缺陷、丈夫（或妻子）拋棄婚姻、萬一生命就是無法納入我們的歸類。

我們每個人都應該具有我所說的「我不明白」的檔案匣。當有一件你無法尋求合理解釋的事情發生，你不用去費盡心思設想原因，相反地，只要把它放進「我不明白」的檔案匣中。同時，你必須累積足夠的信心去說：*「上帝，我不明白這件事，但我信靠祢。我不想花掉所有時間去設想為何有些事會發生，我相信在那之中一定有美好的一面。祢是良善的上帝，而我知道祢將我的益處懷揣在心上，祢已應許萬事互相效力要叫我得益處。」*

這就是信心，是上帝所悅納的態度。

我母親在成長時患了小兒麻痺症，她必須有好幾年都在腳上穿戴著笨重的鐵架。一直到今天，她的腳仍然是一長一短。母親可以輕易地說：「上帝，這不公平，祢為何讓這事發生在

我身上？」

　　相反地，她拿起她的褥子，在生命中起身行走。當她在1981年被診斷出有移轉性肺癌時，她也沒有崩潰著說：「我眞命苦，我早該知道。我得過小兒麻痺，現在又得癌症，我總是得到最壞的。」

　　母親沒有那麼做，她站穩腳步打這場美好的信心之仗。她沒有到處埋怨，而是到處講著信心與得勝的話語。她拒絕視自己爲受害者，而是視自己爲勝利者，於是上帝也帶領她衝破難關。你的患難可以讓你變得苦毒，也可以讓你變得更好。它們可以把你拖垮，讓你變得尖酸刻薄，它們卻也可能激發你達到更高的境界。

　　我父親大可說：「上帝，爲何要讓我出生於貧困之家？我們根本毫無前途可言。」

　　但他沒有用這個作爲停留在失敗中的藉口，也沒有自憐自艾。沒有，他起身並向前邁進。當他十七歲開始傳道時，他沒有教會，所以他就在街上傳道，在療養院傳道，在監獄與看守所傳道，在任何能傳道的地方傳道。他也沒有車，所以他步行或搭便車到每個地方。他可以退縮並說：「上帝，我們已經吃了太多苦，別再苛求我了。我們只是可憐悲哀的人。」

　　不，父親拿起他的褥子起身行走，而你也需要做相同的事。你的未來不需要由你的過去決定。我們可以乾脆退坐著並爲甘於平庸找藉口，那很容易；我們也可以退坐著並爲我們惡劣的態度與低落的自我形象找藉口，任何人都可以這麼做。但如果我們想活在得勝中，就必須甩開自憐，讓生命向前。

　　那就是我姊姊麗莎所做的。她經歷了一段痛苦的婚姻破

碎，而那真的不公平。她曾被苦待與折磨，然而在長達七年的歲月中，麗莎禱告並相信她的婚姻可以修補。她做了每一件該做的，但因為某些緣故，就是沒有起色。

麗莎原本可以變得苦毒，她可以變得沮喪並說：「上帝，真不公平，這種事為何發生在我身上？」

但麗莎決定不要在池旁呆坐卅八年，自怨自艾。她不要待在絕望的黑洞中，她決定生命要往前走。她沒有變得苦毒，她變得更好。她已走出灰燼，並說：「上帝，我真的不明白，但無論如何我相信祢。祢深知我的心，祢知道我已經盡力了，我把一切交託在祢的手中。」

在她下了這個決定不久，上帝將另一個人帶入她的生命中，而她與我現今的姊夫結婚並過了好多年的幸福日子。

請務必了解，我不是在叫你放棄你的婚姻，你必須做上帝指引你做的事。我想表達的重點是，有時我們會遇到難以明白的事情。自始至終，我們必須學習保持良好的心態，並相信上帝在我們的生命中仍然掌權，即使是在事情發展不如我們計畫或預期的時候。

我們在聖經中發現一段饒富深意的故事，是有關大衛王的孩子得了重病將死。[2]大衛心裡焦急得快要發狂。他日夜祈禱，相信上帝要醫治他的孩子。他不肯吃喝，不肯沐浴修容，也不參與朝政。他除了禱告，什麼都不做，只是一直向上帝呼求。

雖然大衛熱切地禱告，但在第七天孩子仍然過世了。大衛的僕人擔心要如何告訴大衛這個壞消息，因為他們認為大衛會崩潰，根本無法承受。但當大衛最後知道發生了什麼事，他讓

大家吃了一驚。他從地上站起來，洗臉更衣，吩咐僕人擺飯，他便坐下用膳。

大衛的臣僕目瞪口呆，問說：「大衛，當你的孩子還活著時，你禁食禱告。現在他過世了，你倒像沒事一般。」

大衛回答說：「是的，孩子病的時候，我禁食禱告，想著上帝也許會醫治他，但現在孩子死了，我豈能使他返回呢？我必往他那裡去，他卻不能回我這裡來。」注意大衛的態度，他沒有變得苦毒，他沒有質疑上帝。他可以咆哮：「上帝，我以為祢愛我，祢為何不垂聽我的禱告？」大衛沒有那麼做，他勇敢地在失望中相信上帝。他梳洗乾淨，繼續過他的人生。

朋友，你我必須學習去做相同的事。人們也許錯待你，有人也許欺侮你，或也許你迫切禱告，但上帝卻未依你的預期應允你。事已成定局，你無法改變過去，你一點辦法都沒有。但你必須下個決定：你要坐在水池旁卅八年，還是要起身向前行走？你要一直回去找二號檔案匣，重新經歷那些痛苦的回憶，還是要保持信心？上帝正在問：「你真的想痊癒嗎？」

如果你是，你必須從之前所處的情感轄制中走出來，因為沒有人可以代替你做這件事。你必須走出灰燼，你必須原諒傷害你的人，必須放開那些傷痛，讓過去的成為過去。當你經歷你所不了解的情況，不要變得苦毒，不要質疑上帝。學習大衛的做法：洗淨你的臉，保持良好態度，起身向前走，為著上帝為你預備的新事做準備。

如果你保持信心與得勝的態度，上帝已應許祂要翻轉情感上的創傷。祂會為你的益處使用它們，而你將會比還沒發生這件事情之前更好。

第 18 章

不要讓苦毒生根

我們都曾遭遇別人不公平與不公義的對待；這是人生的一部分。當我們受到傷害，我們可以選擇停留在傷痛中，然後心懷苦毒，或者，我們也可以選擇放下，然後相信上帝有一天會補償我們。

我曾聽過一個數據，就是世界上百分之七十的人正在爲某件事惱怒。想想看，你今天所遇到的十個人當中，有七個人正在生氣。這還不包括在高速公路上從你身邊開車經過的人！

許多心懷怒氣的人自己並不知道，他們其實是在囚禁自己的生命。當我們無法饒恕的時候，我們不是在傷害別人，不是在傷害那個錯待我們的公司，也不是在傷害上帝；我們在傷害自己。

如果你現在就想過最好的生活，必須盡快地原諒。學習放下過去的傷痛和傷害，不要讓苦毒深植在你的生命中。也許在

你很小的時候曾經發生過讓你難以忘懷的憾事，有人惡待你，有人佔你便宜；或許有人用計阻擋了你的升遷或是欺騙你；也許是一位好朋友背叛了你，而你有很好的理由可以生氣，可以心生苦毒。

為了你心理和靈裡的健康，你必須要讓事情過去。恨一個人不會成就什麼好事，一直停留在怒氣中對你也沒有什麼意義。對於過去的事你已經無能為力，但是對於未來，你可以有所為。你應該寬恕，然後開始相信上帝會補償你。

聖經上說：「又要謹慎，恐怕有人失了上帝的恩；恐怕有毒根生出來擾亂你們，因此叫眾人沾染污穢。」[1]注意，苦毒被形容為生根的毒。想想看，我們是看不見根的；根都是深深埋在地裡，然而可以確定的是，毒根會長出有毒的果實。如果我們有苦毒在心裡，它就會影響到我們生命中的每一個部分。

許多人會試著將傷痛和傷害深深埋藏在心裡或是潛意識中，他們心懷怨恨或想著永不原諒，可是一方面又很困惑為什麼自己不能活出得勝的生活，為什麼無法和別人和平相處，為什麼會鬱鬱寡歡。他們不明白，這是因為他們的心已經中了毒。聖經說：「因為從心裡發出來的，有惡念、兇殺、姦淫、苟合、偷盜、妄證、謗讟，這都是污穢人的。」[2]也就是說，如果我們有苦毒在心裡，最後凡從我們身上出去的，都會被污染。這毒會污染我們的人格、態度，乃至於我們的待人接物。

毒根會長出有毒的果實。

很多人試著從「外在的果實」著手，來改進他們的生命。他們試著改掉壞習慣、壞脾氣、不

好的態度、消極或酸葡萄的個性。他們在對付生命所結出的果實，試著改變這些事，他們這樣做很令人感佩，可惜，問題的癥結在於，除非他們從根下工夫，否則這些果實不會有所改變。因為只要毒根繼續在裡面生長，問題就會一直存在，時間一到就會冒出來。你也許能在短時間內控制住自己的行為，或保持好的態度，但你也會一直問，什麼時候你才能得著真正的自由？為什麼你無法勝過那些具毀滅性的壞習慣？

你需要再深入一些。你必須探究為什麼會如此氣憤，為什麼你不能與其他人好好相處，為什麼你總是這麼負面、消極？如果你往深一點看，看到根源，你就能對付問題，勝過它，然後開始真正的改變。

過去的桎梏

我記得曾有一位年輕女士來找家父尋求屬靈的協助。她已經結婚數年，可是一直無法與丈夫有正常的關係。不知何故，她無法將自己完全交給這位男士。她愛他，可是她無法忍受與他親近，和他有親密關係。你可以想像，這個問題足以摧毀他們的關係。

她曾試著改變，可是她做不到。她說：「上帝啊，我是怎麼了？為什麼會這樣？為什麼我無法作一個正常的妻子？」

有一天，她做了一個夢，這個夢讓她想起了一件事，是發生在她還是個小女孩的時候。在夢中，她看見自己正在湖邊游泳，這時候來了幾個男孩，他們對她施毒手性侵害。她極為惱怒，對這些男孩充滿恨意，她開始尖叫：「我恨你！我恨你！

我恨你！只要我還有一口氣在，我不會再讓任何男人碰我！」

　　當她醒來之後，她明白自己對這群男孩仍舊充滿了怒氣與怨恨在心中，雖然深深地埋在心底，卻在多年之後影響了她與丈夫之間的關係。她知道要饒恕並不容易，但是她也深知除非她能放下，不然她永遠無法和丈夫有健康的婚姻關係。她決定完全釋放這些傷害與傷痛。她說：「上帝啊，祢知道這是不對的。祢知道他們對我做過的事。但是我不再把這些事緊緊抓著不放了；我不要再讓這些過去的傷痛來毒害我的現在和未來。上帝啊，我現在就原諒這些男孩。」

　　奇妙的是，從那一刻起，她得以與丈夫一同享受健康的婚姻關係。對付果實不能改變什麼，她必須往下去對付毒根。一旦毒根拔起，她就可以從過去被釋放出來得著自由。

　　當然，你不需要回到過去重新體驗所有的痛苦回憶和經驗。一點都不需要這樣做，但是你需要好好檢視你的心，確定你沒有埋藏著任何怒氣和不原諒在裡面。如果在你生命中有某些部分一直困擾著你，你試著改變卻發現自己做不到，這時你需要求上帝向你顯明是什麼把你困住，以致你無法得自由。求上帝向你顯明，是否有苦毒在你心中需要連根拔起。如果上帝光照你一些事，立刻對付。要勇敢地去改變，不要讓這些苦毒繼續污染你的生命。

　　幾年前在非洲一個很小的村莊爆發嚴重的集體疾病。村里的大人和小孩紛紛倒下，不斷地嘔吐。幾個星期過去，病情愈來愈嚴重，開始有人死亡了。這時侯死訊傳到當地的主要城市，於是有專家下鄉試著去找出病因所在，他們很快發現是水被污染了。這個村莊的水來自山溪的泉水。於是，專家們決

定溯溪而上，希望能找到污染源。他們找了好幾天，最後終於來到了溪水口，但是在溪面上完全看不出有任何異狀。大夥兒納悶著，於是他們找來潛水夫決定向更深的溪泉源頭去找污染源。

　　潛水夫找到的東西震驚了所有的專家們：一隻死了的母豬和一群小豬就擋在泉水出口處。顯然，他們是成群失足掉落谷底，被水淹死，然後就被卡在這兒了。現在，一切真相大白了，當純淨的山泉水流過這些腐爛的豬隻時就被污染了。很快地，當潛水夫一一把這些死豬抬開之後，山泉水又恢復了往日的清澈純淨。

　　在我們的生命中，也有些類似的事情發生。我們都曾遭遇過不好的事情，也許是上個星期、上個月，或者十年前有人傷了我們。太多時候，我們沒有放下這件事交給上帝，反而緊抓在手上。我們無法原諒，就像那些豬隻污染了清澈的溪水，我們的生命也被污染了。苦毒的根被緊緊抓著。

　　更糟的是，過了一些時日之後，我們就接受了。我們在心中留下空間給苦毒，我們學著去習慣它。「對，我就是一個憤怒的人，這就是我的個性；我一直就是這個樣子，我一直就很刻薄寡恩，我就是這樣的一個人。」

　　不，只要你得著應有的尊重，你不是這樣的一個人。你需要擺脫污染你生命的毒害。你原是一條清澈純淨的泉水，上帝依照祂自己的形像創造了你，祂希望你快樂、健康和完好。祂希望你盡情享受生命，而不是活在苦毒和怨恨中，然後去污染你影響力所及的其他人。

　　把你自己想成一泉清澈的溪流，無論你現在被污染得多嚴

重，或者你的生命如今淤積了多少污泥。如果你現在開始原諒那些得罪你的人，釋放所有的傷害和傷痛，那麼苦毒就會離開你，你又可以再次看見那條清澈的小溪，你會開始經歷上帝所要賜給你的喜樂、平安和自由。

或許這就是為什麼大衛說：「上帝啊，求祢鑒察我的心，指出我裡面任何使得祢傷心的事。」[3]我們需要去鑒察我們的心，確定我們沒有讓任何苦毒在心中生根長大。

也許並不是一件很大的事情污染了你的泉源；也許是你的配偶最近沒有花夠多的時間陪你，而你開始感到怨嘆，你開始對你的伴侶有所保留，諷刺挖苦、讓他找不到你、或極不友善。你故意讓自己變得很難相處。

注意了！苦毒在污染你的生命。要保持溪水的純淨，不要讓你的心受污染。聖經告訴我們，要快快地原諒。我們等愈久，就愈難去寬恕。我們懷恨愈久，苦毒的根就往下扎得愈深。

有時候，我們不是快快地原諒，放下過去的傷害和傷痛，反而是快快地把它們都埋進心底。我們不想再談論相關的話題，不想講到這件事；我們希望忽視它，然後希望這件事會自動消失。

不，它不會。就像那些豬隻被卡在水底，有一天污染會在你的生命中浮現，然後就帶來一場災難。這會讓你更痛心、更難受，而如果你再不去對付，這苦毒會毀了你。

幾十年前，美國政府授權幾家公司將有毒廢棄物埋在地底下。他們將有毒的化學廢棄物和一些會對人體造成威脅的原料塞進金屬罐中，封緊封口，然後深深地埋進土裡。他們認為這

樣就行了，結果，在很短的時間內，這些金屬罐開始出現裂痕，接著裡面的有毒物質開始滲到表面來，造成了各種問題。在有些地方，植物死光了，或是毀了水源，有些人被迫搬離家園。在接近尼加拉瓜瀑布一帶，有個「愛渠小鎮」，其中有很多人相繼死於癌症或其他使人癱瘓的病症。許多社區至今仍深受這個有毒廢棄物掩埋場的影響。

哪裡出錯了？他們試圖去掩埋一些毒性過強的東西，他們認為把它們埋了之後就大功告成；但是他們不知道他們埋的這些東西力量太強大了，它們毒性太強，以至於根本就不能裝在金屬罐中。他們作夢都沒想到，有一天這些金屬罐會又冒出來，於是他們得再處理一次。但是這一次，這些有毒物質需要被完全銷毀，而且工程更浩大、更艱難。如果當初他們第一次就好好地處理，現在就不會這麼麻煩了。

我們也一樣。當有人傷了我們，有人錯待了我們，我們並沒有讓事情過去，然後相信上帝有一天會彌補我們，不，我們只是把這件事深深地埋在心底。我們試圖將所有的怒氣、忿恨、不原諒和其他具破壞性的情緒反應，都塞進我們「保證不漏」的罐頭中。我們將封口緊緊封死，然後就將之丟棄一旁說：「好了！我不再去管它了，我已經把它一次解決了。」

然而不幸的是，就像一些有毒廢棄物會再冒出來，有一天，那些你試圖要埋藏在心裡和暫存在潛意識的東西會再冒出來，然後開始污染你的生命。我們不能讓毒存留在我們心裡，然後還希望它們永遠不會對我們造成傷害。

承認吧。我們都沒有強壯到可以百毒不侵，都需要一個比我們更強大的人來協助。這就是為什麼我們需要將這些苦毒、

忿恨和其他污染物都交給上帝。寬恕是惟一能讓你從苦毒中被釋放、得自由的關鍵。寬恕那些傷害你的人,原諒錯待你的上司,饒恕背叛你的朋友,諒解童年時虐待你的雙親。將這些毒害全部處理掉,不要讓苦毒往下扎根,繼續污染你的人生。

這些在我們生命中的有毒廢棄物長什麼樣子呢?對有些人來說,它漏出了憤怒。對有些人,它聞起來像憂鬱。對另一些人,它發出自我價值低下的惡臭。它以不同的型式出現,很多時候,在我們發覺它們又再次出現以前,已經造成傷害了。

著名的拳王詹姆斯・東尼,他在拳擊場上的攻擊力和爆發力無人能及。他打起拳來就像著魔了一樣,殺氣騰騰,讓對手難以招架。多年來,他一直是中量級拳賽的佼佼者。有一天,在他又贏了一場拳賽之際,記者問他:「詹姆斯,是什麼讓你這麼強?為什麼你能在拳擊場上展現無窮的攻擊力和爆發力?」

記者想著會聽到制式的標準答案,像是:「喔,你知道的,我就是這麼強。這就是我,我愛拳擊!」

但是詹姆斯沒有這麼說。「你真的想知道為什麼我可以打得這麼兇悍嗎?」拳擊手反問。「這是因為我爸爸在我還很小的時候就離棄我,他離開我還有我的兄弟姊妹,讓我們成了沒有爸爸的小孩,留我媽媽一個人獨立扶養我們長大。現在,每當我一站上拳擊場,我就把對手的臉換成我爸的那張臉。我有滿腔的怨恨,所以我不斷出拳,將所有的憤怒都打出來。」

東尼被他的憤恨帶著走。他讓苦毒的根深植心底,然後毒害污染他的生命。沒錯,他贏得滿場觀眾的叫囂和掌聲、體育世界裡的歡呼喝采,但是他的內心世界是一片悲慘。你可以在

表面上成功，但是如果有苦毒在裡面，這毒將玷汙每一份榮耀。你必須先對付裡面的，必須先找到問題的癥結，連根拔起，然後才能真正的快樂，然後才能經歷生命中那真實、無玷汙、無雜質的得勝。

你可能會想：「約爾，我做不到，這太難了。我就是沒有辦法原諒，他們傷我太深了。」

等一下！你並不是為了他們好而原諒，你是為了你自己。當你饒恕之後，毒害才不會繼續污染你的生命。如果有人已經對你做了很嚴重的事，不要一直留在原地而讓他們繼續傷你。你無法讓他們難受，你只是繼續在傷害自己。

我記得在我很小的時候，有一次父親和我與一位先生一起要去吃午飯。他開車，但是父親和我同時都發現他並沒有走一條最近的路。我父親於是很禮貌地說：「你知道嗎，這兒有一條捷徑可走。」

那人繼續開車回答道：「喔，不，我們不走那條路。幾年前有個住在那條路上的傢伙害了我們家，所以現在我們都不開車經過他們家。」

我當時沒說什麼，但是即使只有十歲，我都想問他：「你真覺得這樣做有害到那個傢伙嗎？你真覺得那個傢伙會站在窗戶邊對著外面看，然後覺得很難過，因為你們再也不曾經過？」

我們在和誰開玩笑呢？當我們抓著過去的傷痛，我們只在傷害自己，我們無法讓任何人難受。我們需要寬恕，好讓自己得著自由；饒恕，然後你才能真的健全。

寬恕得以自由

我最近看了一個有關魯迪‧湯姆賈諾維奇的電視節目，他是職籃休士頓火箭隊的前教練。節目中提到一段1973年的往事。當時魯迪廿五歲，正是當紅的火箭隊明星球員。在一場難分軒輊的比賽中，在球場中央的兩隊球員忽然打了起來，魯迪全速地衝過去想阻止一場惡鬥，這時一名球員突然揮拳，不幸的是，這拳就不偏不倚地擊中迎面而來的魯迪。在當時，這一拳被稱作「全世界都聽見的致命一擊」。這一拳傷了魯迪的頭骨，打斷了他的鼻樑，還險些讓他送命。魯迪之後休息了數月之久，才終於能重返球場。

有一天，在魯迪完全康復之後，有一位記者問他：「魯迪，你能原諒那名給你一拳的球員嗎？」魯迪不加思索地立刻答道：「當然，我完全原諒他了。」

記者搖著頭不可思議地說：「說真的，魯迪。這傢伙幾乎要了你的命，他讓你這麼痛苦不堪，也讓你賠上了些事業版圖。你現在是說你完全不生氣，對他全無恨意在心裡嗎？」

魯迪微笑地說道：「對，半點兒恨意也沒有。」

記者無法置信地張大眼看他。最後終於問：「魯迪，告訴我，你怎麼辦到的？你怎麼可能完全不恨一個傷你如此之深的人呢？」

魯迪回答道：「我知道，如果我想繼續往前走，我就要放下，讓事情過去。我這麼做不是為他，是為我自己。我這麼做才能放我自己自由。」

這講得真好。你需要寬恕才能得著自由，原諒然後你才能

快樂。饒恕，然後你能從捆綁中掙脫出來。我們必須記得，當我們諒解別人時，不是在爲別人好，乃是爲自己好。當我們堅持不原諒，懷著怨恨度日時，就是在給自己築圍牆。我們以爲是在保護自己，其實不然，我們只是將其他人拒於門外。我們變得孤立、孤單、憤世嫉俗，然後把自己囚禁在苦毒中。這一道道的圍牆不僅使人進不去，也讓自己出不來。

你知道嗎，這些圍牆也使得上帝無法傾倒祂的福分在你身上，這些圍牆堵住了上帝的恩典。這一道道不原諒的圍牆會使你的禱告得不到回應，也會讓你的夢想無法成眞。你必須拆毀圍牆，必須原諒那些傷害你的人，好讓你自己能走出這座圍城。除非你這麼做，不然無法重獲自由。讓過去的傷害過去，讓苦毒從你生命中過去，這是你惟一能得著自由的方法。當你讓苦毒從生命中流出後，你將會驚訝地發現你生命的改變。

在我成長的過程中，有一位前衛理公會的牧師在我們的教會服事。他雙手的手指關節萎縮得很厲害，幾乎是殘廢的，看起來像是枯乾了而完全喪失功能。他無法打開車門，也不能握手或做類似的事情。從我認識他開始，他的手就一直是這樣。但是有一天，他走進父親的辦公室，然後將雙手一伸，哇，兩隻手竟然都正常完好！他可以和我們一樣自由地活動雙手，就像剛收到一組全新的雙手。

家父非常驚訝，但也爲他感到十分高興，他說：「天啊，你到底發生了什麼事？」

「嗯，這是一個很精采的故事，」那位前牧師說道：「幾個月前，你在台上提到不饒恕。你講到不饒恕會攔阻上帝在我們生命中工作，並且使我們的禱告無法得到回應。當我聽到的

時候，我開始求上帝向我顯明我生命中無法原諒與寬恕的部分。然後上帝開始對付我，祂光照了幾件過去的往事及一些曾嚴重傷害我的人。我甚至不知道自己仍舊對他們懷著深深的恨意。這是最古怪的地方，我並不知道自己一直帶著這些憤恨。但是當我一看見的時候，我立刻下了一個決定要完全原諒並且完全放下。然後最神奇的事情開始發生了，一個接著一個，我的手指頭開始能伸直了。這個星期是這隻手指得醫治，下個星期另一隻手指也好了，再下個星期，又一隻手指也能動了。就這樣，每當我開始去檢視我的心，然後將裡面的苦毒和怨恨除去，上帝就醫治我。現在你看看，上帝已經完全醫治我，我的雙手完好如新了！」

你，也一樣，當你將苦毒與怨恨除去之後，就會大大地驚訝於那些即將要發生在你生命中的新事。誰知道呢！也許就像那位前衛理公會的牧師，當你檢視你的心並且願意去原諒和放下時，你就同時經歷了身心的全然醫治，你會看見上帝新鮮的恩典以新的方式臨到。當你放下過去的傷痛、放下心中的苦毒，就會看見你的禱告更快地得到回應。

當我的母親在1981年得知自己罹患癌症時，她做的第一件事情就是確定自己心中沒有任何人、任何事是無法原諒的。她坐下來，寫信給她的朋友和家人說，若她曾在我們身上做錯事，她請求我們的原諒。她希望能確保自己的心是純淨的，也希望確保沒有任何一件事攔阻上帝的醫治能力運行在她身上。

你可能正走在人生的十字路口，有自己的課題需要對付，也有人需要你的寬恕。你有兩個選擇，你可以忽視現在所知道的真理，然後繼續將苦毒埋在心底，往裡面推得更深一些，讓

這些苦毒繼續毒害你，污染你和你身邊周遭的人。或者，你也可以做一個更好的抉擇。你可以將心敞開，求主幫助你完全饒恕、完全地放下。

「但是，約爾，」我聽見你在說：「你不知道他們對我做了什麼？」

對，我不知道，但是你要把事情交給上帝，祂會補償你。上帝會撥亂反正，祂會將公義帶進你的生命中。不要再固執剛硬或頑冥不靈而錯失了上帝上好的福分；要欣然情願地去改變。

我聽過一個老故事，是講一位海軍上校在漆黑的海上航行。他忽然看見一道光線出現在眼前，他知道船就要撞上這道光了，於是他趕緊發出信息要求對面的船隻改變航道，往東十度。

幾秒鐘後，他收到回覆的信息，他們說：「不行，請你改變航道，往西十度。」

這位船長有些生氣了，他傳了另一封信息出去，寫道：「我是海軍上校。我現在命令你改變航道。」

幾秒鐘之後，他再次收到信息。寫道：「我是二級水手。不行，請你改變航道。」

這時船長火大了，他下了最後通牒。寫道：「我是主力艦，我不會改變我的航道。」

他隨後收到一個簡短的信息，寫道：「我是燈塔，長官，請您自己做決定。」

許多時候，我們就像那位海軍上校，我們固執而冥頑。我們可以想出所有的理由告訴自己為什麼不能改變：「他們傷我

太深。他們對我做過太多的錯事。我永遠不會原諒。」

這本書是你個人專屬的燈塔,將真理的光打進你的生命中,告訴你必須改變航道。寬恕是一個抉擇（choice），而不是一個選擇(option)。耶穌這樣說:「你們不饒恕人的過犯,你們的天父也必不饒恕你們的過犯。」[4]當你緊緊抓著不肯原諒,你是在往一個災難前進。你正走在一條毀滅的道路上,而上帝對你說:改變你的航道!

> 寬恕是一個抉擇（choice），而不是一個選擇（option）。

如果你希望快樂,如果你希望得享自由,就倒掉你生命中的那些垃圾,不要再緊緊抓著不放手。放下,讓它們過去,不要讓毒根繼續危害你的生命。鑒察你的心,當上帝光照你一些事時,就立刻對付它們,讓你的溪流保持清澈純淨。朋友,如果你做到你的部分,讓苦毒從你的生命中流出,你將看見上帝的恩典與祝福以新的方式臨到你。

你希望上帝將公義帶入你的生命中嗎?你希望上帝怎樣補償你所失去的一切?來,讓我告訴你這一切從何開始。

第 19 章

讓上帝將公義帶入你生命

上帝已應許：如果我們信靠祂，祂會以加倍的好處代替我們所經歷過的不公平之事。[1]也許你在做生意時被騙去許多錢；也許有人以不實的話語詆毀你，使你無法在工作上升遷；或許是摯友背叛了你。

當然，這些傷害留下了難以磨滅的傷痕，讓你想要緊抓住悲傷不放。想要報復是很自然的，許多人甚至還會鼓勵你那樣做。有句諺語說：「別生氣，討回來！」現今這已是全美國都廣泛接受的原則。

但這不是上帝對你的計畫。如果你想要活出當下最好的人生，你必須學習去信任上帝會將公義帶入你的生命中。聖經上說：「上帝是公義的上帝，祂將清算決斷百姓的苦情。」[2]這表示你不用一直設法去報復這些得罪過你的人，不用到處去試著把人們欺侮你的帳討回來。上帝就是你的辯護人，你需要開

始讓上帝來爲你爭戰，讓上帝來決斷你的苦情。上帝已應許：若你把事情交託給祂，並讓祂以祂的方式來處理，祂會轉惡爲善，將公義帶入你的生命之中。

> 信靠上帝會將公義帶入你的生命。

你生命中也許有人惡待你，他們也許以不實的陳述詆毀你，散播惡毒的謠言，說謊，甚至想要毀掉你的名譽。如果你像多數人，也許會直接加入戰局，想要討回公道，也許你想要給他們好看！

相信上帝要幫你辯護是需要信心的，但祂的確想爲你辯護。別把自己降低到與仇敵一樣的低層次並與他們爭鬧，那只會讓事情更糟。要放手交託給上帝，選擇高格調的路，以愛來回應，並等著看上帝的作爲。如果你依上帝的方式來行事，祂不僅要爲你爭戰，而且到最後會讓你變得比以前更好！

上帝保留良好的紀錄

有時上帝會允許我們去經歷一些事情以便測試我們。如果你生命中有人惡待你，這種情況可能就是試驗你信心的好考驗。上帝很想知道你會如何回應：你會變得負面、苦毒或憤怒？還是你會燃起復仇之心，隨時準備予以反擊？或者你會將一切交託給上帝，相信祂會轉惡爲善？你要通過考驗，好讓上帝提升你嗎？

也許你的上司對你很差，你做了所有的工作，卻似乎得不到任何嘉獎，全公司除了你之外，每個人都升過官。你可能會鬱鬱寡歡而態度尖刻，抱著「我是可憐蟲」的心態。但你不僅

不該這樣，相反地，你必須保持良好的態度並相信上帝會償還給你。你要了解，你不是只為這個人工作，你也不是僅受雇於這家公司，你是在為上帝工作！而上帝會看見每一個對你不公平的地方，上帝正在仔細地記錄，祂正密切觀察你的情況，祂說祂將會報償你。朋友，當上帝報償你時，祂總是以豐盛來報償你。

當上帝要讓你升職，你的上司是否喜歡你並不重要；你的未來不是取決於你上司做什麼或不做什麼，掌權的是上帝。聖經上說高舉(promotion)非從東、非從西，也非從南北而來。換句話說，升官並不是從你的老闆、上司或公司而來。不，真正的高舉是從全能的上帝而來。而當上帝說這是你往上爬的時候，任何黑暗勢力都不能攔阻你，你就是會被高舉。

不僅如此，上帝不會一直允許別人苦待你。如果你盡了本分，保持良好的態度，將你的情況交託給祂，遲早上帝會把公義帶進你的生命之中。有時當好幾個月過去，甚至好幾年過去了，卻沒有看見任何事發生，我們就會想靠自己的方式來掌控情況或促使事情發生。當我們這樣做時，就是在干預上帝的計畫與旨意，製造更多混亂讓祂清理，甚至可能攔阻上帝做祂真正想在這個情況中做的事。

「但是約爾，每個人都比我先有長進。」達拉哀嘆道。

「何時才能輪到我？我所有的朋友都結婚了；與我同期畢業的人都在賺大錢過舒服日子；公司裡除了我，每個人都升了官。」你也許和達拉有一樣的想法，但請了解，上帝是超自然的上帝，祂將恩惠的手輕輕一觸，就能彌補所有的不足，並為你加添更多。上帝恩惠的輕觸可以把合適的人帶入你的生命

中，或是讓你掌管整個組織。

很久以前，我遇到一個在十八輪大型柴油卡車公司做機械工的人，他告訴我，他在工作上好幾年都得不到應有的待遇。那是個極差的環境，而他的同事們也因為他下班後不與他們一起鬼混而取笑他。年復一年地過去，他忍受著各種不平與荒謬的事。他是同仁中最好的機械工之一，也是最好的製造工之一。

> 上帝恩惠的輕
> 觸可以把合適
> 的人帶入你的
> 生命中。

但七年以來，他從沒加薪，也沒拿過紅利獎金，他沒有任何嘉獎，因為他的上司不喜歡他。這位機械工本來可以變得苦毒，可以辭職不幹另謀高就，也可以渾身帶刺並怨天尤人。但他沒有。相反地，他持續賣力工作。他努力工作，並閉緊嘴巴，深知上帝是他的辯護人。他並非為了討上司喜悅而工作，他是為了討上帝的喜悅而工作。

有一天，好似撥雲見日般，公司的負責人致電給他。這位負責人並未參與日常經營，所以這位機械工從未見過他。負責人說他即將退休，而他正在尋找事業的接班人。

「我希望你能接下這家公司。」公司負責人對這位機械工說。

「這位先生，你知道我很想接受，」機械工說：「但我沒有錢買下你的事業。」

「不，你誤會了，」負責人回答說：「你不需要花錢，我有的是錢。我正在找人接管這個生意，我想找個值得信賴的人接續我起頭的事業，而我想把它交給你。」

如今，這位機械工不花一毛錢就擁有了這家公司。

在我們談話時，我問他：「老闆怎麼找到你的？」

他說：「約爾，一直到今天，我都不曉得他怎麼會知道我的名字，也不知道他爲何選中我。我只知道一夜之間，我從金字塔底端的低階工人，變成掌管公司的人！」他笑著說：「約爾，你知道嗎，他們再也不敢取笑我了。」

朋友，這就是上帝將公義帶入人生命的好例子，這就是上帝補償他吃過苦的方式。上帝決斷了他的苦情，並把事情由壞變好。上帝也要爲你做相同的事！

你也許會說：「約爾，這種事聽起來離我真遠。」

要明白，我們所服事的是賜予我們超乎所求、所想的上帝，人們如何待你根本不重要。持續做正確的事，別被激怒，別讓他們使你難過，也別試圖回敬他們，以惡報惡。相反地，要盡力饒恕，繼續以愛相報。如果你這麼做，那麼當到了你升遷的時間，上帝必會確保它成就，祂將確保你得到一切應得的，而且多得多！

把一切交託給上帝

關鍵就是，你必須把一切交託給上帝，讓祂以祂的方式來處理。聖經上說：「不要自己伸冤，寧可讓步，聽憑主怒。」[3]注意，如果你試圖自己去討回公道，你就是在關門不讓上帝插手，因爲你若不是依上帝的方式做，就是依照自己的方式做。如果你要讓上帝來處理，就不能抱持這種態度：「我要讓他們看看我是怎樣的角色。」那會阻擋上帝以祂的方式爲你伸冤。

如果你想要幫上帝開門，讓祂真正的公義進入你的生命，就必須把一切交託給祂。

有人也許在你背後說低級的壞話，這時你的態度應該是：「沒什麼了不起，上帝會幫助我，祂會補償我。」

如果有人騙了你的錢，你就要這樣想：「沒什麼大不了，上帝應許會加倍給我。他們不欠我任何東西，上帝，我會把這些給他們，因為我知道祢將會加倍給我，我不再擔心，現在我就放手。」

如果有人邀請你所有的朋友到家中晚餐，惟獨沒有邀請你，你的態度應該是：「沒關係，上帝知道我的需要，祂會在我生活中帶來新的朋友。」

這是多麼自由的生活方式！一旦你真正明白了，你就不需要對付每一件發生的事，不需要感到生氣並試著報復某人所做或沒有去做的事，也不需要憂慮或試圖去操控情況。當你深知上帝在為你爭戰，祂已應許要為你把惡變善，你就可以懷著嶄新的信心行走，腳步中自有春天，臉上帶著笑容，心中哼著歌。你已經自由了！當你有了這種態度，你就在敞開大門讓上帝補償你，記住，上帝總是以豐盛來補償你。

幾年前，我與維多利亞遇見了一個在商業交易上欺騙我們的人。這個人沒有實現我們講定的交易，卻做了一些頗受質疑的事，最後還騙走我們很多錢。

許多時候，我與維多利亞想要以我們自己的力量打這場仗，我們想要報復他，讓他活得很難堪。畢竟，他讓我們受苦，我們何不也讓他嚐嚐苦頭！這真的很困難，但我們必須強迫自己去做正確的事，就是把事情交託給上帝。

　　我們說：「上帝啊，祢看見了一切發生的事，祢知道我們被欺負，祢知道這人做錯了事。但上帝，我們不要試著靠自己去報復，我們要將大門敞開，倚靠祢來幫助我們。」

　　這樣的歷程持續了好多年，而我們仍看不見任何改變，我們必須不斷提醒自己說：「上帝是公義的上帝。上帝將會因我們做了正確的事而報償我們，上帝會聆聽我們的苦情。」

　　結果有一天，終於雨過天青，上帝以超自然的方式介入並翻轉了情勢。祂不僅將此人挪出我們的生命，更把他曾奪去的加倍地補還給我們。令人難過的是，這個試圖詐騙我們的人最終也失去了家人、事業、名譽等每一樣東西。我當然不希望這種事發生在任何一個人身上，但這卻也是上帝的公義。你不能總是走錯路，欺騙人們，撒下壞種而期待不用自食惡果。我們栽種什麼，就會收取什麼。

　　最近我與維多利亞在討論上帝是如何豐富地補償我們。我並不自誇，但上帝真的是讓我們蒙福多多。祂讓我們在一些房地產交易中獲利甚多，所以我們能住在一間可愛的房屋裡並擁有一切所需的物質供應。祂賜給我們很棒的孩子以及美妙的延伸家族，祂高舉我們並賜予我們領袖的位置，祂行的超出我們所求、所想。但若我們當初沒有通過試驗，我真的不相信我們能達到今日的境界。如果我們冥頑不靈並與得罪我們的人相爭，或如果我們變得苦毒憤怒，或對那人心懷怨恨，上帝就無法高舉我們。

　　如果你將情況交給上帝，最後你將會變得比以前更好；你將會發現，你是遠遠超前於你靠自己解決的結果。上帝能真正將公義帶入你的生命。

　　也許你在某個情況中奮鬥已久並選擇做正確的事，你選擇高格調的路並一再饒恕人，一直輕看他們的錯誤，而當他們冒犯你時，你卻約束自己的口舌，即使被欺負，你依然保持良好的態度。也許同樣的情況持續著月復一月，年復一年，你甚至已開始感到失望，以致如此想：上帝真的會改變情況嗎？上帝真的會帶來公義嗎？祂真的關心我在做什麼嗎？

　　別放棄！繼續做正確的事，上帝正在為你建立品格，而你正在通過考驗。記住，掙扎愈大，獎賞愈大。

　　聖經上說：「我們行善不可喪志；若不灰心，到了時候就要收成。」[4]不要灰心，上帝會把公義帶入你的生命中。

　　我們必須信任上帝會依照祂的時間帶來公義，而不是依照我們的時間。有時候，那不是一夜之間，而是你必須花很長一段時間去愛那些不可愛的人；有時當錯誤的事發生在你身上，你要反過來做正確的事。要看到，改變可能需花上很長的時間，但你必須要有堅強的意志，並無視艱難而單單相信上帝。

　　當大衛還只是個少年，他被先知撒母耳膏抹為以色列的下一任君王，不久之後，他擊敗巨人哥利亞，便馬上成為眾所皆知的英雄。人們愛戴他，而他受歡迎的程度直線上升，以致當時以色列國王掃羅變得極度忌妒他，並開始對他做出一連串不公平的事。

　　有時掃羅生病，大衛就會為他彈琴，幫掃羅寬心解悶。但有一天當大衛在彈琴的時候，掃羅忽然拿起槍往大衛身上擲。槍差點打中了大衛，大衛逃出屋外，為性命不保而感到恐懼。當他意識到掃羅想要殺他，便逃到山上去躲起來。他在逃亡之中度日，躲入一個又一個的山洞，月復一月。

　　想想看，大衛沒有做錯事，他以敬重與尊榮對待掃羅，然而掃羅回報他的卻是意圖殺他。大衛難道不會變得苦毒嗎？

　　他可以輕易地說：「上帝，這人為何要傷害我？我根本沒對他做什麼。上帝啊，我以為祢真的揀選我做王，然而這到底是怎麼一回事？」但大衛沒有那麼做。他保持良好的態度，即使他有機會，卻還是拒絕傷害掃羅。雖然掃羅並沒有善待他，大衛仍然尊重掃羅的權柄。

　　在生命中，某人就是你的權柄：老闆、上司、家長，或是坐在領袖位置上的人。他們也許未以公義待你，你知道他們所行是錯的，而他們或許也知道。結果你可能會想鄙視他們，輕看他們。而要把對他們不好的態度合理化或正當化是很容易的：「畢竟，我的上司很粗魯，他很惡劣，我不用以恭敬待他。喔，我父母親總是爭吵不休，我不必去順服他們。喔，我的配偶又不會跟我上教會，我怎麼可能尊敬像他那樣的人？」

　　事實上，無論這個人做得對不對，上帝希望我們尊敬他（或她）的權柄。別找藉口或在心中合理化你對此人出言不遜或行為不佳的原因，如果你拒絕伏在權柄之下，上帝也不會將你放在權柄的地位上。

　　要尊敬居上位而以仁慈待我們或與我們意見一致的人是很容易的，但真正的考驗卻是，你在生命中也遇到一個「掃羅」，就是當某人沒有明確理由卻惡待你的時候。

　　一如大衛，今天許多人也被上帝揀選去行偉大的事。上帝想要把他們放在尊榮的地位上，給他們領袖的地位，但他們因著某些理由並未通過上帝的考驗，他們沒有去信靠上帝，他們總試圖去操控環境，靠自己討回公道。他們沒有不理會這些侮

辱、沒有饒恕得罪他們的人並信靠上帝會轉惡爲善，他們卻試圖去向生命中的「掃羅」討回公道；但其實有更好的方法。

在1950年代晚期，我父親幾乎已經擁有了一切，他是休士頓一間興旺教會中的成功牧師，而教會也剛興建了一座豪華寬敞的全新崇拜用大樓。父親是教會委員會的一員，每個人都看好約翰‧歐斯汀爲未來的領袖人選，而他也正在教會的體系中晉升。但在1958年，父親開始渴望進一步探究屬神的事，他不想在屬靈上停滯，也不希望教會得意自滿。

當父親在讀聖經時，他發現上帝要爲祂的百姓做更多事，多於多數人所習慣接受的。父親對他在聖經中學習到的事非常興奮，於是開始與教會分享他的洞見。他告訴會眾，他更清楚知道上帝是良善的上帝，是天上的父，而不是吹毛求疵、難以取悅的審判官。父親告訴人們，上帝要他們過得快樂、健康與健全，他並開始爲生病或有需要的人禱告。

然而讓我父親大吃一驚的是，會眾中有許多人並不欣賞他的新發現，他們認爲這不合他們的傳統，而且父親充滿熱忱與有力的信息與他們慣於聽到的截然不同，這讓許多人感到不自在。雖然父親的教導是符合聖經的，他們還是很生氣父親所描述超自然的上帝與他們的教條不合。

會眾最後以投票決定父親的去留。當票開出來後，許多票數都主張父親留下來，但在往後的幾個月，有些人對父親的態度相當惡劣與不尊重，以至於父親認爲他能爲教會做的就是起身離開。自然而然，他失望、心碎，他爲教會傾心盡力，現在一切又要從零開始。

這不公平，也不公義。會眾沒有以他應得的待他，而父親

大可苦毒地離開那裡。他大可對那些人心懷怨恨與怒氣，但父親選擇讓這些感覺隨風而逝，他的心態是：「*上帝，我知道祢會彌補我，我知道無論我去何處，祢都將使我興盛，祢會將公義帶入我的生命。*」

　　父親決定要與上帝同行。就在1959年，他離開了那間規模龐大的教會之庇護，他一路來到一間棄置而沒落，名叫東休士頓飼料五金行的小店。那是間破舊、骯髒的屋子，地板上還有破洞。父親與大約九十個人把它清理乾淨，並在母親節開始了這間「湖木教會」。批評者說：「約翰，這不會維持下去的。你根本沒勝算，沒人會來這裡。」他們說：「這很快就會被風吹散。」

上帝會爲你轉惡爲善。

　　然而夠確定的是，這的確就像一陣風。這陣風吹遍了全市！今天，這陣風正在席捲全世界！四十五年後，湖木教會仍在持續增長，仍在看見上帝的神蹟、賜福與恩惠，仍在觸動世界各地的人們！

　　上帝知道如何將公義帶進你的生命中。如果你把所在意的事交託在上帝的手裡，祂會幫你解決，會將屈枉的改正，因祂已應許轉惡爲善並讓它爲你效力。無論別人何等地惡待你、或以何等惡毒的言語刺傷你，上帝都能把整個情勢翻轉過來！

　　把一切事情都留給上帝吧！過一個饒恕的生活，別一直想去討回公道或試圖報復。上帝看到了每一件對你不公義的事，上帝看見每一個傷害你的人，祂都記錄著。而聖經上說，若你不靠自己伸冤，上帝必會回報你。朋友，祂不僅回報你，祂還會豐豐富富地補償你！

第20章

勝過失望

另一個幫助你當下就活出最好的生活，同時往上帝為你預備的美好未來邁進之關鍵，就是學習克服生命中的失望與沮喪。因為失望會成為一個極大的攔阻，使你無法放下過去。你需要確定自己已對付了這個部分，才能再走下一步，活出你生命的最大潛能。

讓我們誠實以對，我們每一個人或多或少都在面對失望沮喪。無論你的信念如何堅定或者你是一個怎麼樣的大好人，遲早總會有某事(或某人！)搖撼你的信心。這可能是一件很簡單的事情，像是沒有如願得到你等待已久的升遷；沒有簽下那張你努力很久的訂單；銀行貸款沒有核准而買不成那棟令你心儀許久的房子。或者，也可能是比較嚴重的事情，如一個婚姻破碎了、一位摯愛的親友過世了或罹患絕症。無論是什麼，失望沮喪是一股會令你信心跌倒的力量，這也就是為什麼我們提前

警覺它的到來是很重要的，因此當失望時刻臨到，我們要學習如何站立得住。

通常，克服失望和放下過去如同硬幣的兩面，特別是當你對自己很失望的時候。當你做錯某件事時，不要一再懊惱悔恨，然後自責不已。認錯就尋求寬恕，然後繼續往前行。要快快地放下過犯、失敗、創傷、痛苦和罪。

然而，許多時候，最深的失望是由別人所引起的。許多人受了傷便始終無法重新開始，是因為他們不斷去掀開過去的舊傷疤。無論我們曾經歷過什麼，不管事情是如何的不公平，或是我們有多麼失望沮喪，我們都要放開手，讓事情過去。

可能有人背地裡踹了你一腳、有人對你做了極惡劣的事，也可能你正為某個深愛的人迫切禱告求醫治，然而這個摯愛仍舊撒手人寰。將這些都交給上帝，然後繼續走你的人生路。聖經上說：「隱祕的事是屬耶和華我們上帝的。」[1]就讓事情停留在那裡。

挫折、倒退總跟著失望而來。當你有所失去時，自然會強烈地感受到失落，但沒有任何人會期待你成為一個刺不透的岩石或無人能接近的孤島。就是上帝也不希望你堅強到一個地步，完全無視於生命中失望的存在，對於所有的傷痛都不為所動。不，當我們遭逢失敗或失去時，我們很自然地會感到傷心或痛悔，因為上帝是如此造我們。如果你失去工作，你很可能會有一段時間很失意。如果你剛經歷一段破碎的關係，你會覺得很受傷。如果你所愛的人離世，你會傷心難過，悲痛不已，這是很正常而且是意料中的事。

然而如果你久久無法走出傷痛，超過一年甚至更久，那麼

就有些問題了，你是在攔阻自己的未來。你必須做一個決定：往前走。這不會自動發生，你必須抬起頭來說：「我不管這有多困難，我不管現在有多失望，我不要讓自己最美好的部分被奪走，我要繼續我的人生。」

仇敵善於蒙蔽我們，好叫我們吞下自憐自艾，或者刻意激動我們的好辯：「為什麼這件事發生在我身上？上帝一定不愛我。祂沒有回應我的禱告。為什麼我的婚姻以離婚收場？為什麼我的事業一蹶不振？為何我失去所愛？為什麼事情都不見好轉？

> 你無法使一個破碎的雞蛋復原。

這些問題也許值得好好思考，花一段時間想一想對我們會有正面的助益。但如果你一想就是三個月，或者更長的時間，你就該停止繼續去探究你所無法改變的事。你無法使一顆破碎的雞蛋恢復原形，已經發生了就是發生了。讓過去的成為過去，然後繼續往前走。沒錯，你是遭遇了挫折；你沒有得到一心所祈求的；事情沒有照著你的計畫發展。但是朋友，並不是只有你一個人這樣，許多正直的好人也經歷過相同的事。

不要被過去絆倒

我父親在很年輕的時候就結婚了，這可能不是他生命中一個很好的決定。雖然他很期待地走進婚姻，然而，這段婚姻還是沒有維持住，他的婚姻失敗了。他心力交瘁，極為傷心。他想著自己的服事也完蛋了，上帝可能要收回祂的恩典。他不曾

想到自己有一天還能有一個家庭，再重新站上講台。離婚的那段日子是他生命中最黑暗的時刻，他很輕易就可以放棄一切，然後鑽進憂鬱的無底深淵。我相信他當時必定受到試探而覺得自己充滿罪惡將遭天譴。毫無疑問地，他內心必然受到試探而深深地怪罪自己，並拒絕接受上帝的恩典。他可以任由失意沮喪阻擋他的未來；但幾年後，他讓自己從消沉的意志中重新振作了起來，那就是，他必須停止哀悼已經失去的，開始去接受上帝的憐憫與慈愛。

聖經上說：「上帝的憐憫每一天都是新的。」上帝知道我們會犯錯，祂知道我們都不完美，所以祂每天供應我們新鮮的恩典和憐憫。上帝並非默許我們的過犯，也不是故意視而不見。但祂也不會自動地來譴責我們，定我們的罪。聖經說：「主……乃是寬容你們，不願有一人沉淪，乃願人人都悔改。」[2]

如果你不想被過去所捆綁，就必須學著原諒自己，欣然地接受上帝的憐憫。你不能過於苛待自己，否則無法領受上帝所要賜下的恩典。

也許你做了錯誤的決定，而你現在試著要挽回所做過的錯事。這樣做很可取，在你能減低對其他人造成傷害的範圍內，你都應該盡力去做。但是你也要明白，你無法復原你生命中或別人生命中所有的破碎；你無法修復每一個錯誤，或者收拾每一個殘局。你可能試著償還一筆根本無法還清的巨額負債，然而現在是時候單純地接受上帝的憐憫和赦免，好讓你能繼續你的人生。

請不要誤會。我不是要你就此丟開一切，不去為自己的行

為後果負責。恰恰相反的，你應該要盡力去尋求你所傷害之人的饒恕並作最大的彌補。但是，通常你能做的很少。當你明白大勢已去、難以挽回時，你所能做的就是往前走。

我的父親做了一個決定就是，他不再讓過去危害到他的未來。他接受上帝的赦免與憐憫，然後一點、一滴地，上帝開始在父親的生命中做新事，回復他靈裡的力量和他的服事。父親開始重新講道，去做上帝要他做的事，開始實現上帝在他生命中的旨意。

然而，父親從沒想過自己會再婚，建立家室。直到一天，我父親被一位年輕的女子所吸引，她有著一個特別的名字：朵蒂（Dodie）。她在父親常探訪的醫院工作，是一名護理學院的學生。

父親深深為這名女子所傾倒，他開始找各種機會到醫院探訪，好見她一面。我的意思是，就算是請他去探視你曾姨婆的三表弟的隔壁鄰居，他也會欣然答應！他幾乎是希望所有的會友都能生個小病，好讓他能到醫院去探訪。（我這樣說純屬開玩笑！）

那位年輕的護士並不知道怎麼一回事，但是因為父親太常出現在醫院裡，有一天她就對同事說：「這位牧師好像牧養了一群很會生病的會友。」她沒想到他是為了去醫院看她。

你可能已經猜到了，父親後來娶了朵蒂‧皮爾格林（Dodie Pilgrim），然後上帝祝福他們，賜下四個孩子以及一個特別的孩子，這個特別的孩子叫做約爾！

上帝不僅恢復父親的服事，還加增更多。家父在世界各地巡迴佈道超過五十五年，服事了幾百萬人。他在1950年後期創

立了湖木教會並牧養超過四十年之久。

上帝給了父親一個新的家庭。現在他的五個孩子都熱切地服事，繼續父親多年前著手開始的工作。然而，如果父親當時專注在他的失落上，不願放下過去，我相信這一切不會發生。

上帝也希望在你身上成就一切超乎你所求、所想的，祂希望重新恢復你生命中的一切美好事物。如果你專注在對的事情上，上帝要將你最失意的戰場扭轉為最受祝福的美地。

我不是說，你要避重就輕地草率離婚或從其他難處中跳出來。我父親行過了死蔭的幽谷。如果你知道他在離婚這條路上所經歷過的一切，你就知道那不是一條易路，但是他沒有被過去絆倒。放下你過去的挫敗、失意和罪。上帝希望做新事，祂希望能恢復仇敵從你生命中偷走的一切豐富。不要再停留於失去的悔恨中，開始相信上帝所預備的精采未來！

> 上帝不會改變別人的意志。

時常有人請我為修復關係做禱告。有些人是為了瀕臨破碎的婚姻禱告，有些人是為合夥關係或者同事之間的糾紛。我鼓勵大家要站立得住，不斷禱告並相信會有好的結果，而且我們也必須知道，上帝不會去改變其他人的意志。祂給了每個人自由意志去選擇他（或她）要走的路，無論對錯。有些時候，無論我們如何禱告，不論花了多久時間以信心仰望，事情還是沒有照著我們的心願成就。

你可能正為一段破碎的婚姻或者一個破產的事業痛心著，但是我鼓勵你走出來，不要年復一年地背負著所有的創傷和痛苦。不要讓拒絕在你心中長瘡化膿，危害你的未來。讓它過

去，上帝已為你預備新鮮的恩典。

　　當上帝讓一扇門關閉時，祂會為你
打開另一扇，祂會把更大、更好的給
你。如果我們持守著正確的心態，祂會
將仇敵加諸於我們生命中的惡，翻轉為
於我們有益的善。[3]上帝要將你的傷疤化
作天上的閃耀之星，祂要將這些失望轉
為希望。但是要知道，你是否能經歷這
一切的美好、良善，端賴於你能否放下
過去。

你不能在上
帝打句點的
地方，加上問
號。

　　你不能在上帝打句點的地方，加上問號。不要去想著：如
果你做什麼就好了、如果你上了哪所大學、你選了哪份職業，
或是希望自己與某個人結婚。不要活在一個負面的消極中，也
不要緬懷一些已經過去的往事或木已成舟的定局。要專注在你
能改變的事上，而非那些你無從再改變的事。將你自己從那些
「應該可以，如果能夠，若是……就好了」的迷思中搖醒，不
要讓昨天的遺憾破壞明日的盼望和夢想。

　　當然，我們都會回頭看過去發生的事，然後希望自己能有
不同的做法，但聖經要我們善用每一天。[4]昨天已經過去了，
明天還沒到。你必須活在當下，就從此時此刻開始。你對已發
生的事情是無能為力的，但對於未來，你可以做很多、很多。

　　你或許曾做過一個錯誤的決定讓你至今仍懊悔不已、傷痛
萬分，你覺得自己搞砸了，你的生命支離破碎，永難重圓；你
覺得自己失去得到上帝最美好事物的資格；因為一次錯誤的決
定，你就覺得自己的餘生只能屈就那次好的。但是朋友，上帝

比你還希望回復你原來的生命！如果你願意放下過去，開始以信心和期待去過每一天，上帝會恢復仇敵從你生命中偷走的一切豐富。

上帝的腹案

讓我們坦白地說，有時候，因為我們錯誤的決定，不順服或者犯了罪，以致我們錯過了上帝的「A計畫」。好消息是，上帝有「B計畫」和「C計畫」，以及一切可行的計畫，帶領我們走向祂對我們生命的最終旨意。

比較糟糕的情形是，你可能不是那個做錯抉擇的人，而是別人愚昧的決定讓你承受痛苦和心碎。即使如此，你也要走出來，過去的就讓它過去。如果你一直停留在過去的失意中，你就攔阻了上帝今日要賜給你的祝福，這樣做很不值得。

先知撒母耳對以色列的第一位君王掃羅大失所望。掃羅年少的時候極其謙遜、內向害羞，然而在上帝的引導之下，撒母耳從人群中揀選了掃羅，宣告他為以色列的君王。撒母耳竭盡所能地幫助掃羅成為一位合上帝心意的君王。

不幸的是，掃羅拒絕順服上帝，以致上帝最後終究摘下了他的王冠。想像撒母耳的感受。也許你在一段關係當中投注了所有的心力、時間、金錢和情感，你竭盡所能地希望能有好結果。然而卻因為某種緣故，事情沒有順利發展，使你現在感覺自己已被掏空一切，一無所有。

這或許就是撒母耳的感受：失望、傷心，覺得整個人垮了。但是當撒母耳在為自己療傷止痛時，上帝問他一個重要的

問題：「你要爲掃羅悲傷到幾時呢？」上帝今天也在問我們相同的問題：「你要爲這段破碎的關係悲傷到幾時？你要爲那個逝去的夢想悲傷到幾時呢？」那些失落已得著過多哀悼了！當我們定睛在失望中，就止住上帝在我們生命中帶來新的福分。

上帝接著對撒母耳說：「你將膏油盛滿了角，我差遣你往伯利恆人耶西那裡去，因爲我在他眾子之內，預定一個作王的。」[5]換句話說，上帝是在說：「撒母耳，如果你停止悲傷然後起身向前，我會給你一個新的、更好的開始。」

記得，上帝永遠有另一個腹案。是的，掃羅曾經是上帝的首選，但是，掃羅不願順服，上帝沒有說：「喔，撒母耳，我很抱歉。掃羅搞砸了，一切都毀了。」不，上帝永遠能想出另一個方案。如果你能停止自憐，照著聖經所說的，你的未來會如同正午愈見光明。

注意上帝對撒母耳說的話：你將膏油盛滿了角。開始一個新的態度，臉上帶著笑容，踩著春天的快意步伐，走你自己的路。撒母耳可以這麼說：「上帝，我就是辦不到，我已經徹底心碎了。我把自己完全奉獻在這段關係上面，然而這一切都是徒然的，枉作白工。」

如果撒母耳沒有在那關鍵的時刻相信上帝，那麼他就會錯失大衛王——聖經中最優秀的君王之一。相同地，如果我們沉迷在失望、沮喪中，就可能錯過了上帝要做在我們生命中的新事。是時候起身邁步前行了，上帝對你有另一個計畫，而且是一個更好的，超乎你所能想像！

我的姊姊麗莎和丈夫凱文試了好幾年，希望能生孩子，但麗莎還是不孕。她和凱文都極喜愛小孩，因此麗莎試了各種醫

學方法，包括動了幾次手術，嚐盡許多難以想像的苦頭，可是終究無法受孕。最後，醫生說：「麗莎，我們再試一種手術，希望這次能讓你懷孕。」於是她接受了，她和凱文又試了一年，結果仍舊不孕。

到了最後，麗莎心力交瘁，身心俱疲。她回到醫生那裡，抱著最後的希望，看看還有沒有任何方法能讓她懷孕。然而醫生沒有給她任何希望：「麗莎，我很不想告訴你，但是，你是沒有辦法懷孕生小孩的。」

麗莎心碎了。她想著：「上帝啊，我們耗盡了所有的時間和體力，試了又試。我們也禱告、也信，還花了這麼多錢。上帝啊，這一切依然是白費的，這看起來多不公平啊！」

有時候，我們不了解為什麼事情沒有好結果。我無法告訴你為什麼當兩個人都禱告，都相信，也都有堅定的信念，可是一個人得著醫治，另一個人卻沒有。但是在那個重要關頭上，我們還是必須相信上帝，即使我們不了解祂。有些事情我們甚至不要試著去找出答案，我們需要先放著，然後過我們的日子。上帝掌管一切，聖經上說：「我的道路高過你們的道路，我的意念高過你們的意念。」[6]上帝知道祂在做什麼，祂知道什麼對我們最好。而且，祂一直有腹案。如果你不再留連於失望中，上帝要向你顯明祂的計畫。

這就是凱文和麗莎做的事。他們走到這個關頭說：「上帝啊，我們將這件事完全交托在祢手上。我們已經做了一切所能做的事。是的，我們很失望，但我們不會被過去所絆住。我們知道祢掌管一切，我們要往前過我們的日子。祢是良善、美好的上帝，祢總為我們預備上好的。」

幾個月後，他們接到一位好朋友的來電，她叫南西・愛爾卡，是美國慈惠事工(Mercy Ministries of America)[7]的創辦人和負責人。這個協會在照顧需要幫助的年輕女孩，包括未婚生子的少女們。南西打電話來告訴他們，有一個年輕女孩要生小孩了，但是希望能找到人領養她的小孩。而慈惠事工正在協尋一對愛上帝的夫婦領養她的孩子。

「麗莎，我不知道自己為什麼會打這通電話，」南西說道：「因為我通常不會這樣做。我們有一個未成年的女孩就要生產了，她懷了一對雙胞胎女兒，我們想到你和凱文不知道會不會想領養她們？雖然我們也不知道你們到底行不行。我知道你們符合其他所有的資格，但有一點是，這個少女希望領養孩子的雙親其家族中也有人是雙胞胎。」

南西不知道凱文和他姐姐正是雙胞胎姐弟，而凱文一直夢想著有一天也能擁有一對雙胞胎。上帝回應了這個少女的禱告，同時也圓了凱文和麗莎的夢！幾個月後，麗莎和凱文順利地在寶寶出生時領養了這對孿生姊妹——兩個美麗的小女嬰。在上帝另有計畫！

但是如果麗莎不願放棄她自己的計畫，如果她不願意放下她的失望，我不認為上帝會將新的計畫展開在她和凱文面前。

也許你已經花了許多的心力、時間和資源在你的計畫上，你為此禱告，也深信會有結果，或許你已投注了很多金錢在上面；但是你現在清楚地看到，門已經緊緊地關上，你萬分的失望。你說：「上帝啊，我怎麼能就此放下這一切，這樣就全白忙了一場。我投注一切，如今我只得到失敗。」

在這裡，你一定要勇敢相信上帝，相信在祂另有計畫，另

有更好的計畫，祂想要做新事在你的生命中。你必須放下舊的
計畫，才能領受上帝新的計畫。

　　最近，凱文和麗莎領養了另一個孩子，一個小男嬰。麗莎
打趣地說道：「你們看看，上帝已經賞賜給我三個美麗的小娃
兒，而我一天懷孕的苦都不用吃。」

　　我們都曾遭遇到令我們或對上帝、或對人心生苦毒以致口
出怨言的挫折，但我喜歡保羅說的：「忘記背後，努力面前
的，向著標竿直跑。」[8]換言之，保羅在說：「我不再耽溺於
昨日的憂傷或過去的失敗中，我不再去想當時應該怎麼做或者
如果我做了什麼。我將過去拋諸腦後，迎向上帝所為我預備的
未來。」這種態度是我們應該有的。

　　每早起床時，不要再去想你昨天做錯了什麼事，要拒絕活
在昨日的悔恨中。每早晨起來，都要清楚知道我們所信的是一
位慈愛而寬容的上帝，祂已為你預備一切美好事。

　　保羅說：「我向著標竿直跑。」這句話代表了一個極大的
努力。有時候，灰心、失望、理想的破滅讓這條人生長路格外
崎嶇顛簸，窒礙難行。除非有堅強的意志力，我們實在走不下
去。有時候還需要加上勇氣；有時候，只能靠著對上帝的信心
努力熬過。但是你可以說：「我拒絕被過去所絆住。我不要讓
過去干擾我的未來。我要忘記背後，努力面前的，為要得著上
帝所為我預備的美好未來。」

　　一旦犯了錯，就謙卑自己尋求上帝的饒恕和憐憫，好好地
寬容自己，不要活在後悔中，悔恨只會干擾你的信心。信心
必須一直是現在式，而非一個久遠的回憶。上帝會扭轉你的失
望，祂要將你的傷痕化作一道美麗的星光來榮耀祂的名。

【第五部】

在困境中找到力量

第 21 章

在心中重新站立

許多人在事情不如意或遇到困境時太輕易放棄，他們輕易屈服，而非堅持到底，於是沒過多久就感到灰心失望。這是可以理解的，特別是當我們已經在同樣的問題中掙扎許久時，想要乾脆妥協是沒什麼好奇怪的。因此我們可能會說：「唉，這是老毛病了，我猜我永遠不會康復。」「我的婚姻已經枯乾乏味這麼久，我幹嘛去期待有新的改變？」「我在這個位置已經待了好幾年，都快生瘡了，顯然地，我只能爬到這個職位。」

但如果你想活出當下最好的生活，你必須比上述那些態度更有決心。**發揮你生命潛能的第五個步驟，就是在困境中找到力量。**我們的心態應該是：「我也許在生命中曾有幾次被擊倒，但我不會一蹶不振；我下定決心要活在得勝之中，我下定決心要有個美滿婚姻，我下定決心要在這些問題中殺出一條生

路。」

我們在生命中時有挑戰，都遭遇過不如意的事，從外在看來也許我們被擊倒，但得勝生命的關鍵是去學習在內心重新站起來。

我聽過一個故事，是關於一個小男孩跟著媽媽上教會，他真是精力旺盛到家，連好好坐著一分鐘都不行。事實上他一直從座位上蹦起來，他媽媽只好不停地說：「孩子，快坐下。」

他會坐下幾秒，然後又站起來。

媽媽就會再度低聲斥責他：「兒子，我剛說坐下。」

這樣的情形重複了好幾次，然後這個小男孩就站著拒絕再坐下。他媽媽只好用手按著他的頭，要把他按回座位上，而小男孩就坐在位置上露出微笑，最後他看著媽媽說：「媽，由外在看來，也許我是坐著的，但其實在內心裡我可是站著的哩！」

有時這就是我們在生命中必須做的。我們的情況也許逼著我們坐下，但我們不能坐下。而即使由外在看來我們真的坐下了，在內心，我們仍必須看自己是站立的！

> 即使由外在看來我們真的坐下了，在內心，我們仍然必須看自己是站立的！

也許你從醫生那裡得知不好的檢驗結果，也許你在工作上失去最重要的客戶，也許你的孩子闖了大禍，也許你遭遇其他重大挫折，而你覺得這簡直是晴天霹靂，將你徹底地擊潰了。

但好消息是，你不必倒地不起。即使在外在你無法屹立不搖，但在內心，你仍要起身站立！換句話說，內心要抱著得勝

的態度，保持信心的態度，別讓自己墮入負面思考、發怨言或責備上帝。要硬著頭皮說：「*上帝，我也許不明白，但我知道一切都在祢的掌管之下，祢說萬事都互相效力，要叫我得益處，祢說祢會帶走這些艱險，翻轉並使用它們使我得益處。所以天父，我感謝祢將帶領我度過這一切！*」無論你在生命中面對什麼，若你知道如何在內心中起身站立，困難就永遠無法打倒你。

繼續堅固站立

聖經上說：「並且成就了一切，還能站立得住。」[1]今天你也許處在一個竭盡所能的景況，你禱告了，相信了，也已把信心放在上帝話語的真理中，但事情看來就是無所進展。現在你會想說：「有什麼用？什麼都不會改變。」

別放棄！繼續站穩，繼續禱告，繼續相信，繼續以信心存著盼望。聖經上說：「不可丟棄勇敢的心。」而有一種聖經翻譯是：「因為交帳的日子就要來到。」[2]我真喜歡這樣的說法：交帳的日子就要來到！朋友，如果你在心中堅固站立，上帝將會獎賞你。也許你躺在醫院，或是臥病在家，即使你在肉體上無法站立，卻沒有任何事能阻擋你的內心站立得穩。病痛也許將你的肉體擊倒，但你不必在靈裡或情感上也被擊倒，你可以在心裡、腦海裡、意志裡一再起身站立。

也許你和一再壓迫你的人一起工作，他們欺負你，要讓你厭惡自己。讓那些沒營養的談話左耳進右耳出吧！他們也許試圖於外在擊敗你，但他們無法在內心擊敗你。別讓這些人偷走

你的喜樂，別讓這些麻煩與困境使你變得沮喪灰心，要在心中一直站立起來。

某天我與一個人談話，此人最近丟了工作。他曾在一間知名企業中工作，領著優渥的薪資，但他突然就被解聘了。當他首次告訴我發生什麼事時，我很確定他會感到憤怒與挫折，但我錯了。當他來找我時，他快樂得無以復加。他臉上帶著笑容，說：「約爾，我剛丟了飯碗，但我等不及要看上帝為我預備什麼了！」

也許在他無法控制的環境中他被擊倒了，但在他的內心，他是站立的。他有得勝者的心態，而那就是：「這事不會擊潰我，這事也無法奪去我的喜樂，我知道我是得勝者而非受害者，上帝會為我開一扇更大、更棒的門！」

你的心態也應該成為這樣。你可以說：「即使仇敵已經給我致命的一擊，但牠的殺傷力永遠還不夠大！牠也許把我擊倒，但牠永遠無法讓我出局！當一切已成定局，當一切塵埃落定，我仍會堅固站立。」聖經說無人能夠奪去你的喜樂，這表示沒有人能讓你活在負面心態中。沒有任何環境、沒有任何困難可以逼迫你活在灰心失望中，就像艾蓮娜・羅斯福(Eleanor Roosevelt)，她是輪椅總統法蘭克林・羅斯福(Franklin D. Roosevelt)的妻子，她常說：「沒人可以未經你的允許而讓你感到自卑。」

無論你經歷過什麼或事情有多艱難，你仍可以在內心堅定站穩，這需要勇氣，當然也需要決心。但如果你下定決心，就可以做到。你必須靠意志實行，不是單靠情感。

在大衛成為以色列的君王之前，他與部屬有一天外出巡

視，做上帝吩咐他們的事。但當他們走遠後，就有盜賊攻擊他們的城鎮，這些盜賊燒殺擄掠，偷盡財物，擄去婦孺。當大衛與部屬回來時，他們心焦如焚，哭到聲嘶力竭。但當大衛坐在一片毀壞之中，看著空氣中充滿灰燼與塵埃，他做了一個改變命運的決定。他在外部被擊倒了，但他決定在內心重新站立，而得勝者的靈就在他裡面油然增長。他沒有枯坐在那裡楚囚對泣，哀悼一切失去的，聖經上說大衛「卻倚靠耶和華他的上帝，心裡堅固」[3]。換句話說，他在內心又重新站立了起來。他對部屬說：「把盔甲穿回身上，我們要去攻打仇敵。」他們就如此行。當大衛與部屬堅持到底時，上帝就以超自然的方式助他們奪回一切被搶走的。若是大衛沒有先在內心起身站立，我不相信那些神蹟還會發生。

你也許正坐等上帝改變你的環境：到那時你就會快樂、到那時你就會有好的心態、到那時你就會向上帝獻上讚美，但上帝正等著你在心中站立起來。當你做了你該做的，祂也將開始改變事情並超自然地在你生命中作工。

你正在經歷生命中的黑暗時期嗎？也許有人欺騙了你，佔你便宜，或欺壓了你，而現在你正想坐在地上為所失去的嚎啕大哭，想著這有多不公平，你的生命將驟然劇變。你需要改變態度，要在心中站立起來，建立得勝者的心態並察看上帝將行的作為。

在新約聖經裡，我們讀到保羅與西拉，他們是基督教世界中的傳道先驅。有一天他們在傳講上帝並幫助人們，但有些宗教領袖無法接受保羅與西拉的作為，所以他們去到地方當局誣告保羅與西拉是來添亂的。有關當局於是逮捕他們，毒打他

們，並把他們下監。

保羅與西拉有抱怨嘟囔嗎？他們開始責怪上帝嗎？不，聖經說，在困境當中，他們「唱詩讚美上帝」[4]。換句話說，他們在心中已經起身站立了。當你在困境中將讚美歸於上帝並保持信心，上帝運行神蹟的大能就會顯現。聖經記載：「約在半夜，保羅與西拉禱告唱詩讚美上帝時，忽然地大震動，監門立刻全開，保羅與西拉的鎖鏈也都鬆開了。」[5]

朋友，你的景況也會驟然改變，特別是當你開始在心中站立起來時。當你遇到困難時，不要像個啼哭的嬰孩，不要成為發怨言的人，也別陷入自憐中。相反地，要有得勝者的心態。

你也許精疲力竭，狼狽不堪，已經準備放棄。你也許會說：「我根本戒不了這些惡習，我已經上癮太久，我根本不知道沒有這些我要怎麼活。」或是：「我收入這麼低，卻欠這麼多債，我看不出我的財務狀況怎麼會好轉。」或是：「我已經禱告好多年了，但我的孩子們看起來可不像想要服事上帝的樣子。」「我的忍耐已經快到極限了。」

不要允許自己舉白旗投降，你必須脫離失敗的心態並開始以正面的態度去思考與相信。你的態度應該是：「我要脫離這種情況！我也許已經久病纏身，但我知道病痛不會永遠存留，這會過去的。我也許已經成癮許久，但我知道釋放之日已經來到。我的孩子也許走錯路，但我和我家必定事奉耶和華。」

有了上帝的幫助，你可以在心中再接再厲。你必須讓仇敵知道你比牠更有

上帝要你成為贏家，不是抱怨專家。

決心，如果有需要，就大聲叫出：「即使這必須窮盡我一生的時間，我仍將靠信心站立！我不打算放棄並甘於平庸，我要相信最好的，無論要花多久時間，我要在內心站立得住。」

上帝要你成為贏家，不是抱怨專家。你沒有理由一直活在「不如意中」，總是失敗，總是灰心。無論你失敗幾次，上帝看見了你的決心，上帝看到了你的堅持。而當你已經盡了一切所能，就是該上帝介入而行你所不能行之事的時候了。

學習快樂

舊約英雄大衛是我最喜歡的聖經人物之一，但大衛也不是完美無缺的。他也曾因犯錯而沮喪，但他禱告：「上帝，求祢使我裡面重新有正直、毅力與堅忍的靈。」[6]或許你也需要做這樣的禱告：「上帝，請幫我除去負面的態度，幫助我趕走自憐心態。幫助我不要放棄，重新建造我正直的靈。」

生命苦短，所以你不能一直跋涉在灰心失望中，無論你遇到什麼或為何失敗跌倒，無論誰在打擊你，你都需要在心中站立起來。如果你想讓仇敵徹底崩潰，就要學習在跌落谷底時仍保持最佳心態，學習在事情不如意時仍然喜樂。

當許多人遇到困難時，他們讓懷疑遮蔽他們的決心，因此削弱他們的信心。他們沒有堅持下去，沒有健康的心態。諷刺的是，因為他們沒有抱持正確的精神，他們不必要地陷在低谷中。醫學告訴我們，積極有決心的人會比負面沮喪傾向的人更快康復。這是因為上帝本來就把我們造得有決心，祂沒有把我們造得失敗消沉。負面的靈會榨乾你的精力，會降低你的免疫

系統。許多人活在身體的病痛與情感的捆綁中，因為他們在內心裡沒有站立起來。

聖經告訴我們，許多聖徒是在信心中離世；惟有活在信心中，生命才能結束於信心裡。當我該離世時，我希望自己在世上的最後一天是充滿喜樂、信心，並充滿勝利。我已下定決心要活出當下最好的生活，而當我的年日盡了，我也要在內心站立著過完我的人生。

你需要下同樣的決定，趕走那些說著「你做不到，你無法快樂，你有太多事情要煩」的心態，那些都是仇敵的謊言。只要你想要，就可以變得快樂；只要你有堅持到底的精神，就可以堅固站立，可以做任何你想完成的事。當你遇上困難，要提醒自己：「*我滿有上帝『能夠做到』的力量，我可以克服困難，我能過著得勝的生活，我可以在內心堅定站立。*」學習接上上帝在你心中裝置的「能夠做到」的泉源，使之湧流，而非只是在困境中翻滾。

別退縮

在我成長的過程中，家裡養了一隻狗叫做滑板車，牠是一隻巨大雄偉的德國牧羊犬，也是這個社區的霸王。滑板車身型威猛、動作敏捷，總是到處追著松鼠跑，總是隨時準備出發，每個人都知道沒事不要去招惹牠。

有一天，我父親騎著腳踏車外出，而滑板車就圍在他身邊轉啊轉，父親看著滑板車露出了笑容，因為他真是以這隻狗為榮。他可以看見滑板車的肌肉在跑步時伸展著，牠看來好似可

以與猛虎搏鬥。但正當那個時候，有個住戶家中的一隻小型吉娃娃犬正在三十或四十哩處對著門外吠叫，這隻神經質的吉娃娃衝向滑板車，還一邊瘋狂地亂吠。

當時父親想著：「你這可憐的小小狗，你惹錯狗啦，滑板車一掌就可以駁倒你，到時你可死定了。」但那隻小瘋狗以全速前進，吠得像是要把肺給叫出來，父親開始擔心滑板車恐怕會把這隻狗撕成碎片。

但讓父親大吃一驚的是，當這隻小狗愈靠近滑板車時，滑板車就愈像隻縮頭烏龜。最後當這隻小狗與滑板車正面對戰時，滑板車就趴在地上，翻了個滾，然後四腳朝天！顯然，滑板車的內心並不像牠的外表那樣雄壯威武。

你做過類似的事嗎？雖然我們深知自己有從上帝而來垂手可得的資源，但是當困難向我們吠叫時，我們卻太常退縮著，翻滾一圈，然後讓性格中叫得最大聲與最惱人的一面來當家。

當宇宙中最強大的武器就在我們裡面，我們充滿了上帝的「能夠做到」的大力，我們受造是為著得勝有餘。但我們太常像滑板車一樣，當麻煩來臨時，捨棄了上帝給我們的力量而選擇退縮。我們放棄並說：「我做不到，這太困難了。」

是該從心中站立起來，與上帝的能力連結、堅固站立並打這場美好信心之仗的時候了。要記得，如果你被擊倒，別倒地不起。要再次起身，別像我家滑板車一樣在敵人面前翻滾；要學習像大衛一樣，並靠著上帝激勵自己。

上帝設定你活在得勝之中，但你必須做你該做的。只要下定決心，無論生命中遭遇什麼困難，你都會不斷在心中再次站立起來。

第22章
相信上帝的時間

人類的天性傾向於希望能立刻得到所有的事物。我們總是在趕時間，大多數人甚至會因為被人搶先進了大廈的旋轉玻璃門而不耐煩！當我們為夢想而禱告時，我們渴望夢想能一夕成真。但是我們必須了解，上帝回應我們的禱告和使我們夢想成真有一定的時間。真相是，無論我們多麼希望事情早點成就，不管我們如何殷勤禱告、苦苦哀求，上帝也不會改變祂命定的時間。事情仍舊會按著上帝的時間表進行。

有時候因為我們不了解上帝的時間表，以致我們會頓生挫折感或心煩意亂，納悶著上帝到底何時才會工作：「上帝啊，祢到底什麼時候才要改變我丈夫？祢什麼時候才會找一個伴給我？上帝啊，我的事業何時會起飛？什麼時候我的夢想才會實現？」

然而，當你明白上帝的時間，就不會如此備感壓力了。你

可以放輕鬆，知道上帝掌管一切，時候到了，祂就會讓事情發生。聖經說：「因為這默示有一定的日期，快要應驗，並不虛謊。雖然遲延，還要等候，因為必然臨到，不再遲延。」[1]注意，這裡說「一定的日期」。時間可能在下個星期、下個月或者十年後。但是無論是何時，你都放心地確定這一定會是上帝所選的一個完美的時間。

我很想告訴你說，如果你有足夠的信心，你的禱告就會在廿四小時內蒙應允。但是，這並不是真的。上帝不是自動提款機，只要你操作正確、按對密碼，就能提領現鈔。（這還得先假設你戶頭裡存著錢！）不！我們都需要耐心等待，這是學習信任上帝的一個功課。重點在於，我們該用什麼態度來等待？我們的行為、心情、情緒該如何應對？我們是要用一個和善的態度去期待，心裡知道上帝已早有預備？還是要心煩意亂地咕噥抱怨：「上帝啊，祢都不回應我的禱告。我的情況到底什麼時候才會改善？」

試著這樣想：如果你知道橫豎就是要等，為什麼不下定決心好好享受這段等待的時間？何不用一個愉快的心情等待上帝工作、改變事情？畢竟，我們並不能做什麼使事情更快成就。讓我們放鬆心情並且享受生命，知道上帝到了預定的時間，就會實現祂的計畫。

看到了嗎？你不需要掙扎，不需要來回踱步地擔心上帝到底做了什麼，或還沒做什麼。不，當你對上帝有信心，就能心裡踏實而平安地知道當時間對了，上帝就會實現祂的諾言。事情一定會成就，而且，更好的消息是，一分一秒都不差！這樣想可以讓你減輕許多壓力。

如果你未婚而希望能有一個終身伴侶，你不需要擔心。你不必一直苦苦哀求上帝，無須每隔十五分鐘就提醒上帝要給你對象。不，你可以好整以暇地度日，知道一旦時間對了，上帝就會帶來那個最完美的人，他（或她）將一秒不差地進到你的生命中。

同樣的，如果你希望家人信主，你不需要在每個家庭聚會中都引經據典地講述聖經，就好像拿著一把屬靈衝鋒槍對著每個人開火掃射。你不需要把聖經堆到他們的面前，不需要因為他們沒有像你一樣勤跑教會而失望。你可以放寬心，在你所愛的家人面前自在度日，然後很自然地提到你與主的關係，心裡知道時間到了，上帝就會向你的家人說話。

也許在你的生命當中，有某些部分是你亟需改善、極渴望能改變的，可能你相當苛責自己，因為你自覺成長速度不如預期。現在就放輕鬆地讓上帝按著祂的時間來改變你。我們都希望能在一夜之間改變，但是聖經告訴我們，上帝的改變是一點、一滴的。你要停止掙扎，停止憂心，只要全心地愛主、愛人，為祂而活，讓上帝以祂的方式，按著祂的時間改變你。

你知道當你了解上帝的時間概念，你可以多麼怡然自得嗎？當你真的過信心的生活，你就可如聖經所說的，在主裡「安歇」。你不會愁煩，不需掙扎，也不必試著去搞清楚所有的事情，納悶著為什麼會發生什麼事，或者什麼事都沒發生。安歇在主裡代表完全的相信。當你安歇在主裡，你知道時間一到，上帝就會成就祂的應許；祂會讓事情成真。

你可能會問：「為什麼上帝都沒有在我生命中工作？我也禱告、也相信、也等待，但上帝就是好像不管我的婚姻；我工

作上遇到的瓶頸一點都沒好轉；我沒有一樣心願成真。」

　　要知道，上帝已經在你的生命中動工，無論你看不看得出來。事實上，很多時候，當我們似乎感覺不到任何動靜時，常常正是上帝在大興土木。你可能看不出任何進展，以致你的生命和三個月前，甚至更久之前，一模一樣。但是，你必須相信上帝，相信在你生命的深處，上帝正在工作。

> 當我們似乎感覺不到任何動靜時，常常正是上帝在大興土木。

　　再往下探，上帝正在幕後拼湊每個細節。祂在將每個環節串聯起來，然後有一天，在一定的時間裡，你會看到上帝所有的工作一次呈現，忽然之間，你的情況就改觀了。

到了預定的時間

　　大衛一直對自己的人生有一個遠大的夢想。他希望能與眾不同，然而，在他年輕的歲月中，大部分的時間他都只是田野間的一個牧羊人，幫忙看管父親的羊群。我相信，很多時候他必定會忍不住想：「上帝是否已經將我遺忘了？」他一定在心裡想著：「上帝啊，我在這裡做什麼啊？在這個地方沒有未來，我希望能為祢做大事。什麼時候祢才會改變這個情況呢？」然而大衛了解上帝的時間安排。他知道，如果自己能在逆境中保持信心，上帝就會在適當的時間救拔他。他知道上帝會在預定的時間讓他的夢想成真，因此他說：「祢是我的上帝。我終身的事在祢手中。」[2]他在說：「上帝，我知道祢掌管一

切。即使我現在看不見任何動靜，我知道祢正在幕後動工。等到時候到了，祢將改變這一切。」

你知道故事的結局。上帝帶領大衛走出田野，他擊敗歌利亞，最後並成為以色列的王。

也許在你心中也有一個遠大的夢想──夢想一個更好的婚姻，夢想擁有自己的事業，夢想能幫助更多傷心的人；但是就像大衛，你似乎看不見一絲夢想成真的可能性。

我有好消息給你！上帝並不會被自然律所限制。如果你信任上帝並保持一個正確的心態，在你所處的位置保持堅定的信念，不操之過急並試著面對所發生的每一件事，上帝就會在一個適當的時間提升你，在一個為你所預定的時間，祂會讓你的美夢成真。

如果你現在看不見上帝在你的生命中動工，有兩個可能性，一個是：你所求的並非上帝所預備的那個最好的，因此上帝不會照著你的禱告回應你。第二個可能就是時候還沒到。如果上帝照著你所希望的方式回應你，就會壞了祂為你所作的美好計畫。

上帝綜覽全圖

今天，我們的電視佈道節目在全美各地聯播，也在全球數個國家播出。這是我一個夢想的實現。我多麼希望父親的講道能遍傳全世界，但是，在父親行將走到人生盡頭時，他並不希望在這方面做太多，他希望能好好休息，專心牧養教會。

有一次，我安排了一長串的廣播頻道，希望能每週播放一

次我們的講道。我說：「爸，如果你每星期花一個小時到電台，我們就能作成這些所有的廣播節目。」

令我氣餒的是，父親的回答竟是：「約爾，我不想這麼做。我已經七十五歲了，我不想再做其他別的事了。」

當時我非常失望。我想著：「上帝啊，我還年輕，我的夢想是去觸動全世界的人心；我有用不盡的能量，我不想做這麼少，我想做得更多！」

但是，我心底有個聲音一直告訴我：「耐心等待，時候還沒到。」

我下定決心仍舊保持正確的心態並且尊榮父親，我不急躁，也不因為受挫而試著去靠自己的力量、或照著自己的時間表去推動事情。不，我只是保持著信念，盡我所能地做我能做的事。

在那段時間，上帝似乎沒有做任何事來實現父親和我的夢想，讓我們的福音信息傳到世界各地。但是在幾年過去、父親離世安息主懷後，上帝的計畫似乎突然清楚明白地展開在我面前了。我之前從未想過自己會成為一個牧師，我從未想過那個在攝影機面前的人會是我。但是現在上帝將那些夢想放在我心裡——是我自己的服事而不單單只是父親的。然而，我相信，若我當時沒有耐心等待上帝的時間，我不會成為今天的我。

我們並非能完全了解上帝做事的方法，祂的做法有時對我們而言是不合情理的，但是我們必須知道，上帝綜覽全圖。想想看這個可能性：你已預備好接受上帝的計畫，可是另一個與計畫相關的關鍵人物還沒準備好，上帝必須先在那個人身上工作，好讓你的禱告能在上帝的心意中成就。所有的細節必須先

拼湊起來，才能在上帝最好的時間點完成。

　　絕對不要害怕，上帝已經將你生命所需的都預備好。你可能看不見，可能感覺不到；你的光景和十年前比起來，好像沒什麼不同，然而就在某一刻，上帝將所有的細節串聯起來了。當上帝的時刻臨到，任何黑暗的勢力都無法攔阻祂。到了上帝所命定的時間，任何人都不能阻止事情的發生。到了上帝為你預定的時辰，祂就為你實現一切。

　　突然之間，一切都改觀了。突然之間，你的事業起飛了。突然之間，你的丈夫渴望與上帝有親密關係。突然之間，那個任性倔強的孩子回家了。突然之間，你的夢想實現了。

　　雪兒是一個很迷人的三十多歲女性，心中渴望著婚姻。她禱告了又禱告，但是上帝似乎沒有把合適的對象帶進她的生命中。事實上，她告訴我，她已經有兩、三年的時間不曾有過穩定交往的對象。她也曾受試探而心生挫折，覺得不會再有好姻緣臨到，她的餘生將以單身告終。

　　但是有一天，在從公司回家的路上，她的車輪爆胎了，於是她把車駛離高速公路，在路肩停下來。幾秒鐘後，另一輛車也跟著她在路肩停下來，從車裡走出一位英俊的男士。他不僅幫雪兒換車胎，還邀請她一同共進晚餐。大約一年過後，他們步上紅毯，至今依舊恩愛不渝。

　　現在，我們來算算看其中的機率。這絕對不是一件單純的巧合或意外，這是上帝工作在兩個年輕人身上。想想看有關他們相遇的時間點：她車子的爆胎時間必須拿捏得很準，當時高速公路的車流量也必須控制得宜，如果太多車，他就會太遲而趕不上；如果太少車，他就呼嘯而過，也遇不到。那位男士還

得搭對電梯離開辦公室，一路上碰到的紅綠燈次數也必須不多不少。所有的時間必須掌握得剛剛好，才能讓雪兒爆胎的那一刻，他的車就剛好在不遠的後方。

不要以為上帝沒有在你的生命中工作，在你還未察覺之前，很多事情已經發生了；只要抱持著堅定的信念並學習信任祂的時間。

在我二十出頭時，我也有類似雪兒的經歷。我在高中和大學時沒有真的和女生交往過。我是標準的呆頭大個兒，滿腦子想著運動，一個星期有四到五個晚上都在打棒球。實在沒有很多時間留給社交生活。直到有一天，我忽然覺得不想老是跟著一群又醜又老的哥兒們廝混，我決定找一個好看一點兒的人。

我禱告上帝帶領我遇見我的妻子。我說：「天父上帝，我知道祢已經為我揀選了一位女孩，求祢帶領我們在合適的時間相遇。」

兩三年過去了，沒有什麼重大的事情發生，而我也不急著去做什麼事。我沒有生悶氣地說：「上帝啊，祢怎麼什麼事都沒做？」不，我只是竭盡所能地安歇在上帝的裡面。我說：「天父，我知道祢掌管一切，縱然我現在看不見有任何跡象，我知道祢已經在我背後動工。」

直到有一天，我發現我的錶停了。我和朋友強尼正準備去健身房運動，於是我決定在途中的一家珠寶店停一下，去換個電池。當我推門走進那間店時，我遇見了生平見過最美的女子！我心想：「上帝啊，祢真的應允了我的禱告！」

我們交談了一會兒，我發現她是一個很愛主的基督徒。我想著：「嗯，很好。如果你還不是基督徒的話，你很快就會是

了！」

她不僅賣一個電池給我，還賣了一整隻新的錶給我！然後從那時起到現在，她就一直在花我的錢。

現在來想想所有讓我遇見維多利亞的事件：我的錶需要先停了，我剛好有個好理由經過一家珠寶店，而不是沃爾瑪量販店（Wal-Mart）或其他便利商店。然後，我得剛好停在維多利亞工作的這家珠寶店，想想看，在休士頓有上百家的珠寶店。然後，維多利亞要正好當班，她有可能在那天剛好輪休，結果就是其他人來服務我。但這所有的細節都巧妙地串聯在一起了，因為上帝在掌控一切。

要在現今就活出最好的生活，你必須學習信任上帝所安排的時間。你可能覺得祂好像沒有在工作，然而，你要確信：就在此刻，上帝正在幕後努力將所有的細節拼湊起來，好使祂的計畫得以成就在你的生命當中。

你可能正在經歷一段艱困的時光，而你好似靜止不動，停滯不前好長一段時間了。你心裡忖度著，你的困境大概永無出路了。然而你必須知道，上帝早在你提問之前已預備好答案。上帝在你遇到困難之前，已經為你安排好出路。

有一個北美的牧師，他原本牧養一間很大的教會，但是因為一些錯誤的決定，迫使他不得不提出辭呈。不僅他的家庭破碎了，他本人也離開了服事工場，這是一個很令人唏噓的結局。從所有的情況看起來，他的未來似乎是黯淡無光，一片黑暗。幾年過去了，這位牧師試著要找回從前的生活。他仍然有心要服事人，所以，他決定前往南美洲去協助那裡的宣教士。當他到了巴西，他前去拜會一間教會。當他見到那裡的牧師

時，奇怪的事情發生了。這位巴西牧師很驚訝地看著這位北美的牧師，然後開始流淚啜泣。這位巴西牧師緊握著他的雙手，並且開始用葡萄牙語禱告。

當巴西牧師開始禱告時，北美的牧師感受到前所未有的上帝的同在，就像是一股暖流流過，完全地潔淨他、安慰他的傷痛。他說：「這麼多年來，我第一次覺得自己能真正放下過去，得到真正的自由與復元。」

當巴西牧師結束禱告時，這位北美牧師問他的翻譯：「這位牧師是誰？為什麼他這樣為我禱告？」

透過翻譯，這位巴西牧師說：「二十年前，當我禱告的時候，你的臉忽然出現在我眼前。然後上帝對我說：『有一天你要幫助這個人得著醫治，並且重建他。』今天就是這一天，你就是這個人。」

我們來看看這個故事，其中最驚人的地方是：二十年前，這位北美牧師甚至還不是一個基督徒，更不要說是一位牧師了。他從未服事過上帝，但是上帝在下筆編寫故事之前，已經知道故事的結局。二十年前，祂放了一個意象在一個人的心裡，好叫另一個人在二十年後，在巴西某個小教堂中，遇見彼此。然後一個人看見自己的夢境成真，另一個人則再次得著上帝的愛與饒恕。

> 讓上帝以祂的
> 方式成就。

同樣的，在你開口禱告之前，上帝已經預備了答案。上帝早已為著你的緣故，安排好所有的細節。誰知道呢，也許早在五年前或者十年前，上帝已經告訴一個人，你將遭遇目前的困境，祂早

已在爲你安排出路。靠著你自己是不可能成就這些事的，若你想去操縱這些事，更是愚不可及。不！上帝掌管一切。你可能不覺得有任何事情發生，但是記得，當我們似乎感覺不到任何動靜時，常常正是上帝在大興土木。學習去信任上帝的時間，不要急躁，不要失去耐心，不要用力將門推開，不要靠著自己的力量去讓事情發生；讓上帝以祂的方式成就。

　　我記得有好幾次，父親都試著要開始動工興建湖木教會的新會堂，因爲會友增長得太快，以至於舊會堂早已不敷使用。在五年之中，父親有好幾次都和建築師商量決定了所有的興建計畫，然而，每每在動土前一刻，父親就感受到從上帝而來的警告。他感覺前面有攔阻，心中感覺到不平安，於是他當下就讓一切暫停。

　　當時，父親年約六十出頭，全美各地許多的年輕牧師都在興建大會堂。父親也感受到壓力，擔心如不盡早動工，以後會來不及。他早已準備就緒，而且有兩、三次，他還當眾宣佈：「今年秋天，我們就要動土興建新的會堂。」

　　秋天到了，父親站在所有的會眾面前說道：「我改變主意了，因爲時間不對，我心裡沒有平安。」看到了嗎？父親聰明地知道必須等候上帝的時間，而會眾也對他深具信心，願意耐心地等候父親與上帝確認時間。

　　然而，如果你一意孤行，執意要以自己的方式做事，上帝有時候也會放手讓你去進行你的計畫，就是在錯誤的時間或者沒有加上祝福。代價就是，到頭來你得再花自己的時間和精力去完成、或繼續你自己的計畫。當你讓上帝去開頭，祂就會爲你負責到底，供應你一切所需。

當我們試圖靠著自己的力量去推開一扇門，迫使事情發生，結果就是彈盡援絕而力不從心，致使人生變成了一場長期抗戰，而漸漸失去喜樂、平安和得勝，沒有福樂，也沒有滿足。

如果你目前的光景正是如此，那麼你要盡最大的力量脫身而出。我不是在勸你就放棄你的婚姻或者斷然終止生意合約，這樣只會讓事情惡化。但是，如果你所做的事沒有任何好的結果，只是帶給你無窮的頭痛、心煩，那麼極有可能這件事或這段關係並不是出於上帝的心意。或者，這仍是上帝對你生命計畫的一部分，卻非上帝所安排的時間，而你只是在靠著自己的力量，要照自己的時間表行事。

要小心！如果上帝不在你所做的事情之中，你必須改變。很多人在這裡失去了上帝的祝福：他們知道上帝已經對他們說話，祂已經放了一個夢想在他們心中，但是他們隨後開始試著靠自己的力量去實現上帝的計畫。我們必須知道，如果我們違背了上帝的時間表，就如同違背了上帝的旨意。我們需要耐心地等待，讓上帝將祂的計畫在預定的時間完成。

這不是說我們就被動地退坐著，等著上帝去做所有的事情。不，我們要積極地追求我們的夢想。但是如果門是關著的，不要試圖去用自己的力量將門打開。

我父親是個勇氣十足的人，他站立在所有會友面前坦承：「我錯了。我以為該是到了興建新會堂的時間，但是不對。這個時間不對。」

神奇的是，當上帝最後終於帶領父親開始動工，竟是在一個看起來最不可能的時機。那是聖誕節前的兩個星期，而父

親才剛動完一個心臟手術。除此之外，當時正是休士頓經濟最不景氣的時候，我們從未見過這座城市如此蕭條疲乏。在前一年，有一萬兩千家企業宣告破產。從各種財務精算的角度而言，這時候興建一座新的大樓，而且主要財源是靠奉獻，似乎是一個明顯的錯誤。許多冷眼旁觀或者虛情假意的朋友對我父親說：「你最好不要現在動工，你籌不到錢的。這座建築物會就這麼半途而廢。」

父親謝謝他們的建言，然而，只要是出於上帝的時間，外面的環境看起來如何就不重要了。不管別人如何告訴你，如果上帝告訴你是時候了，祂就會讓一切實現。

父親著手開始整個興建工程，而在短短不到一年的時間，會友就奉獻了足夠的金錢，這座會堂在全無貸款之下順利完工。如果父親試圖靠著自己的力量，照著自己的時間表，即使在景氣的全盛時期，仍舊會是一個痛苦的掙扎。

要知道，當你離開上帝所安排的時間，你就走出了祂的恩典。當你走出上帝的恩典，就宛如獨自摸黑前行。我不是說，當我們為上帝做事時，就不會遭遇困難。然而，在上帝的時間之外打這場聖仗，會讓你萬分掙扎，一路走來行影孤單，毫無喜樂。反之，若你是走在上帝的時間之中，即使是面臨人生中最大的挑戰，你依舊能充滿喜樂。上帝會賜下一切你所需要的恩典。如果你學著去相信上帝的時間，祂承諾會在對的時間，讓你的夢想成真並且回應你的禱告。你會得到答案，而且來得正當其時。

第 *23* 章

試煉的目的

無論我們有多成功，都要面對挑戰、掙扎與不如意的事。當災禍降臨時，有些人立刻想到是他們做錯了事，上帝一定正在懲罰他們。他們不明白，上帝在我們生命中的每個困難中，都有祂神聖的旨意。祂並未降下災禍，但有時祂會允許我們經歷這些。

這是為什麼呢？聖經上說，試探、審判與困難都要來臨，因為如果我們要鍛鍊屬靈的肌肉並成長健壯，就必須克服困境並抵擋攻擊。不僅如此，惟有在逆境中，我們才會明白自己是為何而受造。這些壓力會顯露出我們需要去對付的事物，像是錯誤的態度、不當的動機，以及我們沒有堅持的部分。雖然看似詭異，但這些試煉的確是有益的。

聖經上說：「有火煉的試驗臨到你們，不要以為奇怪。」[1] 注意，這些試煉是為了要試驗你，要測試你的品格，以及度

量你的信心。換句話說：「當你面對困境時，別認為那有什麼大不了。」終其一生，你會經歷各種試煉，即使你根本不喜歡它們，但上帝會利用他們來塑造你，來煉淨、潔淨你。

　　祂正試著將你塑造成祂心中的形象，如果你與上帝同工，並盡快改進祂指示的部分，你就會通過考驗並被高舉至新的境界。

就是在生命的逆境中，我們發現我們是為何而造。

信心的試煉

　　我在生命的掙扎中發現到，祂對改變我比對改變環境更有興趣得多。我不是指上帝不會改變環境，祂絕對能夠，也常常這樣做。但在多數的時間裡，我最軟弱的地方就是我最常被試煉的地方。

　　也許你也發現類似的道理：如果你有忌妒的問題，事情就好似會發展成，你遇到的每個人都會比你擁有更多、更好的物質享受。你最好的朋友總是三天兩頭就添上新行頭；你隔壁同事的薪水只有你的一半，卻開了輛新車；你失聯許久的親戚竟然打電話來告訴你，她剛中了樂透彩！

　　你通得過試煉嗎？你會保持良好的態度，與他們同歡慶並真誠地為他們感到喜悅嗎？還是你會酸溜溜地說：「上帝，我比他們更努力，卻沒有一件好事發生在我身上。我每個主日都去教會，為何我沒有新車？」

　　這就是信心的測試，是上帝光照出你品格中的雜質，是上帝要塑造你的地方。如果你學習與上帝同工，並將忌妒摒棄，你將會驚嘆有如此多的恩惠、祝福與得勝進入你的生命中。

　　我是個非常認眞與目標導向的人，當我手中有個計畫，我喜歡馬上著手去實現。我一輩子都是那樣，在唸小學時，當老師星期一給我們星期五要交的一些功課，我星期一晚上回家就會把它們全都做完！我不希望有任何事懸宕在我腦海中。

　　當我去餐館，我在他們遞上菜單前就已經點好了菜。我要婉轉地告訴你，有時我眞的缺乏耐心，我不喜歡等待，我不喜歡被怠慢。

　　但我發現，我愈沒有耐心，就愈會處在需要等候的情況中。如果我趕時間要趕快從雜貨店裡出來，最後我就會在一個新開的結帳台後大排長龍等待，因爲結帳員第一天上班，需要時間熟悉操作，而我前面排的那位顧客手上，則有廿三樣貨品上面都找不到標價！

　　在家中時，我注意到，我愈沒有耐心，維多利亞花在出門打扮的時間就愈長。諷刺的是，當我不趕時間或很有耐性的時候，維多利亞反而讓我跌破眼鏡地，一下就穿戴整齊，並與孩子們一起在車外等著我。但每次我一沒有耐心，就會有一件接著一件的烏龍事拖延我們。小雅麗珊卓會拿走維多利亞的化妝品，熨斗又發生故障，而維多利亞也找不到女兒的鞋子，眞是詭異，不是嗎？維多利亞或許不知道，但上帝在她梳妝打扮時使用她來煉淨我！

　　上帝刻意使用這一類的情況，好讓我意識到自己的問題並學習去對付它們。祂在我裡面作工，好讓我能進步到新境界，

並成為祂所造的樣式。

同樣地，上帝也會使用你生命中的人。你的配偶、你的姻親、你的孩子等可能都是一面鏡子，反映出上帝要你改進的部分。

「約爾，我就是無法忍受我的上司，他真是令我頭大，我真不知道我幹嘛要日復一日為他工作，上帝何時才會改變這傢伙？」

你曾想過上帝要改變的也許是你本人嗎？上帝也許是刻意安排你與這號人物靠近，並與你發生摩擦，祂也許正在教導你如何愛你的仇敵。或者，祂也許在鍛鍊你並教導你堅忍，不要遇到每件困難、不如意與不方便的事情就轉身逃避。

有個丈夫如此苦嘆：「上帝啊，祢為何把我和這個女人湊在一起？她連一件事都做不好，她甚至不會煮飯，烤片吐司都會烤焦，煮片肉都會搞砸。上帝，祢何時才能改變她？」

也許在你學習如何克服這些之前、在你改善你的態度之前、在你感謝她至少會試著為你服務之前，她的廚藝將永遠只能維持那樣，因為你原本可能根本只有微波食品吃！

> 在上帝改變你之前，祂不會改變你身邊的人。

有位家長說：：「上帝，這些孩子快把我逼瘋了，祢若讓他們克制一些，我就會快樂多了。」

在上帝改變你之前，祂不會改變你身邊的人。如果你停止埋怨身邊的人，相反地，開始自省並與上帝同工改變自己，上帝就會開始改變那些人。省察自己的內心，並看看是否有動機

或態度是你需要改進的。

　　有一天我駕車到教會，而我已經快要開會遲到了。我知道只要能避開交通尖峰時間，就可以恰好準時到達。但我從開出社區起就一路遇上紅燈，甚至還在一座紅綠燈前遇上紅燈，而我活到現在還是第一次看到它由綠轉紅！

　　當我開車時，我開始禱告，但我愈是禱告，就遇到更多紅燈。最後我只好把車開上高速公路並盡我所能地開到最快，然後禱告上帝賜我智慧知道哪些路段會有警察盯哨，如此我才有時間準時開會。

　　但當我駕著車，讓我懊惱不已的是，車流變得愈來愈緩慢。我想：「喔不！這是怎麼回事？」最後，交通完全癱瘓，我心想：「上帝啊，我得準時去開會，祢要幫幫我。」幾分鐘後，我旁邊的車流開始移動，我試了每個方法擠進那條車道，但就如同以往，沒人願意讓我擠進來。我打了車燈，微笑並招手做勢，甚至還揮著鈔票到處飛吻，我做了一切我想得到的，但就是沒人肯讓我擠進去！

　　最後，有位仁慈的老婦人終於讓我在她前面擠進那條車道中，我心想：「萬歲！我終於可以前進了！」正當我踩下油門要移動時，那條車道的車流又停止移動，讓我必須煞車停止前進。而在此同時，我之前所在的車道卻開始暢通了，我氣急敗壞到根本沒想到要再開回原先的車道！

　　我沒想到上帝正在試驗我的耐性。我坐在阻塞的路上約十分鐘，心裡焦急得像熱鍋上的螞蟻。當車緩緩前進時，我發現了交通阻塞的原因，是因為有輛車熄火並被拖吊到路的右側。

　　當我開向閃爍的警示燈時，我可是一點都不同情那位車

主，相反地，我在想：「我希望你趕快把這堆破銅爛鐵移出這條路，你已經害慘了大家，更害我參加不了會議！」我的態度極度尖刻，但說時遲那時快，當我看到那輛車的保險桿上貼著湖木教會的標誌，我的心馬上一沉。因此當然我開車經過時，我減速好仔細觀看，並看到一位男士向我招手微笑，我也像他死黨般地對他報以微笑揮手，心想：「還好他不知道我剛才在想什麼咧！」

就是那時，我恍然一驚，也許上帝正要教導我一些事情。也許上帝是要使用交通阻塞光照我品格中的瑕疵，顯露出我應該要改進的部分。

上帝通常也會允許你去經歷一些情況，去顯露出你品格中需要改善的部分。你可以發怨言，可以禱告，可以抗拒，可以緊抓或鬆手，也可以歌頌或咆哮，更可以做任何事，但這對你不會有任何好處！上帝對於改變你的興趣，遠比對改變環境的興趣大得多了。你愈快學習與上帝同工，就愈快能脫離困境。你愈快學到教訓，對付惡劣的態度並控制個人脾氣，就愈快能在靈裡的層面更有長進。我們必須認清試煉的淨化目的，我們無法逃避生命中每一件困難的事情。

也許你正身處試煉中，而你就像我一樣。你禱告祈求上帝將你從困境中釋放出來，這是一個正當的禱告，但也許你忽略了為何會被允需經歷這些試煉的關鍵。

要去發現上帝想在你身上作工，祂在塑造你、煉淨你，但你太忙著逃避困難，所以這個工作還未完全。你是如此專注於環境與身邊的人們，以至於沒花時間去深入探究，並對付上帝光照你的部分。

也許當重要的事情不如你意時，你會擔憂與恐懼。你可曾想過，上帝可能允許那些事件去教導你信任祂，並看看你是否在暴風雨中仍有平安？你可曾思考過，上帝也許允許讓某些人去教導你控制你的情緒？祂也許在鍛鍊你，幫助你為生命建立基石與定性。

我們常會禱告：「上帝，如果祢先改變環境，我就會改變。」不，情況永遠是相反的。我們必須先願意改變自己的態度以及改進上帝光照出我們的問題，然後上帝才會改變我們的環境。

上帝是如此愛你，以至於祂不願意你一生庸庸碌碌。祂常會允許你生命中存在某些壓力去試驗你，而你惟有通過那些試驗才會長進。祂會將人、事、物帶入你的道路上，像砂紙一樣磨塑你，祂會磨去你的稜角。你也許不喜歡那樣，也許想要逃開，甚至也許想要抗拒，但上帝會一直讓這些問題發生，一次又一次地，直到你通過試煉為止。

進行中的工作

記住，聖經上說：「我們原是上帝的工作。」[2]這表示我們仍是進行中的工作，並不是成品。無論如何，上帝都會以祂的方式來做。你要不就是用痛苦的方式學習，就像我在那次交通事件中學的，並說：「好吧，上帝，我會聽祢的。我明白了，我會冷靜下來，我會有耐心。」要不就是用比較容易的方式學習，亦即當生命遇到掙扎，就深省內心並盡快改進。要樂意去面對上帝光照出的問題，與上帝在煉淨的過程中同工，而不是

抵擋上帝。

聖經說上帝是窯匠，我們是泥土。[3]泥土在柔軟、柔順與可塑時是最好用的，但如果你堅硬、乖戾並偏行己路，上帝就只好擊碎我們堅硬的老我。

當然沒有任何一人會喜愛困境，但你必須理解：你的掙扎也許是你進步或提升的機會；你艱苦抵擋的事物，也許正是你邁向卓越境界的跳板；你的挑戰也許是你最寶貴的資產。

多年以前，在東北角捕鱈魚成為利潤龐大的一種生意，而漁獲工業也發現，全美國的鱈魚市場正欣欣向榮。但他們同時也意識到一些運送上的問題，首先是，他們就像處理其他漁獲一樣冰凍這些鱈魚，並把它們運送到全國各地。但不知為何，鱈魚冰凍之後，鮮味就消失了。所以，這些生意人就決定把這些鱈魚用盛了新鮮海水的巨型魚缸裝著。他們理所當然地認為，這可以解決問題並使漁獲保持新鮮，但讓他們大失所望的是，這種方法只讓事情更糟。因為鱈魚在魚缸中無法活動，牠們變得軟趴趴的，因此再次失去了美味。

有一天，有人決定把一些鯰魚和鱈魚一起放在魚缸裡。鯰魚是鱈魚的天敵，所以鱈魚在魚缸裡運送全國各地時，鱈魚就必須保持警戒並保持機動狀態，以防備鯰魚。奇妙的是，當魚缸送到目的地時，裡面的鱈魚就像還在東北角般地新鮮美味。

就像鯰魚一樣，也許你的困難是被刻意放置在你的生命之中。也許困難的出現是為了挑戰你，去加強你，去鍛鍊你，讓你保持新鮮，讓你保持生氣蓬勃

試煉是信心、品格與耐力的測試。

與不斷成長。當然有時候，你也許會覺得，放在你魚缸中的根本是條大白鯊而非只是隻鯰魚，但你面對的困難，可能恰恰就是上帝去挑旺你、去促使你變成你所能做到的最好工具。試煉是信心、品格與耐力的測試，別放棄，別半途而廢，別發怨言並埋怨：「上帝，為何這些事會發生在我身上？」

相反地，要堅固站立並打這場美好的信心之仗。上帝在給你高舉的機會，這些掙扎會給我們力量。一隻老鷹若不克服空氣的阻力，就無法翱翔天際。一艘船若沒有水的阻力，就無法浮在水面上。而你我如果沒有地心引力，根本無法正常行走於地面。

然而我們人類的天性就是希望每件事情順順利利：「上帝，祢難道不能用交通阻塞以外的方法來教導我耐心嗎？難道不能用溫和一點的方式教導我愛與信任嗎？」

不幸的是，這是沒有捷徑的。要使身心與靈命長大成熟並沒有容易的方法，你只得下定決心並與上帝同工，就如同聖經所說的：「做成你們得救的功夫。」[4]得救不是只有一次的禱告，那是持續與上帝同工，是要對付我們被祂光照出的問題，並保持良好的態度，不斷爭戰直到你得勝。

有些大黃蜂會被拿來做無重力空間的測試。與人類相似，大黃蜂到處輕飄，甚至用不著他們的翅膀。他們看來在這種沒有掙扎、沒有工作與沒有困境的無重力環境中，生氣蓬勃，但三天後，所有的大黃蜂全死了。這個實驗的結論就是：他們享受無重力，但牠們無法存活。蜂類永遠無法不用牠們的翅膀，也無法不經任何阻礙而存活。同樣地，你我也絕對不是為了只被關在溫室中而被造。

上帝從未應許我們會沒有考驗。事實上，祂說的剛好相反。祂說：「大有喜樂！……叫你們的信心既被試煉，看看是否堅定純淨，……所以，在被火一般地試煉後仍能堅定信心，以便主再來的日子你們大有讚美，榮光與尊貴。」[5]

當你正在經歷生命中的困苦，要確保你通過了試驗。不要冥頑不靈地心裡剛硬，要知道上帝正在煉淨你，磨去你的稜角。要堅固站立並打這場美好的信心之仗，上帝呼召我們每一個人成為贏家，而你已注定得勝。如果你與上帝同工並保持良好態度，那麼無論面對什麼，聖經都說萬事——不是只有生命中的好事，而是所有的事——都互相效力，要叫你得益處。[6]

第24章
當生活出乎意外時，
仍要信靠上帝

在1958年，當父親的服事之路看起來一片光明之際，我的姊姊麗莎一生下來即患有類似腦性麻痺的先天性殘疾。醫生告訴我的雙親說，麗莎不可能正常了，她不會走路，而且可能需要廿四小時的照護。母親和父親當時悲痛得幾乎垮掉。

那是我們家最黑暗的一段時期。母親和父親很有可能就此心生苦毒，他們很可能就這麼說：「上帝啊，這不公平。為什麼這發生在我們身上？我們在這裡竭盡所能地服事祢，祢卻允許讓這樣的事情發生在我們身上。」

但是沒有，父親知道苦難可以是邁向更大成功的踏腳石。他知道上帝不會給一個沒有任何目的的試煉。父親沒有就此負面消極而遠離上帝，相反的，父親奔向上帝。他開始以一股前所未有的熱切查考聖經，他發現上帝在聖經中的另一個新面

貌，就是：祂是一位愛的上帝，是一位醫治的上帝，一位與人和好的上帝，以及，是的，祂是一位行神蹟的上帝。父親帶著被挑旺的復興靈火，回到他的教會火熱地傳講上帝的信息。也就從那時起，他和母親開始相信上帝將醫治麗莎。

父親研讀聖經並且開始傳講盼望、醫治與活出得勝的信息。他單純地相信會友將被這些美好的信息所激勵，為著上帝將帶給祂子民的一切美好事而雀躍。誰不會呢？

然而，就像我在之前提到的，有些人惱怒了，於是父親不得不提出辭呈。就在這個黑暗的時刻，湖木教會誕生了。上帝使用這個逆境來擴大父親的願景，推他進到一個新的服事領域，上帝將仇敵的惡轉化為帶給人益處的善。而就在這最艱困的時刻，上帝醫治了麗莎的身體。

直到今日，我的姊姊麗莎都很健康和健全。我相信這一切會發生，是因為我父親正確地處理發生在他生命中的苦難。

許多人碰到人生不如意事的第一反應就是悲觀消極，而不是相信上帝能從中帶出美善。我不是在說上帝帶來這些困頓，我想說的是，如果你能夠持守本分，堅定地挺住，上帝將使用你所面對的這些苦難，帶領你往上提升。

兩種信心

在我的生命中，我發現有兩種信心，一種是獲救的信心，另一種是持守的信心。獲救的信心就是上帝一直在扭轉你的景況。能夠這樣真的很好。

然而，我相信持守的信心需要更堅定的信念，以及更深地

經歷上帝的同在，也就是當環境沒有即刻轉變時，你仍舊要說：「上帝啊，我不在乎有什麼攔阻我，我不在乎這還要多久的時間，這件事無法擊倒我，我不會束手就擒。我知道祢與我同在，只要祢仍是幫助我的，這是我惟一在乎的事。」

持守的信心幫助你度過靈裡最黑暗的深夜：當你手足無措，不知何去何從，一切似乎熬不過明天……，然而，因著信，你做到了。

如果你有這樣的信念，苦難就沒有機會擊倒你。此外，真正的問題通常不是苦難，而是我們對苦難的反應。你可能因為一點小挫折就一敗塗地，然而，我看過有人在面對了極大的難處，例如家人意外離世、無法治癒的絕症、離婚、破產，和其他各式各樣的不幸，他們依舊平安而得享喜樂，他們活出了信心的生活，相信事情會轉變，他們決定要活出得勝。

當你面對不幸，你必須提醒自己，無論是何事試圖要擊潰你，上帝都能轉惡為善地用以提升你。

舉例來說，當我父親在1999年離世與主同在時，上帝在我心中放了一個強烈的渴望：牧養湖木教會。然而從四面八方而來的評論都預言我們無法撐過，他們有很好的理由：我從來沒講過道。從來沒有！

一顆願意的心

我已經花了十七年的時間在湖木教會從事電視節目的幕後製作。在這麼長的時間裡，父親不只一次希望我能站到前面來

講道，但是我一直沒有這樣的感動，我很滿足於幕後的工作。但是就在父親離世與主同在的前一個星期，他和母親一同到麗莎和凱文家吃晚餐。用餐時，父親對他們說：「我要打電話給約爾，問他這個星期天能不能幫我講道。」

我母親笑著說：「約翰，你這是在浪費時間，約爾是不會走出來對著任何人講話的。」（媽，謝謝你這信心的一票！）

然而，父親還是撥了電話到我家來，就像母親所言，我回答說：「爸，我不是牧師，我連怎麼講道都不會。你才是牧師。」我笑著對他說，就像往常一樣：「你就站到台上去，我保證把你拍得很得體、很上鏡。」

我們都笑了，然後我掛下電話回到飯桌上繼續我的晚餐。

就在我和維多利亞一起吃著晚餐時，父親的話忽然閃過我的腦海，然後在沒有其他的誘因之下，我忽然開始強烈地渴望講道。當時我並不明白發生了什麼事，只是感覺到自己一定要做些什麼。你記著，在當時我從未講過道，更遑論是站在幾千人面前講話。然而，我立刻打電話給父親，對他說：「爸，我改變心意了，我想我可以幫你去講道。」

想當然爾，父親聽了差點昏倒！

我讀了一個星期的聖經，然後準備了一篇信息，就在下一個星期天，我在湖木教會講了生平的第一場講道。會友們都很能接受裡面的信息。然而，誰也沒料到，這是父親生命中的最後一個星期天。他在星期五的晚上過世，就在五天之後。

我們在隨後的星期天與會友一同哀悼家父——他們的牧師和朋友——的離世，然而，有一股堅定的信心瀰漫在其中。到了星期一，父親離世後第三天，我在家裡準備過幾天要舉行的

追思禮拜，並且有一小段安靜的禱告時間。

忽然之間，我又感受到一股強烈的渴望再一次上台講道。我打了電話給母親，然後說道：「媽，這個星期天誰講道？」

她說：「喔，約爾，我不知道。我們就是必須要禱告，然後相信上帝會差派一個合適的人來。」

「這樣，我正在想著……也許我可以講。」

母親只想聽到這裡。我的母親有個有趣的習慣，當她在講電話的時候，只要講完她的部分，她就掛了電話，不太會去聽你要說些什麼，她不留時間給你回答。所以當我說：「我在想著也許我可以講……」的時候，母親就直接插進來說：「喔，約爾，那太好了，我迫不及待要和大家說，晚點見！」

就這樣，電話掛了。

「等一下！」我說：「我是說我在想，我還沒說我一定要講。」

太遲了；母親那頭早已經掛斷了。

「好啊！這果然就是我的老媽。」我心裡想著：「反正我可以隨時反悔，她也不會傷心。她會原諒我的。」

兩天後，在父親的追思禮拜上，在八千多人的會眾面前，母親忽然頭一轉對大家說：「我很高興在這裡告訴大家，這個星期天由我的兒子約爾講道。」

然後我心裡想：「天哪，這下我逃不掉了！」

那天稍晚，我在家收看所有關於父親的報導。休士頓的媒體在報導父親過世的新聞時，一致給予父親極高的推崇與敬意。就當我要關掉電視準備上床睡覺時，我聽到主播提到有關追思禮拜的最後一項報導：「順道一提的是，」主播說道：

「約翰‧歐斯汀的兒子約爾這個星期天將主領崇拜。」

我說：「好了，上帝。我收到信息了，我會上去的。」

幾乎所有的媒體在父親過世後，都一致認爲湖木教會倖存的機會渺茫，對此，我倒是不感意外。他們言之鑿鑿地斷言我們無法撐下去，這些否定論者指出：一個大型教會在失去了強有力的精神領袖時，通常很難繼續走下去。有一篇報導還特別說到：「最糟的情況又莫過於由兒子接手。」

我對著維多利亞自我解嘲：「我知道他們爲什麼會這樣說，因爲他們認識的是我老哥保羅，而不認識我！」

即使我試圖要去看這些報導的光明面，那些字句仍舊扎心、刺痛。當時，縱然我鼓足勇氣講道，想盡辦法提升自信心，媒體卻仍舊不看好湖木的未來。

我知道我必須做個抉擇：我要相信上帝的話還是相信那些負面報導的記者？我決定不去想著大眾的想法或民意調查的結果。我拒絕讓那些負面的報導毒害我的心靈和思想，我謝絕那些企圖要帶我逃離上帝使命的建議。更重要的是，我相信上帝興起湖木教會成爲一座帶給人們希望的燈塔，已有四十年之久。祂不會單單因爲父親畢業榮返天家，就這麼讓這座高台垮下。

上帝已應許要扭轉這些挑戰，使其成爲提升你的踏腳石。

有趣的是，那些否定聲浪斷言，我們最好的狀況就是維持現況。但是在上帝另有計畫。湖木教會持續地成長，到了2003年，富比世雜誌(Forbes)將湖木教會列爲「全美第一大教會」，每個星期天有

二萬五千人湧進教會聚會，而我們還在持續成長中！

如果我們正確地處理生命中遭逢的苦難，上帝已應許要扭轉這些挑戰，使其成為提升你的踏腳石。上帝希望在我們的生命中做新事，祂在找尋全心信靠祂的人，祂在尋找不會以狹隘的思想來限制祂工作的人。

你可能會問：「約爾，我只是一個平凡的普通人，上帝怎麼會用我？我能做什麼？」

朋友，上帝總是用一些像你我這樣普通的人。上帝並未找尋能力高強的人，祂也沒有尋找受過高等教育的人。上帝在找一顆願做的心，祂要的不是能力；祂要的是願意的心，只要奉獻出你所有的。如果你願意將僅有的一點獻上，上帝將悅納而且把它們變為百倍、千倍，祂會從你的生命中帶出超乎你所能想像的豐富。上帝對你生命的計畫，是遠遠超過你所求、所想的。

> 苦難常將我們推進命定的天意中。

我深信有一天，當我們回頭看這個我們自認為是厄運臨頭的倒楣時刻，會了解到上帝用這些苦難來模鑄我們、雕琢我們、煉淨我們，好預備我們領受生命中美善的祝福。很有意思不是嗎？苦難常將我們推進命定的天意中。

有時候，我們確實需要人推一把！如果上帝沒有把我從安逸的舒適圈推出去，我可能至今仍處在一個遠遠落後的窘境中。上帝希望我們持續地成長，所以，有時候祂會利用一些困境或緊急狀況推我們往前。

祂會容許一些壓力的產生，好鍛鍊你的抗壓性，把你從安

逸的舒適圈中踢出去。祂知道你的極限。當你在逆境之時，記得，上帝是在擴大你的氣度。掙扎帶出力量。更重要的是，上帝深知祂放在我們每一個人裡面的天賦和恩賜，祂知道你能做什麼，因此祂要盡一切可能將你帶進屬靈的命運中。你將會驚異地發現到，自己做到了！靠著上帝所施加的一點阻力，你衝出了自己的安全線，進到一個信心的新境界。

【第六部】

為了施予而活

第 25 章

施比受更喜樂

我們若想活出當下最好的生活，會面臨最大的挑戰之一，就是以自我為中心的生活方式。由於我們相信上帝要給我們最好的，相信上帝要讓我們興盛，相信我們有上帝的恩惠，而祂已為我們預備更多，因此我們很容易會陷入一種微妙的自私心態。不過，當你不僅去避免墜入這種陷阱，同時**當你為了施予而活時，你的喜樂將會比你所夢想的還要多更多，而這就是你活出生命潛能的第六步驟。**

社會教導我們功利主義，像是：「這對我有什麼好處？我會幫你，但我能得到什麼回報？」我們已經意識到這是一個「惟我獨尊」的世代，而這種自我中心主義也會被帶入我們與上帝、與家人以及與他人的關係之中。

現今許多人大肆喧嚷並毫不羞恥地只為自己而活，他們對其他人漠不關心。他們沒時間去幫助有需要的人，他們只在意

自己想要的、自己需要的，以及他們認爲對自己最有利的。諷刺的是，這種自私的心態反而讓他們活在空虛、沒有報償的生活中，無論他們爲自己索求多少，他們永遠也無法滿足。

　　朋友，如果你想經歷上帝喜樂的新境界，如果你想要祂傾倒福分與恩惠在你的生命中，就必須把焦點從自己身上移開。你必須學習成爲一個給予的人，而不是索求者。不要再去想別人能爲你做什麼，要開始想你能爲別人做什麼。我們受造不是要成爲一個自我導向、只想到自己的人。不，上帝造我們成爲施予者，而身爲人類，除

你必須學習成爲施予者，而不是索求者。

非你學到如何捨己的簡單祕訣，否則永遠無法眞正得到滿足。

　　當我難過或擔憂，或當我失去喜樂時，我第一件自問的事就是：「我在意的是什麼？關鍵是什麼？我在想什麼？」我十之八九都在想我自己的煩惱，我在想生命中的挫折與憂慮，我在想明天我應該要做什麼。當我沉浸在「我」的思考中，這就導致我的挫敗與沮喪。我們必須將眼目從自己身上移開，已故歌手凱斯・格林說得好：「要知道何時我在注意我自己，眞是困難。」

我們受造是爲了去給予

　　你也許難以理解這道理，但一直處在你的問題之中是極爲自私的，一直想著你所想要或需求的而鮮少注意到身旁之人的需要，也是極度自私的。當你有問題時，最好的處理方式就是

去協助別人解決問題。如果你想要夢想實現，就要去協助他人實現他們的夢想。開始撒種好讓上帝帶給你大豐收，當我們看見他人的需要，上帝也會看見我們的需要。

不久之前，我遇到一個人，他對生活極度不滿，對上帝與自己都極度失望。他曾一度功成名就，但因為一連串錯誤的抉擇，他失去了事業、家人、房屋以及畢生的積蓄。現在，他可以說是以車為家，潦倒度日。

他極度沮喪，所以我想要激勵他並鼓勵他。在我為他禱告後，我給他一些良心的建議：「聽著，先生，你必須將心思從自己的問題中移開，」我告訴他：「把心思從你曾經犯過的錯誤與失去的東西中移開。」我對他說：「如果你真的想要快樂，如果你真的想要彌補，就必須將焦點轉至需要幫助的人身上，你必須開始撒種。」

「你知道，無論今天你的問題有多嚴重，別人都會有比你更嚴重的問題、更難走的路子、更斷腸的故事。你可以讓某人的人生有所不同，你可以幫助減輕別人的重擔，給人全新的盼望。」

這個人承諾他會採行我的建議，於是他與湖木教會中一些負責勒戒事工的人連絡，他不再呆坐在車子裡想著自己是多麼失敗的人，他開始花時間幫助並關心那些藥物上癮的人。他與許多藥癮者成為好朋友，聽他們傾訴掙扎，鼓勵他們，為他們禱告，激勵他們去相信更好的生活。他成為一個施予者。

幾個禮拜後他在教會出現，而我永遠也不會忘記看著他走過前面大廳的那一幕。他閃耀著喜樂的榮光，笑容滿面。我說：「嗨，朋友，你看來好極了，發生了什麼事嗎？」

他說：「約爾，我花了過去兩週的時間關懷古柯鹼上癮者，而我這一生從未如此快樂過。」他拭去一滴眼淚，繼續說著：「我從未這麼滿足。」他說：「我花了一輩子的時間為自己活，建立自己的事業，做自己想做的事，做一切我認為會帶給我快樂的事，但我現在看清什麼是真正有意義的了。」

我們受造是為了去奉獻，而不是只為取悅自己。如果你錯過這個真理，你將會錯過上帝所為你預備的豐盛、富足，並充滿喜樂的生命。

有趣的是，我的新朋友接著告訴我，在那個禮拜，竟有人去他那裡，提供他一份職業，於是他找了間公寓定居而不再以車為家。接下來，他不斷說著奇妙的事在他成為一個施予者而非索求者後，是如何地一件接著一件發生。而這一切全都是在他把心思從自己身上轉移出來，著手幫助別人開始。

當你向需要幫助的人伸出觸角，上帝會確保你的需要得以飽足。今天如果你很孤單，別坐著自憐自艾，去幫助其他孤單的人吧。如果你沮喪消沉，別專注在自己的需要上，把心思從自己身上移開並起身幫助有需要的人。你可以去探訪療養院或兒童醫院，致電給朋友並鼓勵他們，你需要先去撒種，上帝才能為你帶來豐收。

如果你希望孩子能夠找到上帝，就要去幫助別人的孩子與上帝建立關係。如果你有財務上的困難，就要起身去幫助比你還拮据的人。

你可能會說：「約爾，我已經沒有東西可給了。」你當然有！你可以給予微笑，可以給予擁抱，可以幫人割草，可以幫人烤蛋糕，可以探訪醫院裡或老人院裡的病患，你可以寫信鼓

勵人。有人需要你與他們分享你所擁有的，有人需要你的微笑，有人需要你的愛心，有人需要你的友誼，有人需要你的鼓勵。上帝沒有把我們創造成「獨行俠」，祂造我們得自由，但祂沒有把我們造得孤立隔絕，我們需要與人交通。

一個救命的擁抱

　　我聽過一個奇妙的故事，是講述一對出生才幾天的雙胞胎。雙胞胎的其中一人出生時，就有嚴重的心臟病，估計存活不了。幾天過去了，這孩子的健康狀況持續惡化，她已經瀕臨死亡。一位護士於是詢問她能否違反醫院規定，把這對雙胞胎放在同一個保溫箱，而非各自躺在不同的保溫箱內。這是嚴重違反規定的行爲，但最後醫生終於同意讓他們肩並肩在同一個保溫箱中，就像他們在母親的子宮裡一樣。

　　然而不知爲何，健康的那個寶寶一直試著靠過去，並把手圍繞在他病危的小妹妹身上。不久之後因不明的原由，她的心跳竟穩定下來並開始好轉，血壓也升到正常範圍，體溫也隨之轉爲正常。她逐漸康復，而今兩人都是健康的孩子。一份報紙報導了這個故事並拍攝到這對雙胞胎在保溫箱內的情形，他們擁抱在一起，報社在照片上下了一個標題叫「救命的擁抱」。

　　朋友，今天有人也需要你的擁抱，有人需要你的愛心，有人需要你的觸摸。你也許還不知道，但你手上有醫治的力量，你的聲音帶有醫治的力量。無論你往何處去，上帝要使用你帶給人們盼望、醫治、愛與得勝。如果你放膽將心思從你的問題上移開，從你的需要上移開，然後尋求成爲別人的祝福，那麼

上帝爲你做的將會超乎你所求、所想。

專心做個祝福的人

不要過著自我中心的生活，你有如此多的東西可以給予，可以奉獻。當你以自我爲中心，你不但會錯過上帝爲你預備最好的，同時也奪走了上帝原本要透過他人來給你的喜樂與祝福。聖經上說：「天天彼此相勸。」[1]批評與定罪、指出別人的錯誤與失敗都是很容易的。但上帝要我們造就人，要我們成爲祝福，要我們在他們的生命中說出信心與得勝的話語。

「約爾，我哪有時間做這些，」我聽到你說：「我太忙了。」

你稱讚別人會花多少時間？你要花多少時間才能告訴妻子：「我愛你，你眞棒，我眞高興娶到了你」？你要花多少時間才能告訴員工：「你做得很好，我很感謝你的殷勤工作」？

稱讚只靠想的是不夠的，我們需要將它們表達出來，一如古諺所云：「愛若沒有經由給予，就不配稱作是愛。」

我們每天起床後都應該想著：「我今天要讓某人快樂，我要幫助滿足別人的需要。別以索求者的身分過活，要作個施予者。」

「但約爾，我自己都還有這麼多需要與問題……。」

的確，但若你將心思從自己的問題中移開並開始幫助他人，就不必擔心你的需要。上帝會爲你解決它們，有時當我們將眼目從自己的問題上移至身旁有需要的人身上時，超自然的神蹟就發生了。

　　舊約聖經教導：「當你把餅分給飢餓的人，見赤身的給他衣服遮體，使被欺壓的得激勵，這樣，你的生命就必發現如早晨的光，你所得的醫治要速速發明。」[2]換句話說，當你向受傷的人伸出援手，那時上帝就會確保你的需要都得飽足。當你努力成為祝福，上帝就會確保你得到豐盛的祝福。

　　我永遠也不會忘記我母親在1981年被診斷出癌症時，她所做的事。她出院以後，大可回家沉浸在深深的絕望中。但母親沒有那麼做，她不把焦點放在自己身上，她沒有一直處在疾病裡。在她最需要幫助的時候、在她生命中最黑暗的時刻，她做了什麼？她去教會幫生病或有需要的人禱告。她種下了醫治的種子，而就像聖經上所說的，當她開始幫助有需要的人時，她的光就如早晨的光，她的醫治就要來臨。

　　我相信許多人如果把焦點從自己身上移開，從自己的需要與問題上移開並開始專注於成為別人的祝福，他們就會得到他們禱告已久的神蹟。我們太常花太多時間想要被祝福：「上帝，祢能為我做什麼？上帝，這是我的需求清單，我下星期二可以得到它們嗎？」

　　我們應該要致力成為祝福，而不是只是被祝福，我們需要尋找可以分享上帝愛心、恩賜以及良善的機會。有個真理就是，你幫助別人愈多，上帝就會確保你得到幫助的愈多。

> 如果那不是必需品，就把它們變成種子吧！

　　讓我們講些實際的，如果你房屋中到處充滿或存放了你不會再用到的東西，為何不把它們送給需要用到的人？這些多餘的東西對你沒有益處，只會塞

滿你的閣樓、地下室與車庫。如果那不是必需品，就把它們變成種子吧！

　　幾年以前，我花了一大筆錢買了台昂貴的頂級鋤草機，那台機器可說是讓我引以為傲。但當時我父親蒙主寵召，我生命中的許多事情都變了樣，我成了牧師而生活變得相當忙碌。事實上，因為我實在太忙了，所以根本沒有時間去割我家的草皮，我必須雇人來做這項工作。

　　我把這台頂級割草機與其他鋤草設備放在車庫中，每次當我把車開進車庫時，我看見那一台鋤草機就很高興。

　　有一天，當我駛進車庫時，我聽到一個細小的聲音說道：「約爾，你應該要把這些鋤草設備全部送人。」

　　我的第一個反應是：「喂，等一等！我花了大把鈔票買了這台鋤草機，我甚至沒用過。這台根本算是全新的，而且有一天我說不定還會用到它們，萬一我被教會炒魷魚呢？」

　　當上帝要我們對某樣東西鬆手時，我們心中總可以召喚出各式各樣的藉口。人性就是想要掌控每樣事物，所以身為一個「相當屬靈」的人，我完全不去理會那個聲音。

　　幾個星期過去了，每當我把車停進車庫，我就覺得有罪惡感。躺在那兒的是我全新的割草機（幾乎沒用過），而且對任何人都沒有幫上什麼忙。那裡還有我的掃落葉機、雜草割除機與修剪機，這些都是一等一的除草好幫手。

　　我知道自己再也用不到它們，我知道從現在起過了二十年，它們可能還是會躺在原地，但我就是受不了要把這麼新、我這麼喜愛的東西送人，畢竟我根本還沒用過它們哩！

　　有一天當我把車停進車庫，我又聽到那個聲音：「約爾，

你要不就是把那個鋤草機送人，要不就是你再去自己割草。」

不到三十分鐘後，我馬上就把它拿去送人了！

你或許也有類似的東西，那些東西就這麼躺在你的房子裡：好幾年沒穿過的衣服、從上次搬家就沒開封的廚具、書籍、嬰兒床與童裝，還有其他一堆你好幾年都沒用過的東西。多數的收納專家都會說：「如果你已經好幾年都沒用過這些東西，就把它們丟了吧！」如果這不是個必需品，就把它們變爲種子吧。記住，要怎麼收成，先怎麼栽。當你在對人行善時，那就是上帝要豐豐富富傾福予你的時候。

如果你想活出當下最好的生活，必須建立一種給予的生活方式：要爲了施予而活，而不是爲了接受而活。要抱持一種態度，就是想著：「我今天能祝福誰？」而非：「我今天要如何得祝福？」

幾年前，獵人爲了要抓猴子，會拿個大桶子在裡面裝滿香蕉與猴子最喜愛的食物，然後他們會在桶子上挖個洞，那個洞不能太大，只能剛好夠猴子把手伸進去。這隻猴子接著就把手伸進桶子裡拿水果，但當牠握緊拳頭時，牠的手就無法從桶子的洞裡拔出來。猴子是如此頑固，而且如此專注於手上抓住的東西，所以即使當獵人逼近牠，牠還是不肯鬆手，於是不到一會兒的功夫，牠就被獵人用網子抓走了。

令人難過的是，當談論到自私，猴子可不是其中惟一的一種。許多人的生活就像那樣，他們緊抓著每樣東西不放，因他們是如此專注於抓緊所擁有的東西，以至於不知道那已讓他們失去上帝所賜下的自由與豐盛的福分。他們對金錢自私，對資源自私，對時間自私。

　　你呢？你一直專注在想要的事物、需要的東西上，以至於你不順服上帝要你去祝福別人的微小卻堅定的聲音嗎？打開你的手，別再抓得死緊，上帝不會在握緊的拳頭中放入好東西。成為一個施予者，而非索求者吧。你不需要尋覓許久才能找到需要幫助的人，整個世界都在呼求幫助，你有機會可以無私地活著，顯出上帝的性格。上帝是施予者，而當你給予時，就最有上帝的樣式。

　　上帝對舊約始祖亞伯拉罕應許道：「我必賜福給你（豐盛地加增恩惠給你），叫你的名為大；你也要叫別人得福。」[3]我們常常讀到這段應許，然後對上帝說：「好耶，上帝！來吧，傾福予我！」請注意，這中間是有個關卡的。我們必須先做些事，甚至還必須先成為某種人。上帝暗指：如果我們只是為了荒淫宴樂或自我中心地活著，我們將不會得福。我們是因為叫別人得福，自己才會得福。的確，除非我們願意成為祝福，否則上帝不會將祂的恩惠與良善傾倒在我們的生命中。我們給予多少，上帝就會給我們多少。

　　「約爾，你就是不了解，我根本沒東西好給，我可沒有像你有個鋤草機喲。」

　　也許你沒有，但重點是你的態度。在上帝更多祝福你之前，必須對你現今所擁有的懷著信心。許多人會說：「上帝，祢何時才會祝福我呢？」如果我們更仔細地留意，也許我們會聽見上帝說：「你何時才能使人得福呢？」

無論你給予什麼，你將會得到回報。

　　給予是一個屬靈的原則，無論你給

出去什麼，就會回收什麼。如果你給予笑容，就會得到別人的笑容。如果你在別人需要時慷慨伸出援手，上帝也會確保你在有需要時，有人會對你慷慨伸出援手。有趣得很，不是嗎？你對別人做什麼，上帝也會對你做什麼。

為了給予而活

　　我看過一個有趣的報導，是有關沙烏地阿拉伯的一位年輕人，他極度富有並住在富麗堂皇到難以形容的華屋裡。他有成打以上的汽車與飛機，還有好幾艘私人遊輪。他富裕的程度遠超過我的測度。但讓我印象深刻的是他花錢的方式。大約每幾個月，他就會把國內幾百位窮人帶進他家，他會個別會晤他們並詢問他們的需要。在多數情況下，他們無論需要什麼，他都會給他們。如果他們需要汽車，他就會買車給他們。如果他們需要家，他就會買棟房屋給他們。如果他們需要錢動手術，他也會提供。無論他們需要什麼，他有求必應。他給出了數以百萬計的金錢以及千萬以上的物資與財產，他的生意欣欣向榮難道會奇怪嗎？

　　我不確定那位沙烏地阿拉伯的男士是否在實踐基督信仰，但給予的原則同樣也是屬靈的原則。這個原則不分種族、國籍、甚至宗教，都一體適用。如果你無私地給予，你也會得到回報。如果你體恤人們的需要，上帝也會確保以豐盛來滿足你的需求。

　　聖經上說：「幫助貧窮的，就是借給耶和華。」[4]那位沙烏地阿拉伯的男士已經建立了施予的生活方式，特別是對窮人的

施予。而不出所料地，他所種下的也讓他以倍數豐收。他以幫助窮人的方式借貸給耶和華，而上帝是不欠任何人債務的。

你也許會想：「唉喲，如果我有這麼多財富，我也會那麼做。」不。若那樣，你可就錯過重點啦，你必須從現在就開始。你必須在所擁有的事物上具備信心，上帝就會信任你並賜你更多。你也許沒有很多餘錢可以施捨，但你或許可以有時請人吃頓晚餐，可以給人慈愛、造就的話語，可以分別出你的時間為有需要的人禱告。

現在就是建立慷慨施予態度的時候。朋友，最貼近上帝胸懷的事，就是幫助受傷的人。我們在唱詩禱告時，上帝愛我們，當我們歡慶祂的良善時，上帝愛我們，但沒有什麼比得上我們去照顧祂的孩子，會更讓祂喜悅。耶穌說：「如果你們給予有需要的人，甚至只是一杯水，我也看到並將回報你們。」祂說：「這些事你們既做在我這弟兄中一個最小的身上，就是做在我身上了。」[5]

有人需要，你就必須去給予，那可能是你的金錢，可能是你的時間，可能是你的傾聽，可能是你鼓勵的手，可能是你振奮人心的笑容，誰知道呢？也許只要像那個嬰孩，把手環繞在身旁的人並讓他（或她）知道你的關心，開始讓他的心康復。也許你所提供的正是一個救命的擁抱！

經典名著《天路歷程》(The Pilgrim's Progress)的作者本仁約翰(John Bunyan)說：「除非你已為了某個無法回報你的人做了一些奉獻，否則你還沒活過今天。」下定決心你要為施予而活，每天尋找你能使他得福的人，別為自己而活；學習捨己，你的生命將從此不再一樣！

第 **26** 章

表現上帝的慈愛與憐憫

我們如何對人攸關我們經歷上帝祝福的程度。你對人友善嗎？你仁慈而善解人意嗎？你所做的事和所說的話是出於愛心嗎？你看見每一個人的無價與特別嗎？朋友，你不能待人刻薄寡恩，卻期待上帝給你極大的福分。你不能粗魯又目中無人，卻期待活在得勝中。

聖經上說：「你們要謹慎，無論是誰都不可以惡報惡，或是彼此相待、或是待眾人，常要追求良善。」[1]注意這經節中的追求這個詞。上帝的意思是說，我們要積極地去做，我們需要隨時留意與人分享上帝的憐憫、慈愛與良善。務要立志行善，殷勤不倦。更甚者，我們要以恩慈待人，即使這人不配得。我們必須在愛中謙和待人，即使他人以惡相待。

你對人友善嗎？

當你的同事從身邊走過，一整天也不曾停下來與你說句話，上帝希望你無論如何多走幾步路過去，微笑地打聲招呼。如果你正在打一通電話，而對方對你態度惡劣，語調尖聲刺耳，你很可能想著：「我要叫她閉嘴，然後把電話給掛了！反正她又不認識我，她永遠也不會知道我的長相。」但是上帝希望你可以更有容乃大。

當超市的收銀員莫名其妙地對你粗聲厲氣，口氣很差，你的第一反應可能立即以牙還牙，惡言相向。這是比較簡單的做法；每個人都會。然而，上帝希望我們能達到更高的標準。聖經說：「你們要愛仇敵，恨你們的要待他好。」我父親常常說：「每個人總會有一天是糟糕透頂的。」讓我們在別人糟糕透頂的這一天，給他們多些耐心。

若有人突然對你失控而勃然大怒，不要以惡報惡地強烈表達你的不滿，何不對他們表現一點上帝的憐憫與慈愛。要追求良善，試著給他一句鼓勵的話語。畢竟你不知道這個人正在經歷什麼難處，也許他的兒子住院了；也許他（或她）的伴侶正打算離去。他們的心情此刻如同在水深火熱的煉獄中，你若再火上加油地回上一句，只會更加撕裂他們，更甚者，你的一句話可能成為壓倒駱駝的最後一根稻草，造成無可彌補的缺憾。無論如何，這都不是上帝所喜悅的。

當你不知所以然地就置身在一個被人惡待的環境中，這其實是一個絕佳的機會去接近一顆受傷的心靈。記著，加害者常是因為自己曾被深深地傷害過。如果某人粗魯而完全不能體諒別人，你可以想見在他內心必定有一些未處理的傷害。他們裡面可能有一些憤怒、怨恨或者心碎需要克服，而你的惡言相向

正是他們最後的致命一擊。

怨恨無法以更多的仇恨勝過。如果你以其人之惡道還治其人之身，只會讓事情更糟。如果你對生你氣的人表達更多的不滿之意，你就是在火上加油。不！我們要以善勝惡。當有人傷害你，惟一勝過這個傷害的方法，就是向他們展現憐憫，原諒他們，去做對的事。

要選擇這條比較困難的路，就是對人慈愛而謙和，並持守溫良的態度行在愛中。上帝看見了你所做的事，祂看見你多走幾步路去做那對的事，而祂也會保證你出於善意的言行舉止能勝過無禮的粗暴。如果你繼續去做對的事，就可以遠離戰場，因為你並沒有以惡制惡，開火宣戰。

聖經上說：「上帝是我們的伸冤報仇者。」祂不會讓你全盤皆輸。你可能在當下覺得：「這實在是我所遇到最糟的情況了。」然而，當事情結束時，上帝會確保你未輸掉任何真正有價值的一兵、一卒。更甚者，祂還會保證讓你贏得公義的報償。你的責任就在於保持鎮定與和平的態度，縱然身邊的人有如兇神惡煞，磨刀霍霍。

以善勝惡

有一天晚上我打電話叫外送披薩，一直以來，我都是叫這家店的披薩，每次我在點餐時，他們就會問我的電話號碼。所以，我已經養成習慣打電話過去時，先報上自己的電話號碼，好節省一些時間。

這個晚上，有位女士接起了電話，我客氣地說道：「喂，

你好。我的電話是713⋯⋯。」

「先生！我還沒有問你的電話號碼！」這位女士幾乎是對著電話吼道：「我要你的電話號碼時，我自己會問！」

我簡直難以相信自己的耳朵，這算哪門子的餐飲服務業啊！我的直覺反應就是立刻回嘴：「小姐，你給我聽好！我愛什麼時候給你電話號碼，就什麼時候給你。就算我半夜打電話來報上電話號碼，你也要乖乖的給我記下來！」我想到：乾脆就訂二、三十個披薩，然後唸幾個錯誤的地址給她。我馬上想像到她抱著披薩，滿街找人簽收那堆熱騰騰的披薩！

幸好，我即時控制住脾氣，我不斷告訴自己：「你是牧師，鎮定！鎮定！」

我不是每次都能把事情做對，不過那一次，我下定決心要以善勝惡。我想到這位女士可能過了很糟糕的一天；可能有其他事情惹得她心煩不已而非針對我或者我的電話號碼，我決定製造解決方法而不再製造問題。我把這當作是一對一個人佈道協談的機會，看看我有沒有能耐讓她高興起來。

我開始恭維她的工作。（我真的是得靠想像力！）我說：「你們做的披薩真的是全世界最好吃的了。我已經向你們訂了好幾年的披薩了，你們的東西真是美味。你們的外送服務也是一級棒；總是準時送達。你真的是第一流的外勤調度人員。」我繼續講著，試著鼓舞她，我說：「我真的很謝謝你這麼有效率，這麼快就接起電話。我告訴你，哪天我遇到你的老闆，我一定要他幫你加薪。」在我講完之前，她不但抄了我的電話，還多塞了幾隻辣雞翅、汽水和折價券在我的披薩裡面！

這就是以善勝惡。我不知道她是否在工作上或家裡出了什

麼事，誰知道她的私生活呢？但她今天一定過得很糟卻是不難猜到的。她需要有人來鼓勵她一下，逗她開心，讓她覺得受重視，告訴她工作做得很好。訂披薩是一件小事，然而卻是我與她分享上帝之愛的大好機會，因爲此刻她正需要。

聖經說：「愛能遮掩許多的罪。」[2]這不容易做到，但愛就是去相信每個人最純良的一面。每個人都能以惡制惡，但是上帝希望祂的子民能幫忙醫治受傷的心。

> 每個人都能以惡制惡，但是上帝希望祂的子民能幫忙醫治受傷的心。

如果今天有人以不好的方式對待你，走上前去用比平常更和善的態度對他。如果你的丈夫沒有服事主，不要用他不能理解的聖經話語對他說教，對著他叨唸，逼他與你一起上教會。不！只要對他特別、特別地好，開始用一種新的方式愛他。聖經說：「是上帝的良善領人悔改。」如果你能以特別的愛與無盡的寬容待他，過了不多久，他就能從你身上看見上帝的慈愛。朋友，愛不曾失誤，愛是永不止息。

最有權利去以惡制惡的，首當約瑟那個身穿彩衣的歷史名人。他的哥哥們因爲恨他入骨，決定把他丟在坑裡，然後殺了他，但因「動了骨肉的慈心」而改變計畫將他賣給以實瑪利人爲奴。幾年過去了，約瑟經歷了各種的傷害和困頓，但他一直保有一個純正的心態，而上帝也一直祝福著他。在經過十三年的冤獄之災後，上帝以超自然的力量救拔他，使他成爲埃及一人之下，萬人之上的宰相。

當埃及全地鬧飢荒之時，約瑟負責糧食的分發，他的哥哥

們都下到埃及去糴糧，希望能帶食物回去給在迦南的家人。起初的時候，他們都沒有認出約瑟來，到了最後，約瑟終於說：「我是你們的兄弟約瑟，我就是那個被你們埋在坑裡，準備殺掉，然後又賣到埃及的兄弟。」

你可以想見這時候那些哥哥們有多麼驚恐，他們的心想必都揪成一團了！這是約瑟向哥哥們討回公道的大好時機，一次清算十多年來的傷痛與悲慘遭遇。現在，他們的命就在約瑟的手裡。

約瑟可以叫人把他們全都殺了，或是下到監獄終身監禁。但是約瑟說：「現在不要因為把我賣到這裡，自憂自恨。這是上帝差我在你們以先來，為要保全生命。上帝差我在你們以先來，為要給你們存留餘種在世上，又要大施拯救，保全你們的生命。」

從這些話我們就可以明白，為什麼約瑟如此受到上帝的賜福。難怪上帝總是特別恩待約瑟，因約瑟知道如何以憐憫待人，他知道如何去正確待人。

聖經上說：「不輕易發怒，不計算人的惡。」[3] 在你生命當中，也許有人曾經深深地傷害你，惡待你，你有權憤怒、怨恨，並向他們討回公道。你覺得因為他們的惡行，自己生命中的某些部分被偷了，永遠的失去了。但是如果你選擇放下這些憤恨，原諒他們，你就能以善勝惡。當你真的作到了以德報怨，上帝要以新的方式將福分傾倒在你的生命中。祂會尊榮你，祂會報償你，會為你撥惡反正。

當你能開始去祝福最大的敵人並且善待那些曾經錯待你的人，就是上帝要開始轉惡為善的時候。無論你曾經歷過什麼，

不管他們的惡行為何，放手讓事情過去。不要去報復，不要緊抓住怒火，不要以惡報惡；要致力恩慈，要追求良善。

你可能會想：「但是約爾，這樣很不公平！」

對，這樣是不公平，人生本來就是不公平的。我們要記得，上帝在記分，祂在掌管一切。當你祝福仇敵時，你絕不會輸，上帝必定會補償你。

多走幾里路

上帝要亞伯拉罕帶著家人，按指示前往更好的地方。於是亞伯拉罕帶著家人、所有積蓄的財物、所得的人口、牲畜，甚至是旁系親戚都一同動身起行。他們旅行了數個月之久，終於到了上帝所指示的新地。在居住了一段時日之後，他們發現新地的食物和水無法供應他們所有的人、牛群和羊群同居。

亞伯拉罕於是對姪子羅得說：「我們必須分開。」他說：「遍地都在你眼前，請你選擇。你向左，我就向右；你向右，我就向左。」看到亞伯拉罕如何以恩慈對待羅得了嗎？羅得舉目看見約但河的全平原、遍地滋潤而綠意盎然的，於是羅得對亞伯拉罕說：「亞伯拉罕，這就是我要的，我要在這裡和家人落地生根。」

亞伯拉罕說：「好。去吧，願你多受祝福。」其實亞伯拉罕這時大可以說：「羅得，你不應該選那塊地，那是最好的一塊地。你知道是我做了所有的苦差事，是我帶領大家出來。上帝是對我說話，不是對你說話，應該由我得到這塊首選之地。」亞伯拉罕沒有這麼做，他的氣度更大，他知道上帝會補

償他。

我相信亞伯拉罕在得知自己分得的是怎樣的一塊地時，必定很失望。他分得的土地草木不生，貧瘠而荒涼。想想看，他費盡千辛萬苦地長途跋涉來到這裡，為要覓得一個更好的棲身之所，過更好的生活。現在，因為他的慷慨和好心，他得放逐在這個不毛之地。我肯定他會這樣想：「上帝，為什麼大家都要佔我的便宜？為什麼我老是吃虧？如果不是我給他，羅得那小子什麼也沒有。」

或許你也覺得自己是一直在付出的那個人；也許你的孩子完全不懂得感恩；可能你的前配偶在離婚協議時，對你獅子大開口；或許你在公司奉獻了一生的黃金歲月，而公司現在卻準備裁員縮編。你永遠是那一個多走幾里路的人，你總是家中緩頰的和事佬。因為大家都知道你心腸軟，重義氣又慷慨大方，於是就常佔你便宜。

但是上帝看見了你的正直，每一件事祂都看見了。祂做了詳實的記錄，而且祂會在適當的時機報償你。這就是祂對亞伯拉罕做的事。

上帝對亞伯拉罕說：「因為你善待你的兄弟，因為你對親友如此慷慨，你為了要做對的事而甘願多走幾里路，所以我不會給你那一小塊地。我要給你極大的福分，從你所在的地方，你舉目向東西南北觀看，凡你所看見的一切地，我都要賜給你。你起來，縱橫走遍這地，因為我必把這地賜給你。」

不要害怕去做對的事情。上帝是公義的上帝，祂看的不是你做了什麼，而是你為何而做。上帝看我們的動機，也看我們的行事。而因為你的不自私，因為你的待人以恩，因為你的追

求良善，有一天上帝也會對你說相同的話：「凡你所看見的一切地，我都要賜給你。」

　　有時候，當我們善待別人而願意去多走幾里路時，我們不免心裡想著：「我這是在任人從我身上踩過去，我是在讓他們利用我，他們拿走了原本應該屬於我的東西。」

　　這時候，你要對自己說：「沒有人可以從我身上拿走任何東西，我是心甘情願地給出去，我欣然地爲他們祝福。我相信有一天上帝會補償我。」

　　想想聖經中路得的故事。她的婆婆拿俄米失去了丈夫，而路得和妯娌俄珥巴也相繼失去丈夫。於是婆婆拿俄米對兩個兒媳說：「我要回到我的故居老家了，你們兩個也回自己的娘家去吧。」俄珥巴聽了婆婆的話回她本國，可是路得不願意這麼做。

　　她說：「拿俄米，我不能就這麼留下你一個人自己離去，你需要有人在旁邊照顧你，我要看著你，我要留在你身邊。」

　　拿俄米和路得一同回到了拿俄米的家鄉，但是她們沒有食物可吃，也身無分文。於是，每天清晨路得就到田裡去拾掉落的麥穗。她跟在收割的人身後拾取他們掉落的大麥和穀粒，一粒、一粒地撿。到了晚上，路得和拿俄米就將這不多的麥子煮了湊合著吃。她們就這樣勉強地生存下來。

　　上帝看見路得在田裡辛勤的工作，爲要養活拿俄米。她大可以就顧好自己，自私地過自己的生活。上帝知道她這樣費心地照顧這位老婆婆並不圖獲得任何的好處。因著她的善行和好心腸，上帝差派了大財主波阿斯去幫助她。祂說：「波阿斯，去告訴你的工人，在田間留下大把的麥穗，留在地上任由路

得拾取。」現在，每當路得下到田間，她有撿不完的麥子和穀粒。她領受了上帝豐盛的祝福。

上帝也看見你的善行和好心腸。當你以恩待人，向身邊的人伸出溫暖的雙手，上帝也會安排人留下「大把的」好事給你。你會意外地發現，這裡有大把的祝福，那裡也有大把的賞賜，屬靈的恩典在這兒降下，出乎意外的升遷也從那兒冒出來。無論你走到哪裡，一路上盡是超自然的祝福；上帝就把它們留在你的道路上，任由你拾取。

第 *27* 章

敞開憐憫的胸懷

當父親與我有一次到第三世界國家旅行時，我們搭乘的飛機在中途一座無名小島停靠加油。我們有一小時的短暫休息時間，所以我們下飛機舒展一下筋骨。這座機場只是個覆蓋著茅草屋頂、臨時搭湊起來的建築物，裡面只有幾張凳子和一個餐飲台。我去找了些東西吃，回來後看見父親在和一位衣衫襤褸、與我差不多年紀的人交談。

我在下飛機時就已注意到這個人，事實上，我很難不去注意到他。他躺在機場外的地板上，而且顯然他已在那兒躺了好一段時間。

當飛機在加油時，他與父親談了一整個小時，到了我們要離開的時候，我看見父親掏出皮夾，給了這個年輕人一些錢。當我們回到飛機上，我問道：「爸，那是怎麼一回事？那年輕人為何會在那裡？背後有什麼故事嗎？」

他說：「約爾，他本來要回美國，但他的錢用完了。他已經在那裡好幾個禮拜，孤身一人，無依無靠，所以我給他足夠的錢，好讓他回家。」

父親眼眶盈著淚水說：「當我下飛機看到他躺在那裡的地板上，我心中充滿了同情。我只想著要扶他起來並給他一個擁抱，我希望能給他愛與安慰，並告訴他一切都會順利。」他說：「約爾，我腦中所能想到的就是，萬一那是我的兒子呢？萬一那是你呢？萬一那是你哥哥保羅呢？萬一那是我的女兒呢？我會多麼希望有人能幫幫我的孩子啊！」

父親正在種下愛與憐憫的種子，他正在讓這世界有所不同，更不用說他對這青年的生命帶來了多大的衝擊。誰知道呢！也許那個人從未經歷過上帝的良善與慈愛，但他永遠也不會忘記那個時刻。他永遠不會忘記有個陌生人竟然只是在班機過境時，就樂意在他無助之際伸出援手。也許在他人生的低谷中，他會記得有人關心他，有人在意他，所以當然一定有位愛他的上帝。

上帝良善與憐憫的種子已經種在那位年輕人的心中，而他從此將不再一樣。但請注意，這些都是從滿有憐憫的心腸開始，從家父花時間傾聽那位年輕人的經歷開始。

共鳴的能力

憐憫的一個定義就是：「與他人感同身受；在意；去表達你的關心。」換句話說，當你看到有需要的人，你感受到他們痛苦，你花時間安慰他們；當有人沮喪時，你也感受到那種沮

喪，把這種感覺放在心上並盡力去鼓舞他們。如果你看見某人財務發生困難，你不是只有拍拍他們的背並給他一節經文。不，你為他花上時間，在你能力所及之內盡力幫助他。你真的關心，也讓他知道你真的在意。

今日，你所到之處充滿了受傷的人，許多人沮喪，夢想破滅。他們曾經犯了錯，而現在的生活一團糟，他們需要感受到上帝的憐憫與祂無條件的愛。他們不需要定他們罪的人、或論斷他們的人，也不需要有人來告訴他們哪裡做錯了。（在多數情況下，他們早已知道了！）他們需要有人帶來盼望、有人帶來醫治、有人彰顯上帝的憐憫。真的，他們在尋找朋友，希望找到能陪伴他們、鼓勵他們的人，是能花時間傾聽他們的經歷並真心關懷他們的人。

> 這個世界何等渴望能經歷到上帝的愛與憐憫。

這個世界何等渴望能經歷到上帝的愛與憐憫。我相信我們的世界正在呼求人的憐憫，它需要憐憫的程度，超過需要任何人類的屬性。這世界需要人類無條件的愛，需要人們花時間幫助同在這世上為客旅的同伴。

我們全都如此忙碌，都有自己的首要任務與計畫。常常我們的態度會是：「我不想招來不便，別拿你的問題來煩我，我自己的麻煩已經夠多了。」但聖經上說：「凡看見弟兄窮乏，卻塞住憐恤的心，愛上帝的心怎能存在他裡面呢？」[1]很有趣，不是嗎？上帝的話指出，我們每個人都具有憐憫的胸懷，但問題是我們要打開還是要塞住它。

不僅如此，聖經還說：「我們要持續行在愛中，被愛引導

並隨從愛的指引。」[2]當上帝把對人的憐憫放在你心中，祂就是在給你一個機會改變此人的生命。你必須學習聽從這份愛，不要忽略它。行出來，有人需要你所擁有的。

當然在上帝創造我們之時，祂也把祂的愛放在我們心中，祂把一份恩慈、關心，溫柔、仁愛的屬靈潛能放在你裡面。你有與人共鳴的能力，有與人感同身受的能力。因為你是按照上帝的形像所造，所以你有道德上的能力去經歷上帝放在你心中的憐憫。但我們太常因為自私，而選擇關閉心中憐憫的胸懷。

你如何分辨自己的心是敞開的，還是關閉的？非常容易。你關心其他人嗎？還是你只關心自己？你花時間去改變現狀、鼓勵別人、提振他們的靈性，讓他們更喜歡自己嗎？你有隨從上帝放在你心中那份對有需要之人湧流的愛嗎？還是你太忙於自己的計畫了？

如果你想活出當下最好的生活，就必須確保自己敞開了憐憫的胸懷。我們必須去留意關心我們能使之得福的人，如果我們能夠幫助有需要的人，那麼我們有時就必須甘心樂意被人打擾或經歷不便時刻。

> 我們必須留意去關心我們能使之得福的人。

如果你研讀過耶穌的生命，你會發現，祂總是花時間在人們身上。祂永遠不會太忙於自己的計畫、自己的行程。祂不會因為自己身陷忙碌而拒絕停下來幫助有需要的人。祂大可說：「聽著，我很忙，我還有一堆事。我趕著去下一個城鎮，而我已經快遲到了。」但祂沒有。耶穌對人滿有憐憫，祂關心他們經歷過什麼苦難，而且祂甘心

樂意花時間幫助他們，祂自由地奉獻祂的生命。我相信祂對今日稱爲祂跟隨者的人，完全一無所求。

　　許多人生活不快樂、生命沒有充分發揮，是因爲他們關閉了憐憫的胸懷。他們的行爲只被所想要的事物以及他們認爲需要的事物所驅使，他們鮮少爲任何人做點事，除非他們心中懷有更深的動機。他們自我中心而且自我導向。

　　如果你想經歷上帝豐盛的生命，就必須把眼目從自己身上移開，並開始爲他人付出時間。無論身在何處，你必須彰顯並傳達上帝的良善與愛心，你必須成爲憐憫的人。

　　「但是，我已經有這麼多問題，」我聽見你說：「如果我花上所有的時間幫助別人，我自己的問題要怎樣才會解決、需求才會滿足？我的生命要何時才能整頓好？」

　　聽聽我的話：如果你專注在別人的需求上，上帝總是會確保你的需要得飽足。上帝會爲你解決你的問題。

花時間傾聽

　　有趣的是，耶穌對人極有耐心。祂花時間聆聽他們的經歷，祂不趕時間，祂沒有試圖想著要如何從這裡脫身，好去找下一個更重要的人或進行祂想做的事。相反地，祂耐心地花時間傾聽每個人生命中的掙扎，並做了爲滿足他們的需要而該做的事。

　　有時候，如果我們花些時間傾聽人們的問題，我們可以在他們的生命中開啓醫治的進程。今天有如此多的人將傷害與痛苦壓抑而深埋在內心深處，他們無人能談心，他們無法再真正

信賴任何人。

如果你能敞開憐憫的胸懷與他們為友——不定罪，不論斷——只是單純傾聽，你就能幫助挪去他們的重擔。你不需要知道所有的答案，只需要去關心他們。

人們需要被傾聽，遠甚於我們給他們忠告，遠甚於我們的建議。許多人僅僅是需要一個能談心的人，一位他們能坦然面對的人，他們只需要一位能夠信賴的朋友。如果你能學會成為一位好的聽眾，你將會驚嘆你在他們生命中能帶來的正面影響。

某一天，有個人來找我，並開始巨細靡遺地告訴我他的問題。這個人一直講個不停，我試了四、五次要插話進去打斷他的獨角戲，好讓我能提供他一些專業建議，但我就是找不到機會。我想：「我這兒有個絕佳的建議，我有段很棒的經文要告訴你，我知道你該怎麼做。我試了又試，但我就是無法伺機插上嘴。我聽了又聽，一直找看有沒有機會可以插上話，但我就是找不到。」最後，這位仁兄總算對我說完他所有的掙扎，而正當我終於要給他我良心的建議時，他長吐一口氣，並說：「天哪，我覺得好多了。上帝剛才對我講話並告訴我要怎麼做了。」然後他就轉身走了。我當時真是失望到只差沒去追著他跑！

後來我明白，他其實不需要我深度的睿智；他並不需要我針對他問題的解決方法，他不需要我的建議，他只需要我傾聽的耳朵。

我們需要學習成為更好的傾聽者，當人們向你訴說他們的掙扎時，上帝可以對他們說話並告訴他們要如何解決。別總是

急著給意見，要對你想幫助之人的真正需要體貼一些。其實我們太常想要做的是：讓他們閉嘴，簡短地鼓勵他們，提供有點正確又不是很精確的經節，再加上一個五十秒的禱告，然後就可以繼續去做我們想做的事。

但上帝要我們為人付出時間，用心聆聽，讓他們知道我們在意，讓他們知道我們真的關心。

伸出你的觸角

我向來對人感到憐憫，但我不知那是怎麼回事。我以為我只是為他們感到遺憾，但有一天我感受到那是上帝在對我說話，希望我去傾倒祂的愛並向有需要的人彰顯祂的慈愛。在生命中，上帝會把我們帶向有需要的人。如果你細心體察，你會察覺到祂超自然的愛在你內心湧流，指引你來到上帝希望藉由你來幫助的人或環境中。但你必須意識到正在發生的事並隨從這份愛。許多時候，我們把上帝的指引複雜化。我們都希望上帝對我們說話，指引我們，告訴我們要去何處並對誰給予仁慈、愛心、憐憫，或一些實質的幫助。我們以為我們會感受到一陣雞皮疙瘩或聽到天上一聲雷，但朋友，當你感受到愛，你就是感受到上帝，那就是上帝在對你說話。當你對某人感到憐憫，那就是上帝在向你說要祝福那個人。去鼓勵他們吧，去看看你如何能夠讓他（或她）的生命變得更好。

你也許在一個人擠人的餐廳裡。忽然間，你對坐在裡面的一個人感到無限關懷與憐憫，你為他感受到一個巨大的負擔，並有一個想要幫助他的渴望。你也許甚至根本不認識這個人，

但你希望他（或她）的生命會更好。這也同樣是上帝在對你說話，促使你去成為這人的祝福。何不請他吃頓飯呢？傳一張紙條告訴他你在為他禱告，到他的座位前去給他一些鼓勵。做些事來表達上帝在你裡面的愛。

當然，你要查驗，要確認這是上帝的提醒而不是其他的動機。但通常的情況是，當你伸出關心與憐憫的觸角，你的善意不會碰釘子或被拒絕。

「少來了，約爾，那些在餐廳裡的人好得很。他們在那裡笑鬧玩得開心極了，他們看起來好像根本不用擔心任何事。他們不需要我的錢，要是我幫他們付帳或告訴他們我在為他們禱告，他們一定認為我瘋了。」

也許他們會，但也許不會。因為若非他們需要你所必須給予的東西，上帝不會將如此強烈的憐憫放在你心中。

他們也許臉上帶著笑容，但你不知道他們心中發生了什麼事。惟有上帝能看見一個人的內心，祂知道人們在何時受傷了。祂知道孤單的人，祂認識將要做出錯誤決定的人。如果你放膽以信心跨出並對他們伸出愛的觸角，讓他們知道你關心他們，你可以成為幫助他們翻轉人生或幫助他們的生命走向正確方向的人。你永遠也不知道一句鼓勵的話能起多大的作用，你不了解僅僅一個仁慈的舉動能帶來多大的衝擊。

幾年以前，有一天早晨我起床時，忽然對一位朋友有非常強烈的感動與憐憫。我已經好幾年沒見過他，至少十五年沒與他說過話。但他是我成長歷程中最好的朋友之一，我們曾一起參加運動並花很多時間相處。不知為何，我一整天都想到他，我只希望他一切都好。

　　最後我靈光一現，覺得這可能是上帝在對我說話，而我必須採取行動。我決定要打電話給我的老朋友，問候他，並看他最近過得好不好。起先我不知道要如何重新聯繫上他，但我最後還是找到了他的電話號碼並打給他。

　　我朋友接了電話，然後我說：「嗨老友，我是約爾‧歐斯汀，我一整天都想到你，你近來如何？」

　　電話那頭陷入一陣長長的沉默，一句話也沒有。我心想：事情不太妙。我不知道發生了什麼事，但我一直在電話中等著。大約十五到二十秒後，我注意到我朋友在電話彼端完全崩潰了，我知道他在哭泣。在我們成長的過程中，這傢伙是最強悍的運動員，我從未看他流過一滴眼淚，但他現在卻哭了。當他終於冷靜下來，他說：「約爾，我的妻子最近剛離開了我，我好沮喪、好痛苦。」他說：「我不是個虔誠的人，但我禱告：『上帝，如果祢還在，如果祢真的愛我，如果祢真的關心，就給我一些信號。』然後電話響了，是你打給我。」

　　上帝知道他的情況，上帝知道誰受傷了，祂知道誰走投無路。如果你跟隨那份愛與憐憫去上帝指示你之處，你也許就是一位絕望孤獨之人禱告所得的回應。

　　你也許不知道一通電話能造成的影響，你也許不明白當一位孤單、受傷的人聽到「我一直都惦記著你，一直都關心著你。我愛你，我相信你，我要為你禱告，我會支持你」的話時，意義是多麼大。也許你已忘記這些盼望的話語多麼有能力，能成為生命的轉捩點。讓愛在生命中帶領你，別忽略心中憐憫的感動。學習隨從上帝無瑕之愛的湧流，祂將指引你道路，告訴你要去何處並如何彰顯它。

有時你也許要冒著看似愚蠢或迷信的危險，但寧願犯下過度同情的錯，而不要錯過你可能是他最後一絲希望的人。大約在十五年前，當時我母親正在湖木教會的服事中分享一段經文並照例歡迎新朋友。忽然母親頭一低，不知何故她開始哭泣。坐在會眾當中的我和家人，都在想著到底發生什麼事。母親一言不發地站立了約三十到四十五秒，最後她抬起頭並說：「不要那麼做，不要那麼做。在這裡有個人將要做一件你不應該做的事，請你別去做！」

那是在我們服事中的一個感人時刻。整個會眾一起花了幾分鐘禱告，約在那時，我們注意到有一位漂亮的小姐從會堂最後方走過來。當她走向會堂前方時，她邊走邊哭。在與她談話之後，我們發現她因為未婚懷孕而極度痛苦，她內心充滿折磨而認為自己不配苟活下去。她已經寫下遺書並把遺書留在家中，但某種念頭叫她再去一次教會。她不打算改變主意，但我母親的話：「不要那麼做，不要去做」超自然地扎進她的心中。突然之間，她了解到上帝愛她，上帝在意她，上帝已為她預備了未來。那一刻救了她的性命，也翻轉了她的生命。

我們何等需要學習跟隨上帝湧流不絕的憐憫，如果當時母親想的是：「喔，那太蠢了，人們會認為我太裝模作樣，或根本當我是傻子。」一個年輕女孩與她的寶寶今天可能就活不成了。

上帝也許在催促你與某人接觸。如果某人的名字一直出現在你心中，而你對他感到憐憫，那就去行動吧。別再拖延，打個電話，去探望一下，或以其他適當的方式與他連絡。

「我將會私底下為他們禱告，」你可能會這麼說：「那還

不夠嗎？」如果那是上帝指示你去做的，那就足夠了。但通常上帝要你去為他們做的，遠比禱告更多。祂要你去與那人連絡，而那人是上帝想要向他彰顯愛與憐憫的人。也許祂要你親自去拜訪那個人，看著他的眼睛，告訴他：上帝愛他，你也愛他。祂也許要你把手環繞在那所謂「碰不得」的人身上，讓他們知道你關心他們。如果他(或她)實在住得太遠，上帝也許指示你拿起話筒並讓那些人聽到你彰顯上帝之愛的聲音。即使要跋涉一段路途，而且如果是上帝帶領你旅行到遠方去表達祂的愛與憐憫，祂也將會預備特定、明確的方向。

你也許對父母感受到特別的深愛，也許你曾說：「只要我一有時間，我會去看他們。只要工作不這麼忙，只要孩子一放假，我就馬上去看他們。」別再延宕，我們必須了解，當上帝的憐憫在我們心中升起，而我們對某人燃起特別的愛心，那必定有特別的理由。上帝不會因為無聊或沒事幹就隨便在你心中激起對某人的憐憫。不，上帝是刻意將一些憂慮放在你心裡與腦海之中，現在你需要去回應這些感動。要知道，雖然你的理解力有限，但上帝卻能看見未來。祂可以鳥瞰我們整個人生的全圖，我們必須學習盡快隨從憐憫的感動。

無可取代的時刻

幾年前的一個清晨，我接到父親的一通電話。父親在當時接受洗腎治療已經兩個月了，他說：「約爾，我昨晚沒睡好，但我今天真的需要去醫院洗腎，你能過來載我嗎？」

我說：「當然啦，爸爸，我馬上就過去。」我看了一下手

錶，驚訝地發現那時才清晨四點，我很快地穿好衣服並開車到我父母家。

當我在駕車時，我對父親感受到一股強烈的摯愛。這不是普通的愛，這是一種超乎尋常的愛。我開始想到父親對我有多好，我多麼以擁有他這位父親為榮。他對家人總是這麼好。我就是有種強烈的渴望要向父親表達我對他的愛，他一直知道我愛他，但這次是種不一樣的感覺。

一大清早當我在前往診所的路上，我確認了父親明白我有多愛他。我告訴他說：「爸爸，我願意盡我一切所能讓你過得更好，讓你過得更舒適，讓你更以我為榮。」

通常當我帶父親去洗腎，在他一切就緒、療程開始進行後，就沒有太多事要做，所以我就會離開，等他洗完再來接他。洗腎通常會花四到五小時，所以我會先去工作，做些例行事務，或乾脆回家等他洗完再來接他。但那天我內心深處有個感動叫我要留下來陪他，於是我拉開椅子並決定陪在他身邊。

我那天本來沒有計畫要帶父親去洗腎，所以有很多事情要處理，但我就是知道上帝要我陪著父親。父親後來睡著了，所以我跑去買了早餐帶回診所，父親與我渡過了一個愉快的早餐時光，後來他洗完腎，我就帶他回家。

正當我要走出父母家的廚房，父親叫住了我並緊緊地擁抱我，這不是他平常會給我的擁抱。他抱緊了我，說：「約爾，你是一個父親夢想所能擁有最棒的兒子。」那真是我們之間特別的一刻，我感覺我們真的心靈相通。我覺得我已經完成了目標，就是讓父親知道我有多愛他。

那天早晨我離家時心情出奇的好，因為知道父親明白我愛

他，知道他以我爲榮，並知道我已經隨從心中對他湧流的憐憫。

　　而那是我最後一天看到我父親活在人世上。

　　那是我最後一次擁抱他，我最後一次告訴他我愛他。在那天晚上，父親心臟病發作並很突然地蒙主寵召。

　　雖然我傷痛流淚，但我隨後想到：「上帝，祢何等恩待我，我一直認爲順從心中對父親湧流的憐憫，是爲了父親的緣故，但我現在領悟到祢將那份愛放在我心中更是爲了我的緣故。今日我覺得多麼值得，因爲在我父親在世的最後一日，我能對他表達我的愛。我覺得何等滿足，深知我沒有遺憾了。沒有什麼是我要說而沒說的，沒有什麼是我要做而未做的，我有完全的平安。」

　　但如果我那天太忙呢？如果我沒有順從上帝放在我心中湧流的憐憫呢？如果我對那份愛不敏銳，沒有順從而未向父親表達它們呢？我會錯過珍貴的東西，就是一生中無法取代的時刻——父親的時刻，還有我的時刻。

> 敞開你憐憫的胸懷。

　　大多時候，當我們向人伸出觸角，當我們順從愛的感動，我們認爲這是爲了他們的緣故，是爲了他們的益處。但朋友，我直接告訴你，有時上帝將憐憫放在我們的心中，不但是爲了別人，也是爲了我們自己。

　　敞開你憐憫的胸懷，學習快速地順服上帝放在你心中的感動。要對上帝要你做的感到敏銳及順服，如此你將不會有遺憾——不是現在，而是從現在算起的幾百萬年後。

第 **28** 章
播種在先

讓你不能現在就活出最好生命的重要原因之一是自私。只要你的注意力始終專注在你想要什麼、需要什麼，你就永遠無法經歷到上帝上好的福分。若你真的希望能成功興盛，就必須學會成為一個施予者。聖經說：「人種的是什麼，收的也是什麼。」[1]在整本聖經，我們到處都可以發現這個栽與種的屬靈原則。一個農夫若希望歡慶豐收，就必須先播下好種。相同的，我們也必須在家庭、工作、事業和各種人際關係中先播下好種。

若一個農夫發覺播種實在是件累人的苦差事，於是他決定放下鋤頭，坐下來等著，看看時候到了，會不會有個好收成。我告訴你，他可能要等上一輩子！他一定要將種子埋進土裡，這是上帝立下的原則。同樣的，如果我們希望有好收成，就得先將好種埋進土裡。注意，我們種什麼，就收什麼。你若希望能收成「快樂」，就

必須先播下「快樂」的種子，亦即帶給人快樂。若你希望收成財務
上的祝福，就必須在別人的生命中先播下賙濟的種子。你若希望收
成友誼，必須先播種成為別人的朋友。播種永遠在先。

　　許多人無法成長的原因在於他們不肯撒種，他們過一個自
我中心的生活。除非他們能轉移注意力，開始將觸角伸向其他
人，否則他們的生活不會有所改善。有人會說：「約爾，我遇
到很多麻煩。我管不了什麼撒種，我只想知道要怎麼樣才能全
身而退。」這就是你全身而退的方法。如果你希望上帝解決問
題，就要去幫助別人解決問題，去埋些種子下土。

當｜遍｜地｜飢｜荒

　　在舊約時代，迦南地曾遭遇飢荒。人們缺糧無
水，有極大的需要。這時候以撒做了一件事，這
事在沒有遠見的人看來可能覺得莫名其妙。「以撒
在那地耕種，那一年有百倍的收成。耶和華賜福給
他。」[2] 在生活艱難的時候，以撒沒有坐著空等、
希望有誰來解救他。不，他高舉信心，在飢荒中起
身，播下種子。上帝使用超自然的力量，讓他收成
百倍，救拔他脫離缺乏。

　　也許你今日的處境也是遍地飢荒：可能是財務
的飢荒，也可能需要的只是有個朋友在身邊；或許
你需要的是身體上的醫治，也或者是需要家庭的和
諧。無論你的需要是什麼，有一件你現在最可以去
做的事，就是去滿足別人的需要。若你今天很落魄
消沉，不要坐在角落唉聲嘆氣，出去找個人逗他開
心，播下一些歡樂的種子。這是收成的不二法門。
播種永遠在先。

　　當你滿足別人的需要，上帝應許、也必定供應你的需要。如果你希望看見生命得著醫治和健全，就去幫助其他人恢復健康。聖經說：「當倚靠耶和華而行善，住在地上，以祂的信實為糧。」[3]你若只是說：「上帝啊，我相信祢，我知道祢必供應我一切所需。」這是不夠的，這和那個不耕種卻期待收成的農夫並無二致。聖經告訴我們，在困頓之時，有二件事是我們一定要去做的。第一，我們必須信靠上帝；第二，我們要走出去行善、走出去撒些種子。如果你需要一個財務上的奇蹟，那麼明天早上出門時，去買杯咖啡給人，或者多奉獻一些錢給教會。如果你沒有錢，做些花力氣服事人的工作，幫別人割草、除野草、刷窗戶、烤個蛋糕，或去做些事讓種子埋進土裡。

　　如果你孤單寂寞需要朋友，不要月復一月地獨自枯坐家中，哀怨自己的形單影隻。去一趟養老看護中心，找一個孤單的老人，陪他說說話，和他作朋友。走進醫院，找個人逗他開心。如果你開始播種，建立友誼，上帝會把出色的人帶進你的生命中。當你使人快樂，上帝保證讓你的生命也充滿喜樂。

　　我們必須更「撒種導向」，而非「需要導向」。在你有需要時，不要退坐著光想自己的缺乏與不足。去想想你能播些什麼種子，讓自己脫離這個需要。

播些種子

　　當我還小時，湖木教會正在興建第一棟屬於自己的大樓。我們沒有很多錢，但是就在同一條街道上，街尾有另一個說西班牙語的小教會也在蓋自己的教堂。一個星期天的早上，父親起來對所有的會眾宣布要發起一個特別的奉獻，但對象不是我們自己的大樓，而是要給那間西班牙語的小教會。那天我們收

到幾千元的奉獻，於是我們立刻開了支票送到街尾去。事實上，我們自己比他們更需要那筆錢，但是，父親深知這個栽種的屬靈原則。他知道必須先撒些種子在土裡，他知道在飢荒之時，他最能做的事之一就是播種。而我們在不久之後，就有了興建大樓的全部款項，我們蓋了那一棟大樓，而且在幾年之內又蓋了好幾棟。我們照著屬靈原則過活，在需要之時，種下一粒種子。

> 在需要之時，
> 種下一粒種子。

一段很有趣的經文這麼說：「有施散的，卻更增添；有吝惜過度的，反致窮乏。好施捨的，必得豐裕；滋潤人的，必得滋潤。」[4]父親知道，如果他能在別人的需要上慷慨付出，那麼上帝也必在他的需要上充足供應。你也可以這麼做。如果你能毫不猶豫地慷慨給人，上帝也會保證讓你的生命重新得力，即使你必須橫越曠野。

幾年前，丹尼爾失去他美麗的妻子，天人永隔讓他心痛不已。但是他隨後決定不再專注於自己的傷痛與失落上，他想出去幫助人。他剛從一家電話公司退休，也不確定自己這方面的專業能如何幫助人。他說：「我惟一能做的，是去安慰那些失去所愛的人。」他的態度是：「我曾走過那段路，我知道你正在經歷什麼。」

丹尼爾開始出現在我父親所主持的各個喪禮中，通常他並不認得那些家屬；有些時候，甚至連逝者都不認識。但是他到了那裡，去安慰人，去向人顯出上帝的愛與憐憫。經過一段時間之後，父親發現丹尼爾在安慰人方面有特別的恩賜。於是有

一天，父親邀請丹尼爾參與教會的服事。而今，丹尼爾・凱利（Daniel Kelley）是湖木教會「安慰事工」的負責同工。

丹尼爾沒有被自己的傷痛所淹沒，他沒有因此而生出一個自私的態度：誰要來救我脫離這個苦海？誰能讓我的生活更好？他以積極的態度化悲慟為力量。當他開始學著去滿足別人的需求時，上帝開始扭轉他的處境。上帝不僅帶領他走過那段傷心的日子，最近，祂更將一位美麗的姊妹帶進丹尼爾的生命中。如今丹尼爾和雪莉共組一個和樂的家庭，他們攜手播撒上帝良善的種子。

上帝也要在你身上做相同的事。如果你在仰望需要之時，能勇敢地去播種，上帝所供應你的，將遠超過你的所求、所想。我的一生都在實踐這個屬靈原則，因此每當我覺得氣餒、沮喪時，就將焦點從自己身上轉移去幫助別人。當我情緒低落時，我喜歡到醫院探訪。如果我沒有時間去到醫院，我會拿出在書桌旁的代禱事項清單，為有需要的人禱告。

前陣子，我總覺得一切都不對勁。真的，有好幾件大事發展的結果都不盡理想，以至於我每天回到家就覺得疲累又心煩。我癱坐在那張我最愛的沙發上，然後開始看電視，想著自己的煩惱。可是我愈想愈沮喪，最後，我決定在這個需要之時去播種。我回到辦公室，找出那些代禱清單。我打了一通電話給一個住院數個月的青年。我不記得從前見過他，但是我開始鼓勵他，然後感覺我的喜樂回來了，我的靈被提升了。在我講完電話之前，我已感覺自己可以凌空翻躍高牆！

朋友，在失意沮喪之時，不要退坐著自怨自艾。去種下一粒種子，甚至，你不必等到問題來了才去撒種。我們應該時時

留意祝福別人的機會,而不是走投無路了才勉力為之。我們每天都應該找機會幫助別人。如果你這麼做,聖經告訴我們,上帝將大大地傾倒福分在你身上,甚至到讓你招架不住的地步。

誠然,自私的試探是很大的。很多好人也會陷入這樣的思維當中:這對我有什麼好處?你可以怎麼幫我?你可以如何讓我的生活更好?你可以怎麼幫我解決問題?

我們的態度應該要正好相反:我今天可以去祝福誰?我可以去供應誰的需要?我可以去鼓勵誰?我可以去安慰誰?

我已經下定了決心,我決定在生活上成為施予者,我要去做一些好事。我期待有好的機會去播撒些種子。為什麼?因為我學到:只要撒種就成了!而我也想要確定自己不斷讓收成進來——以一種極大的方式進來。

去做一件特別的事

有人曾寫信給我:「約爾,我很喜歡你上星期在電視節目中戴的那條領帶!」於是,我就把領帶包好,郵寄給他。我心想:這實在是一個令人難以抗拒的大好機會!(現在,不要寫信來告訴我,你喜歡我的襯衫,或我開的車。這樣算誆哄,因你知道我的祕密了!)

你可能會說:「約爾,我不可能像你這樣,只不過是別人的幾句讚美,就把東西送給人。」沒關係,你可以做些別的,做一些別出心裁的事。你可以讓別人搭便車,可以打個電話去鼓勵人、替老人到超市買東西。你總可以做些事,今天就去!

做些不一樣的事,學習去擴展你的信心。如果你希望有特

別的豐收，就種下特別的種子。與其每晚坐在電視機前，何不利用這些時間去做些好事，或做幫助別人的事？與其上館子去吃一頓昂貴的晚餐，何不省下這些時間去撒些種子？如果你總是遵行百分之十的奉獻，何不擴展你的信心，奉獻百分之十一？多撒下些種子，看看上帝會為你成就什麼。聖經說：「你們用什麼量器量給人，也必用什麼量器量給你們。」[5]換句話說，當你給出去的是一茶匙，就會收回一茶匙；你給出去的是一鏟子，得到的也會是一鏟子；當你給出去的是一大卡車，你也會得到一大卡車的祝福傾倒在你的生命中！

聖經清楚地說道：「少種的少收，多種的多收。這話是真的。」[6]如果你不滿意現狀，那麼多撒幾把種子出去。你收成的多寡取決於播種的多少。當然，我知道很多人的收入微薄，他們所有的一切都是每個月辛苦掙來的。我心裡很想對他們說：「顧好你的錢財，你需要這些錢。」但我也知道上帝的原則是真的，我知道那些有極大需要的人必須繼續撒種。

我和維多利亞有一次在一家旅館用早餐，而有一個年輕的服務生在等著我們。當他把帳單拿來給我們時，我打開看，裡面有個字條寫著：「謝謝！」他已經付了我們的早餐。

我的第一個想法是：「天哪！他怎麼這麼好。他只是一個年輕人，他的工資一定很少，他比我們更需要這筆錢。」

不只如此，我們的早餐還包含了前一晚的住宿費。只要我們簽了那個帳單，這一切就是完全免費的。這真讓我們左右為難，因此我和維多利亞小聲地討論該怎麼做才好。她說：「約爾，你不覺得我們應該對他說，好讓他把錢拿回去？」

「對，我們可以這麼做，但是我覺得我們不應該。」我

說：「就算我們想這麼做，也不能奪走他的祝福。他藉著對我們行善來撒下使他蒙福的種子，我們不應該把他蒙福的種子從土裡挖出來，然後還給他。我們這樣是在幫倒忙。」

雖然我們知道他需要那筆錢，但我們也知道當他播下種子，上帝會加倍償還給他。我們知道上帝會給他一個更豐盛的收成，所以我們收下了他的禮物，然後小聲地為他作一個禱告，願上帝豐豐富富地賜福予他。

要知道，播種不能代替十一奉獻。事實上，通常在你給出超過十分之一時，這個屬靈原則會更加明顯。聖經說：「這十分之一是屬上帝的，是分別為聖的。」這就是說，你所得的十分之一並不屬於你。它屬於上帝，而你應該把它奉獻給教會。如果你留著，就是奪取了上帝的物。所以，如果你一粒種子都尚未播下，你可以從十一奉獻開始。

你可能想：「約爾，我負擔不起十一奉獻。」不，真相是，你負擔不起不去十一奉獻。第一，奪取上帝的物本身就是一件不智的事；第二，你需要去播些種子入土。如果你能放膽地跨出信心的步伐，開始在財務上尊榮上帝，祂就要開始以超自然的能力供應你的需要。祂會使用你所剩下來的百分之九十，讓它們變成超過原先的百分之百。聖經說，當我們十一奉獻時，祂不僅要敞開天上的窗戶，傾福予我們，祂還會斥責吞噬者。[7] 也就是說，祂會讓仇敵遠離我們的金錢，遠離你的收成，遠離你的孩子，也遠遠離開你的家庭。

> 你不能一方面奪取上帝的物，一方面又期待祂祝福你。

祂會讓你得到升遷，讓你得到生命中的種種好處。有時候，祂會讓你遠離病痛、意外，和其他會造成你無謂損失的傷害。當你開始在財務上尊榮上帝，所有的祝福會臨到你。

同時，你不能一方面奪取上帝的物，一方面又期待祂祝福你。你必須明白，上帝並不需要你的金錢、時間，或你的才能。當上帝要我們給出去的時候，並不是祂想從我們身上獲取什麼。不，是因為祂試著要我們去播種，好讓我們將來能收成。上帝遵行祂自己所建立的律法，因此如果沒有播種，就不會有收成，就是這麼簡單。如果你有信心，遵行上帝要你做的事，上帝就會照著栽與種的律尊榮你。你可能沒有很多可以給出去，但是上帝會賜福予你，只要你從現在開始。

不要等到你有更多的時候，要從現在就開始。這會讓你從上帝那裡領受更多。你現在撒下一些種子，上帝賜給你的福分會更多一些。然後你再多加一些，之後再多一些，依此類推，這就是你加增的方法。但是如果你現在都沒有辦法相信上帝，上帝如何能在你有很多的時候相信你？

聖經在這方面並沒有模模糊糊、交代不清。聖經說：「在你一切所行的事上都要認定祂，祂必指引你的路。」[8]如果你希望在財務上富足豐盛，那麼先認定上帝，把祂擺在第一位。如果你希望在事業上大展鴻圖，同樣要先認定上帝，把祂擺在第一位。當你榮耀上帝時，祂也必定尊榮你。而有趣的是，在聖經中，上帝只在一個地方提到我們可以去試試祂，就是說，你可以去試驗上帝、檢驗祂的，那就是在財務上。如果你能就現在所有的去展現信心，讓上帝看見你是可信任的，那麼上帝在你生命中的工作將是無可限量的！

第 **29** 章

撒種與灌溉

死海是地球上最奇特的水體之一，因為富含豐富礦物質，使它的海水密度極高，即使不會游泳的人也能在死海裡浮起來。一個人甚至可以坐在水面上看報紙，卻完全不會沉下去。不過這一區的觀光旅遊已經停滯許久，久到可以讓探險家來一探究竟。因為有個問題，就是當你從死海中出來時，根本不會有人要坐在你旁邊，因為死海水瀰漫著一股惡臭！

死海因為連接以色列的約旦河，所以沒有出口，所有新鮮的水一進死海，全都停滯不動。雖然閱讀死海的報導或看到死海是一種享受，但死海裡的水無法飲用，海水受到污染，發出惡臭。

這好比一個自私的人，只會索求而不會施予。上帝並沒有把我們創造成一個只會蓄水的水庫，祂把我們創造為一條會流

動的河流。當我們自私地活著，總是在接受、總是在對人要求卻從未施予時，我們就會變得停滯、污濁，我們的生命就會開始發臭。我們的態度會開始酸溜溜，會變得無趣、變得煩人與難相處，而這都是因為我們的生命中沒有出口能使東西流動出去。沒錯，上帝想要把各式各樣的美好事物傾倒在你的生命中，但如果你想活出當下最好的生活，就必須讓這些美好的事物經由你流向他人。當你這麼做時，你的供應將會源源不絕，生命也將保持新鮮。

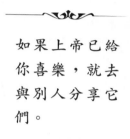

如果上帝已給你喜樂，就去與別人分享它們。

　　別再囤積上帝賜給你的好東西，要開始與人分享。分享你的時間、精力、友誼、愛心與資源。如果上帝已給了你喜樂，就去與別人分享它們。要讓他人快樂，要去激勵他人，要與他人為友。

　　如果上帝給了你賺錢的聰明才智與能力，別只為了自己積聚更多，要與別人分享資源。別讓自己停滯不前，你必須讓你的江河湧流，這才是讓生命興盛與快活之道。

　　「約爾，我現在生命中有許多問題，當我脫離這些麻煩時，我就會伸出手幫助別人。」

　　這樣你就是在退步，要先去幫助別人，上帝才會開始翻轉你的環境。要明白這個基本原則：你必須先撒種，才會有豐收。如果你想要痊癒，就要以幫助別人康復的方式來撒種；如果你想要快樂，就要幫助別人享受樂趣；如果你財務有困難，把一些錢分給需要的人，去幫助窮人，或為教會多一些奉獻；如果你想要豐收，就必須先種下一些種子！

　　當你經歷困難，你會因為壓力而只看見自己的需要，只看見生活中不對頭之處。但若你想徹底舒壓，就要把眼目從自己身上移開並去幫助別人。當我們將注意力從自己的需要轉向他人的需要時，超自然的事就會發生，上帝屬天的大能會被無私的行為啟動。當你有困難時，別專注在自己的需要上，要想想你能種下什麼種子，好讓你能擺脫這些問題。

在你有需要時撒下種子

　　在基督教會誕生之初，有些基督徒在哥林多的希臘裔城鎮中生活得非常困苦，聖經中說：「他們活在極窮與患難中。」[1]在他們困苦的時刻，他們怎麼做？他們有抱怨與不滿嗎？他們是否曾說：「上帝，為何我們的日子這麼難捱」？完全沒有。聖經記載著：「在極大患難中，他們仍有滿足的喜樂與樂捐的厚恩。」[2]要注意，他們即使在困苦中，仍種下了種子。他們知道，如果他們願意幫助別人的需要，上帝也會使他們的需要得以飽足。

　　在你困苦的時候，就要像哥林多的基督徒這樣做：第一、要滿有喜樂。第二、去撒下一些種子，幫助別人，你就會得幫助。

　　如果你失去工作，別坐在那裡自憐自艾，去作義工吧。當你在等待下一扇機會之門開啟時，去種下一些種子。如果你想要有一輛更好的車，不要抱怨你現有的車，而是要去載別人一程，種下一些種子。如果你相信你的生意會蒙福，那麼你也要幫助別人的生意興旺。做些事把種子種在土裡吧！

　　我讀到關於一位女士想要創業的報導，她想開一個活動的寵物美容院。她想：「我沒有錢作廣告宣傳，但我如果要讓這筆生意做得起來，我就必須先幫一些狗作美容，我要如何才能帶來一些潛在的客戶呢？」她決定到附近的動物收容所免費幫那些狗打理儀容，好讓牠們更容易被人領養。她這樣做了好幾個月，她的生意也開始成長，今日她的客戶已經多到令她應接不暇。她的生意是如此蒙福，以至於客戶必須在三、四個月前就開始預約！

　　如果你種下不平凡的種子，就會有不平凡的收穫。我很確定當這位女士第一次出現在動物收容所要幫這些流浪狗美容時，人們一定覺得她很詭異，或覺得她是個走火入魔的寵物迷，但她不在意。她知道她必須先在土裡種下一些種子，所以她積極展開行動，在禱告之後還加上行為。她不是僅僅禱告說：「上帝啊，讓我的新事業蒸蒸日上吧。」她必須在信心中起身，並在她需要祝福的時候種下種子，而上帝也超自然地讓她的生意欣欣向榮。

　　你也許會說：「約爾，我當然希望上帝也會為我這麼做。」

　　祂會，但問題是，你種下了什麼種子？你有給上帝作工的機會嗎？如果沒有，開始計畫並開始撒種吧！

　　聖經裡說：「慷慨地給，因為你的善行會有回報。你要將好處分給許多人，因為在未來的年日，你自己也會大大需要幫助。」[3]注意，上帝在此給我們一個原則，要讓我們的不時之需得以飽足。因此你現在要慷慨地給予，因為你未來也可能需要幫助。

　　想想看，當你施予，就是在心中儲存上帝的良善與恩惠。當你需要祝福時，就會有個大豐收，讓上帝能「採用」這些祝福來滿足你的需要。也許你今天沒有急迫的需要，那是好事。但別因此而吝嗇，你要未雨綢繆。當你有需要時，上帝就會在那裡助你脫困。施予就好比打預防針，而你正在儲存、預備上帝的良善。

　　有個人對我說：「約爾，我一直慷慨地施予，但好像一點也沒有收穫。我總是在給予，卻從來沒有領受過。」

　　「即使你現在看不出有任何跡象，別灰心喪志。」我告訴他：「別停止施予，你必須了解你正在累積上帝的良善，而上帝已經應許你的善行將會得到回饋。有一天當你真正有需要時，你就會得到幫助。」

　　我之前提過父親曾在國外機場遇到一個流浪的年輕人，父親給了他一些錢當作他回家的旅費。父親明白要儲存上帝良善的這個屬靈原則，他知道，如果他在別人的孩子有需要時幫助他們，上帝也將確保當他與他的孩子有需要時，別人也會挺身而出幫助他們。

　　幾年以前，我們駕車在印度旅行，那時已經很晚了。我們已花了好幾個小時開車要回飯店，然而我們的車拋錨了。那時我們迷了路，根本不知身在何方，雖然當時是半夜一、兩點，一群人還是聚集了過來。在我們意識到時，已經約有五十至六十人圍著我們、盯著我們看。那是一個緊張的時刻，因為美國「觀光客」在印度的那一區是很稀有的，更別說受歡迎了。更糟的是，我們不會說他們的語言，所以我們有些緊張又很擔心安危。

忽然我們看到一輛大型昂貴的汽車不知從哪兒駛過來，這種車型在那一區是相當罕見的。當我們在等待時，根本半天不見有車過來，現在這裡卻有一輛車，而且駕駛一路打量著我們並停了下來。當他知道發生了什麼事，他朝我們走過來，而我們驚訝地發現他會說英語。他用溫柔、慈善的語氣說：「別害怕，我會載你們去你們要去的地方。」

我們以前從沒見過那個人，但我們就跟著他上車。他一路帶我們開回飯店，足足開了五個小時！當我們安全抵達飯店，何等希望能報答他付出的時間與精力，但他就是不肯接受。

我不禁想到了父親幾年前在機場幫助過的年輕人。父親做了一項投資，他累積了上帝的良善，此時他正在收成，現在他的慷慨在他需要時回饋了他。

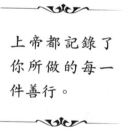

上帝都記錄了你所做的每一件善行。

上帝正在幫你做過的每一件善行作紀錄，祂正幫助你將所種下的每一粒種子作紀錄。你也許認為沒人會注意到，但上帝看到了。而在你有需要時，祂將確保有人會幫助你。你慷慨的施予會回饋到你身上，因為上帝看到了你對每一個心碎之人所給予的笑容，祂觀察到了每一次你伸出的援手，祂目睹了你所作的犧牲。即使在你自己或家人急需用錢時你卻給了別人的每一分錢，上帝都有紀錄。有人會告訴你有給沒給根本沒差，或是給了也沒用，但請別聽從那些謊言。上帝已應許：「你們要給人，就必有給你們的。」[4]在你需要的時候，因為你的慷慨，上帝會運行天地，確保你得到最好的照顧。

我有一天在想著我們教會這幾年來所種下的種子。我不是

在自吹自擂，但教會的確付出了巨額的金錢幫助破碎的人，我們觸動的人難以計數。除此之外，在這近半世紀中，湖木教會不僅已成為這個城市的燈塔，也為全球的人傳達著充滿盼望與鼓勵的好信息。

在2001年6月，休士頓地區被颶風襲擊，造成洪水肆虐城市中大部分的低窪地帶，而湖木教會成為少數倖免的地區。因此幾乎是災情一發生，救護人員就開始把教會當作臨時避難所，將人們送過來。

我們從未計畫過使用教會資產庇護數以百計的人，因此也沒有為此預備。但需求就擺在眼前而且人們不斷地湧入，教會同工就開始迅速地安置被急速上升的洪水驅離家園的群眾。

有家電視台在我們的停車場作了現場報導，而在訪問之中，記者問了湖木教會的同工需要什麼。同工回答：「食物、衣服、毯子與救援物資。」

幾個小時後，各種救援物資從我們自己的會友、各地與全國的基督徒湧入教會，因此我們得以提供食物、居所、衣物並照顧社區裡數以千計臨時來避難的人。我永遠也忘不了汽車與卡車載滿補給品、食物、毯子與各種救援物資，排隊來教會分發給無家可歸的人們。我們最後必須請求人們停止再送補給品過來，因為我們已經沒地方放啦！救援物資堆得滿天高，而好幾個禮拜之中，我們教會的主要工作就是服事社區裡的洪水受災戶，後來我們並得以幫助許多人重建家園，讓他們的生活重新上軌道。

我們教會的精神一直就是施比受更有福，所以上帝在我們有需要時來幫助我們，這豈是奇怪的呢？我們所有的付出、所

有的慷慨、所有在這幾年曾撒下的種子都已預備好了。當我們最需要幫助的時候，上帝就會從我們的豐收中去取材，滿足我們的需要。

當上帝查看你的種子，有沒有東西會在那裡呢？你有沒有種下慈愛的種子？你將上帝擺在你財務的第一順位嗎？你是為了給予而活，還是為了需求而活？

有個無神論者曾經對我說：「約爾，聽起來你好像是說，如果不去施予、如果我沒做過善事，上帝就不會滿足我的需要。」

「不，你必須了解，上帝的愛是無條件的，祂的恩典是白白給人的，」我回答：「上帝賜給我們許多我們不配得的、也不可能賺取的事物，即便是我們有好行為也一樣。但我要表達的是，我們的付出、我們的善行，都會特別蒙上帝留意。」

上帝看見你的付出

在聖經裡，有個羅馬軍營的百夫長，叫做哥尼流。「他是個好人，常常禱告上帝並多多賙濟百姓。」[5]有一個聖經版本叫The Living Bible，其中解釋說：「他是個慷慨的施予者。」哥尼流與家人是聖經所記載、第一個聽到福音並在耶穌復活後領受救恩的外邦人。

為何哥尼流被揀選？為何上帝賦予他如此殊榮？聖經告訴我們，哥尼流在異象中看到天使對他說：「你的禱告和你的賙濟達到上帝面前。」[6]The Living Bible 解作：「你的禱告與你的善行沒有被上帝忽略！」朋友，別讓任何人說服你：「給

不給並不會有所不同。」哥尼流會被揀選就是因為他的奉獻精神。

同樣地，當我們付出，就會引起上帝的注意。我不是說我們可以買到神蹟，也不是說我們要付代價讓上帝滿足我們的需要。我是說：上帝看到了你的付出，祂看到了你的善行。每一次你幫助人，上帝都看見。就像哥尼流，當你付出，你就蒙上帝悅納，祂將連搖帶按地將福分賞賜在你的生命中。

當你有需要時，在禱告之後要再加上行動。如果你相信自己將得到工作上的升遷，別只是禱告說：「上帝，我倚靠祢。上帝，我知道祢必然成就這事。」要種下一些種子、要比禱告再多做一些。何不像哥尼流一樣並挺身而出賙濟窮人，或撒種做些好事？上帝必會記念你的付出。

也許今天你相信你的婚姻會修補好，或其他人際關係會得到改善；也許你希望買間新屋或擺脫債務，那麼你要種下與你特定需求相關的特定種子。我們無法購買上帝的良善，但就像哥尼流，我們可以經由施予來行出我們的信心。

每一次當上帝將一個更大的夢想放在我與維多利亞的心中、每一次當祂擴張我們的視野，一旦我們禱告後，我們就在信心裡種下一粒種子。我們也許只是以奉獻一些時間來進行某個專案的方式撒種，也許我們可以做一次特別的金錢奉獻，或也許我們會以某種特殊的方式來祝福某個人，但我們就是會去做些事情，讓信心來支撐我們的禱告。

當我與維多利亞決定要賣掉舊房子並買一幢新屋時，我們已經結婚好些年了。我們請仲介公司銷售房子已有大約六到八個月，但我們從未認真出價。即使我們定時禱告祈求上帝幫助

我們賣掉它，但幾乎沒有人來看房子。當時我們正在付雙倍的房屋貸款，以便盡快還清本金。我們決定將一部分貸款做為必要支出，而另一半的金額則做為一個金錢的種子，相信如此能得到上帝的恩惠。我們以信心如此行了好幾個月，相信這幢房子會售出。在四個月後，我們接到房屋仲介人員的來電，她說：「我有好消息！我為你的房子訂了約。」

「太棒了，」我說：「賣了多少錢？」

她說：「讓我到你的們的住處與你談一談。」

我的心沉了下來，通常當房屋仲介人員想要與賣方討論一個已被接受的出價，這表示這個出價一定很低。但她到了我們家，我們真是又驚又喜地知道，這份合約完全達到了我們所要的價錢。我們以為必須要減價好幾千美元出售，但我相信，因為我們種下了信心的種子，上帝不僅為我們帶來了買方，祂所做的更是超出我們的所求、所想，祂給我們的，比我們所希望的還多！

這就是我們上帝的行事風格。

聖經上說：「當我們施予，上帝能將各樣的恩惠多多地加給我們，不僅使我們凡事常常充足，還能行各樣的善事，並能樂意施予他人。」[7] 上帝已經應許我們，當我們施予，祂將回饋我們，而且更多。也許你也處在一個與我和維多利亞相似的情況之中，你禱告、相信且盼望事情會改變，然而直到如今還沒有任何事發生。也許你需要種下特別的種子；種下你的

做一些超乎平常的事，做為你信心的表示。

時間，種下一個特別的奉獻，做一些超乎平常的事，以作爲你信心的表示。如果你如此行，你的付出將像哥尼流所付出的，在上帝的面前被記念，祂將開始以新的方式在你的生命中傾倒恩惠。

　　朋友，如果你想活出當下最好的生活，別囤積上帝給你的東西；而是要學習在信心中種下它們。記住，當你施予時，你就在爲上帝鋪路，讓祂能滿足你現在及未來的需要。當你對別人慷慨，上帝也必將對你慷慨。

【第七部】

選擇快樂

第 30 章

快樂是一個選擇

當你一路看完了前六個在當下活出最好生活的步驟，你可能會覺得，你最好的生活還是遙不可及。事實上，沒有任何事比真理更遙遠。你最好的生活就在今天！上帝希望你現在就享受人生。**讓你享受最好人生的第七個步驟，就是選擇快樂地度過今天！**你不必等到家庭或事業都完美了，或是所有的問題都解決了才能快樂。你不需要等到減肥成功、戒除了壞習慣，或者目標達成了才能快樂。不，上帝希望你現在、此時此刻就得享快樂。

快樂是一個選擇。當你每天早上起床，你可以選擇快樂，然後享受接下來的一天。或者，你也可以選擇不快樂，然後整天鬱鬱寡歡。決定權在你。如果你決定讓環境來左右自己快樂與否，就有可能錯失上帝所賜的豐富生活。

你可能正走在人生的低谷，或者前面有著極大的攔阻，你

有最好的理由讓自己快樂不起來。但是，一直不快樂並不會讓情況好轉；負面消極或者尖酸刻薄也不會對事情有所幫助。你其實可以選擇快樂，然後享受人生！當你這麼做的同時，你不但心情會好轉，你的信心也會讓上帝顯明出來並且工作在你的生命中。上帝知道我們的生活有難處、有掙扎、有挑戰，祂從未希望我們今天志得意滿地活在九霄雲外，可是明天一遭遇挫折就立刻跌落萬丈深淵，祂希望我們能安穩度日，希望我們享受生命中的每一天。

因此，你要停止為將來發愁，停止去擔憂事情的結果。一天的難處一天擔；不僅如此，要好好地善用每一天。訂計畫、設目標、規劃預算、安排進度，這些都很好，但如果你只是活在未來，就永遠無法享受此刻上帝希望你得著的。

如果我們太過專注於未來，我們通常會感到挫折，因為不知道將來會發生什麼事。自然而然地，不確定感會加增我們的壓力，進而讓我們沒有安全感。我們必須知道，上帝給我們今天足夠的恩典，祂並沒有預先賜下明天的恩典。當明天來到時，我們自然會有力量去過好明天的生活。上帝給我們今日的一切需用，但是如果我們現在就一直擔憂著明天，就會被挫折和失望所捆綁。

> 快樂是一個決定，而非你感覺到的情緒反應。

你必須去學習一次過好一天。以你的意志力去做抉擇，現在就享受你的生命。人生苦短，豈可不去享受每一天！學習去欣賞家人、朋友、健康、工作，並欣賞你生命中的每一件事。快樂是一個決定，而非你感覺到

的情緒反應。當然，人生難免會有不好的事情發生，或者事情遠不如預期。但是，愈是像這些時候，我們愈需要不去理會身邊的環境而決定快樂。

許多人長期活在不安中。他們總是不高興，常常感到氣餒、永遠都在面對挑戰以至於快樂不起來：晚上睡不著覺、太過憂慮、不喜歡共事的人、容易為芝麻綠豆的瑣事大發雷霆，一旦塞車或者有人擋路，他們就會勃然大怒，破口大罵。

過一個平靜安穩的生活是一件相當重要的事。如果我們希望能平安度日，就必須讓自己保持彈性，讓事情有轉圜的空間。當困擾我們的事發生時，我們要堅決地說：「不，我不會讓這件事奪走我的平安；我不要讓情緒失控；我不會讓自己生氣發飆。我要選擇快樂。」

都是一些小事

通常，搞得我們心煩意亂的都不是大事，而是一些小事讓我們暴跳如雷。但是，如果我們沒有學會去好好處理這些小事，它們就會演變成為大事。假設你工作了一整天回到家，正當你準備把車停進車庫時，你看見一堆小孩的玩具就散在車庫坡道上。你只好停車，走下來，把玩具移開。你又累又熱，汗流浹背地搬開所有的東西。通常，這會是你最容易生氣或者心煩的時刻。然而你要意識到這是怎麼一回事，是仇敵刻意要偷走你的平安，藉著這些很小的瑣事搞砸你和家人共處的美好夜晚。你要做個決定，不讓事情愈演愈烈；不要讓自己怒從中來。

「約爾，我做不到。我是一個神經繃得很緊的人，」你可能會說：「我很容易就會發飆。」不是這樣的。只要你想做，就能做到。上帝說，祂不會讓我們遇見過於我們所能受的試探。如果你的意念夠堅強，無論你的生命中發生什麼事，你都能保持沉著和鎮定。

上帝將平安放在我們每個人裡面，就看我們自己用不用它，特別是在承受生命中的壓力時刻，我們更需要支取從天而來的屬靈平安。怎麼做呢？就是要選擇保持正確的態度。你必須選擇保持快樂。

有一天，維多利亞開車到洗車中心去幫我洗車。我的車是父親從前開的舊車，是95年的Lexus。雖然車子已經老舊了，但是因為保養得很好，所以看起來依然完好無瑕。

維多利亞將車開進我們常去的那個洗車艙中，通常洗車艙裡的軟刷毛只會輕輕地刷過，有時候甚至碰也沒碰到車子。不幸的是，不知道機器出了什麼問題，當車子從洗車艙出來時，不僅沒洗掉車上的灰塵，一道明顯的刮痕從前面的保險桿劃過敞篷再越過車頂，一路刮到後面的擋風玻璃。

當維多利亞把車開回來時，她站在車庫仔細端詳這道刮痕。（我想她可能一邊禱告著奇蹟出現！）這時，我的兒子強納生跑出來，當他看見車子後，立刻轉身衝到我的辦公室大肆宣傳。

那是一個星期六的下午，我正在禱告，準備週末的三篇講台信息。我正在醞釀一個平靜、恬然又安穩的工作氣氛，但是，強納生這時衝了進來：「爸爸！爸爸！」他用力地叫著：「你快來看，媽媽把你的車毀了！」

　　「強納生，謝謝你這麼會傳話！」我說：「你下次直接把我一棒打昏比較快！」

　　當然我是在開玩笑的。但是，我當時確實做了一個決定：我要讓這個意外偷走我的平安喜樂嗎？我要讓這個突發事件毀了整個週末嗎？或者，我要控制住脾氣，不讓自己生氣或暴怒？我要不要保持鎮定，知道一切仍在上帝的掌管之中？

　　我走到車庫，當我看到車子的時候，坦白說，那真的是一道可怕的刮痕。但我就是決定不動怒；我要保持快樂。我手指順著刮痕從敞篷一直摸到行李箱，我決定看事情的光明面，我對維多利亞說：「嗯，現在全休士頓就只有我的Lexus有賽車條紋。」

　　當不好的事情發生時，無論我們如何叫囂咆哮，也不會讓事情有所改變；無論我們花了多少力氣嘀咕抱怨，也不能讓事情看起來更好。我知道無論我多麼難過，或者飛刀伺候所有洗車中心的人，那道刮痕也不會就頓然消失在空中。我決定還是保持原先的平靜安穩，保持原先喜樂的心情。

　　聖經說我們原來是一片雲霧，出現少時就不見了。[1]生命飛逝而過，所以，我們不要浪費一分、一秒的寶貴時間在生氣、不高興或者擔心害怕中。詩人說：「這是耶和華所定的日子，我們在其中要高興歡喜！」[2]注意，詩人沒有說：「明天，我就會歡喜快樂。」他也沒有說：「下星期，當事情都解決時，我就會喜樂平安。」沒有，他說的是：「就是這個日子。」就是今天，上帝希望我們歡喜快樂。

　　「我就是在等著上帝來翻轉我的情況。」我聽過有人這麼說。這種講法聽起來不錯，但是，真相是，是上帝在等你。如

果你改變態度，開始去欣賞、享受你現在所有的，上帝就會顯明出來，然後在你的生命中工作。如果你一直在等著某件事發生，好讓你的心情轉憂為喜，那麼你可能終其一生都在等待中度過，你的生命永遠都會有那麼一點兒不對勁的地方。所以，你永遠會有理由開心不起來。

　　我聽過有朋友這樣說：「只要我結了婚，我就會開心過日子了。」但是朋友，如果你在婚前就不快樂，你在婚後也絕對快樂不起來。有些女士曾對我說：「約爾，如果你幫我禱告找到一個男人，我知道我就會快樂了。」她們在幾個月後回來找我：「約爾，如果你幫我禱告脫離這個男人，我知道我就會快樂了。」

　　婚姻的伴侶不是真正的問題。沒有任何人可以真的令你感到開心，你必須學會如何快樂自處。

　　誠然，你或許有很大的問題要解決；你生命中的許多事可能並非盡善、盡美；也許你希望自己更英俊或更美麗，更有才華或才幹；你可能希望自己出生在一個更富裕的家庭中。但是，你不能讓這些膚淺表面的事奪走你的喜樂。你必須說：「上帝，我知道祢帶著一個美好的旨意創造我。這是祢的計畫，而祢已充足預備一切我所需要的。我不去抱怨，更不悲觀消極。我不要這一生都在幻想自己是別人，希望事情會有不同的面貌。天父上帝，我要欣然接受祢所賜給我的，我要善加利用。我要愉快地接受自己，成為祢創造我的樣式。我要好好享受我的人生，縱然我仍有些短處。」

　　不要將上帝所給你的一切視為理所當然，要帶著一顆感恩的心領受。試著去欣賞每個人的長處、每件事的光明面，並

學習在所處的位置上歡喜快樂。關鍵在此：在你所生長的土地裡，綻放美麗風采。也許你並不滿意現時的生命光景：你的婚姻不完美；你的工作不理想；你的生活並非如你所預期。然而，你必須做個決定，要好好善用目前的處境。無論環境如何，都要學習快樂地生活在其中。

在你所生長的土地，綻放美麗風采

我曾走進一座樹林，來到一處長滿野草的荒地。我左右望去，遍地盡是焦黃、暗沉，又乾枯的雜草。但是當我繼續往下走，我看見了一朵花挺立在野草堆中綻放美麗。花的顏色多彩而鮮豔，隨風吹撫而搖曳生姿，在這片焦黃乾枯的雜草堆中顯得格外生氣盎然。我心想著，這正是上帝希望我們去做的：在所生長的土地裡，綻放美麗風采。

你可能也是在一片雜草堆中生活或工作著，但是不要讓他們影響你綻放美麗。有人窮盡一生試圖去拔除所有的野草，然而在此同時，他們已然錯過生命中許多的美好時光。不要去憂慮那些你無法改變的事：你不能改變每天早上的塞車尖峰時間；你不能糾正每個人的工作習慣；你無法使家中的每位成員都服事上帝。但是，你不要讓這些事影響你不去保持愉悅。儘管綻放你的美麗風采，專注在你可以改變的事上。你可以改變你的態度，可選擇現在就歡喜快樂。

> 不要去憂慮那些你無法改變的事。

保持良好的態度，在你所處的位置上盡情綻放美麗。如果你決定持守信心並且常保喜樂，上帝同時間就會開始改變你的環境。祂會帶領你脫離雜草堆，而進到一個更好的地方。但是如果你拒絕開花結果，你的成長就會停滯不前。上帝將我們放置在特定的環境中，好讓我們能多結果子。我們處在什麼環境並不是重點，重點在於：我們是否結出好果？我們是否為主發光？我們是否活出好見證？主的喜樂是否從我們的生命中流露出來？如果你在所處的位置，不斷地發光、發熱、結實纍纍，就可以在主裡確信上帝的時候即將來到。祂會移植你，會將你移入好土裡，以便你結出更多佳美果實。但是如果你始終不滿意所處的環境，就永遠無法進入你所希望的美地。

為今日感恩

有些人相信，人生只是一連串待解決的問題。他們愈快解決問題，就愈早得享快樂。但，事實上是，當你成功地解決了這個問題，馬上又會有下一個問題等你去面對。然後，等你也克服了這道難關，又會有下一個難題出現，總會有另一座山需要攀越。這就是為什麼享受過程比抵達終點還要重要。在這世上，我們永遠不會到達一個地方，在那裡一切都盡善、盡美、無須面對任何挑戰。儘管設立目標然後努力達成是一件令人欽佩的事，但是你不能為達目的而誤將你現今所能享受的一切美好都犧牲掉。

我聽過一些父母這麼說：「只要我的孩子能趕快脫離尿布，我就輕鬆愉快了。」幾年過後，他們說：「只要他們趕快

去上學，我就有很多自由的時間了，到時我就快樂了。」又過了幾年則說：「等到孩子都畢業了，我的負擔就減輕了，到時我就可以好好享受人生。」而人生在這當中已悄悄流逝了。「只要等我得到這次升遷；只要等到我簽下這份合約；只要等到我退休……。」不，你需要學會現在就享受你的人生，每一天、每一個人生片段。

成就大事並不會讓你永保快樂。你會快樂一陣子，但是之後又會消退。就好像上癮一般，過一陣子你又會需要另一件大事來刺激你。也或許你已習慣讓自己去等待一切都風平浪靜、晴空萬里，你才允許自己安然享受人生，以至於你在等待所有的事情都圓滿解決；你在等著配偶變得靈命更成熟；你在等著小孩變乖、等著事業成長，或等著付清房貸。

為什麼不能當下就快樂？切莫等到多年之後行將就木才赫然驚覺，一切為時已晚，那些你以為能帶來快樂的成就，並未如期帶來永恆的喜樂。為今日感恩，享受你的人生之旅。

現在就是你的黃金歲月。二十年後，當你回頭看時，希望你能笑著說道：「那真是我生命中一段美好的時光。」

你可能會說：「但是我真的有很多問題要解決，我怎麼去享受人生？」你必須知道，每個人都有很多問題要解決；你並不是惟一的一個。我們每個人的一生中，都會有無法理解的事情發生。

縱然你覺得自己的問題極大、極難、極其悲慘，有人（而且是很多人）的問題比你更加嚴重。你的生命和其他人的生命比起來，如同睡臥玫瑰花床般舒適。你今天也許遭遇挫折，但是有人願意擺上所有來交換你的人生，有人願意擺上所有來交

換你的健康，或者你的成功。我們要感恩能擁有這許許多多，
應該停止去強調哪裡不對勁，而開始去想想什麼是上帝眼中看
爲對的事。

　　新約裡有一半的章節是使徒保羅在獄中完成的，通常是在
一個狹小的土牢中，面積不會大過我們現在的一間浴室。一些
歷史學家和聖經評論家相信，當時保羅被囚的牢房正是排水溝
經過的地方。正當保羅埋首寫作新約書信的同時，身旁糞池的
水位可能高達腰際。然而，保羅依舊寫出這許多動人的信心宣
告：「我靠著那加給我力量的，凡事都能做。」[3]還有：「感
謝常常叫我們得勝的上帝。」以及：「你們要靠主常常喜樂。
我再說，你們要喜樂。」[4]注意，我們在任何時候都要喜樂。
縱然在失意困頓之時，在事情不如預期之時，也不要輕易落入
自怨自艾中，抱怨生命沒有公平對待你。反之，要下定決心在
主裡喜樂。選擇快樂！選擇充滿喜樂！

　　當你在難處中仍舊歡喜快樂時，就是對仇敵飽以老拳，因
仇敵對那些在惡劣環境中依然感謝讚美上帝的人毫無招架能
力。我們的態度應該是：「我不在乎生命中有什麼攔阻，我要
靠主常喜樂。我已經下定決心要快樂度此生，我要享受豐富的
人生。」

　　我們要知道，仇敵並非真的在伺機摧毀你的夢想，或你的
健康、你的經濟。牠的首要目標也不在於你的家庭，牠在窺
視著你的喜樂。聖經說：「靠耶和華而得的喜樂是你們的力
量。」[5]牠知道，當牠用計讓你陷入沮喪時，你就失去了主要
的力量——身體的、情感的，或者靈裡的力量——來抵擋牠的
攻擊。你會變得軟弱而不堪一擊。

為了你的健康，微笑吧

　　有科學證據顯示，如果你的心情一直很低落下沉，總是備感壓力，常常擔心，充滿懼怕，那麼你的免疫力會降低，接著疾病就容易入侵。科學家已經發現，我們每個人的身體每週都會產生癌細胞。但是在上帝所賜的免疫系統中，有一種細胞叫做「自然殺手細胞」。這種細胞能夠吞噬和摧毀不正常細胞的增生。研究顯示，害怕、擔憂、壓力和其他負面的情緒會減弱這些自然殺手細胞的能力。換句話說，如果你常常處在巨大壓力之下，你的免疫系統就會耗弱，而你也變得容易感染或得病。

　　另一方面，那些沒事就大笑、常常喜樂、積極正面的人，他們的自然殺手細胞比一般人還多。想想看，當你常常充滿喜樂時，你的免疫功能就達到顛峰狀態，達到上帝所預期的效果。聖經說：「喜樂的心乃是良藥。」有另一個翻譯是：「愉悅的心深具療效。」現代科學一再驗證聖經的真實性。

> 一件最健康的事，就是學習常常微笑。

　　有一件最健康的事情是你可以去做的，那就是學習常常微笑。當我們笑的時候，就傳達出一個訊息聯絡全身，會讓你整個人舒服暢快。研究指出，當我們微笑時，一種特別的化學成分會釋放出來，讓我們放鬆，保持健康。無論你有沒有理由開口笑，就只要下定決心保持微笑。

　　有一天我站在湖木教會的大廳，有一個小男孩跑上前來，

臉上帶著認真而困惑的表情。他上下打量我，然後說道：「我想問你一件事。」

「好啊，」我回答：「你想知道什麼？」

男孩不假思索地立刻說道：「我想知道你為什麼一直笑？」他的表情嚴肅而認真，讓我幾乎覺得一直微笑是一件滔天大錯。

然而，我回答道：「嗯，我微笑是因為我是一個快樂的人啊！你常不常開口笑呢？」

那小男孩想了想，說道：「只有在吃冰淇淋的時候。」很多大人也和這個小孩一樣，他們只有在生命香醇而甜膩時才微笑。然而如果他們願意敞開心扉，上帝也許就會讓他們的生命出現奇蹟。

學習去笑，莫再如此焦躁不安。一個輕鬆的態度不僅能讓你延年益壽，也讓你的生命更加豐富多彩。

光是這個原因就足以讓你停止抱怨，開始喜樂。你愈是為所擁有的感謝上帝，上帝就愈加地賜下你所沒有的給你。保羅說：「我無論在什麼景況，都可以知足，這是我已經學會了。」[6] 擴大本聖經寫道：「不管處在什麼樣的光景，我都已學到知足（在我不受攪擾或沒有憂慮之處知足）。」[7] 注意，保羅已經學會知足，就像他學會常常喜樂一樣。這不會自然發生，保羅必須下定決心讓自己能夠知足常樂。

滿意現在的你

注意，知足常樂不意味你就是退坐著，認命地接受生命中

遭遇到的所有問題和麻煩；這不代表你就人云亦云，沒有目標、缺乏動力地隨波逐流。知足常樂也不是說就失去熱忱來讓事情變得更好。不，知足常樂只是在說明你對上帝有足夠的信心，所以當事情未如所期時，你不致失望跌倒，不會讓環境偷走你的喜樂；無論有什麼困難橫阻在前，你選擇保持愉悅，決定不讓小事擊倒你。

如果你常常不開心，或許你是真的出狀況了；如果你每天早上起床都很倦勤：不想上班、不想開車、不想看見老闆，一整天都倦怠得不想去做該做的事情，甚至不想回家。這時候，不是你的態度需要改變，就是你需要換個工作！

在另一方面，大部分的情況是，上帝不會改變你的環境，除非你先有所改變。如果你不能在所處的位置上知足常樂，就永遠無法進到你想去的地方。你今天可能沒有足夠的錢，你的經濟可能很拮据，但是只要你不斷在抱怨，不斷在發牢騷，訴說著生命對你何等的不公平、什麼事拖著你使你無法舉步向前，那麼你心懷不平的態度會使你一直停留在原來的地方，動彈不得。

也許你還沒有成為你所希望的自己，你還沒擁有你所渴望的事物。但是你要學會滿足，不論環境如何，你都必須相信上帝正在你的生命中工作，你要相信自己正在成長，事情正往前推進。聖經說上帝的改變是一點、一點進行的。不要心生不滿；要知道一切在上帝的掌控之中。

聖經說：「義人的腳步被耶和華立定。」[8]如果上帝立定你的腳步，你現在所處的位置就是上帝希望你站立的地方。

「喔，約爾，這不會是真的。」你可能會說：「我有太多

的麻煩；這裡太不舒服了；這不會是上帝對我的計畫吧。」

你或許不明白，但上帝把你放在那裡一定有他的原因。祂可能正在完成你生命中的一項工作，祂也許要你從中去學功課，推你往前，延展你在困境中的抗壓性。或者，上帝將你放在那裡，為要去幫助某個人的生命，上帝要使用你去影響別人。無論如何，你都可以選擇喜樂、相信上帝立定你的腳步，因為上帝把你放在那裡一定有祂的理由。

很有意思不是嗎？每當我們到達「山之巔」，遠遠脫離低谷裡的橫生蔓草時，我們相信這就是上帝的帶領。但是我們必須知道，上帝要我們走的路不一定和我們所計畫的一樣。你可能處在一個充滿壓力的地方；你的配偶和孩子或許很難相處；也可能因為公司的政策，你被不公平地對待；或者，你必須兼兩份差事才能勉強維持開銷。你可能想：「這樣好像不對吧，上帝。我實在不明白這是怎麼一回事。」

聖經上說：「既然主在帶領我們的腳步，為何還要試著去明白路上發生的每一件事呢？」[9]朋友，你絕對無法完全了解發生在你生命中的每一件事，或者為什麼會一路上困難重重。你就是要學會信靠上帝，如此而已。你必須學習保持堅定的信念，相信上帝掌控一切。

有兩位大學籃球員，他們的年齡都是廿七歲，一個身高6呎7吋，一個6呎5吋。在1990年左右，他們準備前往肯亞參加一個短宣隊，這是他們第一次參與海外宣教，對此十分興奮而期待。他們禱告了數個月之久，求上帝使用他們的生命並讓這趟旅程一切順利。

當飛機要降落在倫敦時，因為濃霧以致飛機不得不在倫敦

的希斯羅機場上空盤旋，直等到濃霧散去。可是這麼一折騰下來就是幾個小時過去了，當他們下飛機時，已經錯過了飛往肯亞的班機。他們十分沮喪而疲累，因為下一個班機在八到十個小時之後才會起飛。他們有點抱怨地說道：「上帝啊，我們不明白這是怎麼一回事。我們花了這麼長的時間禱告，全教會也為我們提名禱告，可是我們怎麼出師不利？」

終於到了下一個班機起飛的時刻，因為經濟艙沒有多餘的位置，於是航空公司將這兩位高個子大漢直接升等到頭等艙去。現在他們可高興了，因為有比較大的空間可以伸展雙腿。可是就在航行途中，飛機忽然開始急速向下俯衝，一時之間，尖叫聲四起，空服員忙著安撫乘客的驚慌失措，兩個年輕人也心想著這次必死無疑了。

這兩位坐在前頭的青年這時力持鎮定地作了一個智慧的禱告：「上帝啊，我們很不幸地錯過了上一班飛機，現在，我們身在這架快要墜毀的飛機上。雖然我們實在不明白這是怎麼一回事，但是我們仍舊請祢使用我們的生命。」

就在此時，他們聽到機長座艙有打鬥的聲音傳來。他們彼此對望然後說：「反正我們也一無所顧了，去看看怎麼一回事！」於是空服員打開機艙門，一個身高超過7呎的恐怖份子正在攻擊機長和副機師，準備劫機。身材分別為5呎4與5呎7的兩位機師，他們正試著制服這名瘋狂的彪漢，但都不是他的對手。

這兩位籃球員見狀立刻上前制服這名劫機客，他們把他按倒在地，拖出機長座艙。整個過程中，飛機從30000呎的高空直落至低於4000呎的高度，若兩位機師未能即時拉回，整架飛

機在幾秒內就會墜毀。機上的乘客恐怕會全部罹難，甚至殃及地面上無辜的人。

　　有時候上帝將你放在一個不舒服的位置，爲的是要讓你能去幫助別人。上帝刻意讓兩個青年的班機誤點，還將這兩個人安排到頭等艙，好解救全機的乘客。上帝知道自己在做什麼，祂可以鳥瞰全圖，並且祂看到了未來。祂今天將你放在這個特別的位置，並非偶然，完全都在祂的計畫之中。停止質疑祂，全心相信祂，只要知道上帝掌權。祂知道什麼對你最好，一切祂都放在心上。祂立定你的腳步。

停止質疑上帝，全心相信祂。

　　你的責任是去選擇快樂，無論你現在的光景如何。也許你身邊的同事總是找你碴，你可能在想：「上帝啊，我不應該忍受這一切。我不了解，爲什麼祢不讓這個人從我的生命中消失？」但你有沒有想過，上帝將你放在那個位置，爲要透過你在這個人的身上工作？也許你就是這個人極爲需要的對象，上帝也許要透過你給這個人正面的影響，說一些鼓勵的話語，因著你的發光、發熱，讓他（或她）改變，生命不再一樣。

　　選擇快樂，選擇保持正確的態度。請記住，快樂是你所做的一個選擇，即使在你不了解的時候，仍要相信上帝正在你身上工作，或是透過你工作。下定決心，從今天起，你要在所生長的土地中，綻放美麗的風采，並且享受生命中的每一天。

第 **31** 章

成為卓越與正直的人

對許多人而言，保持平庸是最好的，他們希望得過且過，能少做一些就少做一些。但上帝並未把我們造得庸庸碌碌，祂不要我們得過且過，或隨波逐流。上帝呼召我們出奇制勝，在眾人之中脫穎而出，成為卓越與正直的人。的確，要真正活得快樂，就要過著卓越與正直的生活，任何妥協都會玷汙我們偉大的勝利與遠大的目標。

所謂成為卓越與傑出的人是什麼意思？

一個正直與傑出的人會比該做的更多做一些。即使困難重重，但他始終說話算話。傑出的人在工作上準時就位，他們實實在在地做滿工作時數，不遲到早退或裝病休假。當你有追求卓越的精神，那會表現在你的工作品質上，以及你的工作態度上。

上帝並不祝福平庸，祂祝福卓越。聖經上說：「無論做什

麼，都要從心裡做，不是給人做的，像是給主做的，知道從主那裡必得著賞賜。」[1]注意，無論我們做什麼，都應該全力以赴並為上帝而做。如果我們心懷這樣的準則行事，上帝應許要獎賞我們。

　　如果你想活出當下最好的生活，就要開始在生命中追求卓越與正直，比你應當要做的再多盡些力。如果你的上班時間是八點，就該早十分鐘到，晚十分鐘離開，多盡一點心。許多人晚十五分鐘才到公司，然後在公司閒晃、喝杯咖啡，半個鐘頭後才會到座位上開始辦公。他們花了半天時間講電話、玩遊戲，在網路上轉寄笑話，然後卻老是想著：「上帝，祢為何不祝福我？為何我就是升不了官？」

> 上帝不祝福平庸，祂祝福卓越。

　　上帝並不祝福平庸，上帝祝福傑出與正直。

　　「但約爾，每個人都是這樣，我公司的人每個上班都遲到，老闆不在時每個人都在打混上網，每個人午餐時間都拖長。」

　　也許是這樣沒錯，但你和別人不一樣！你被呼召去活出卓越的人生，所代表的是全能的上帝。你如何生活、如何經營你的生意與工作、無論你準不準時，全都在反映著我們的上帝。

　　即使是件瑣事，開始在生命中各領域作出更卓越的抉擇吧。舉例來說，你也許開了一輛一個半月沒洗過的車，你的後車廂與後座堆滿了一堆垃圾（從你的體育用具到辦公室文具），堆得門都已經快關不上了！我不是在影射或責備誰（我

也有孩子），有時候，我們的車簡直就像暴風雨浩劫過後。但我不喜歡車子像那樣，因為那不僅破壞上帝的形象，還讓我覺得很邋遢、沒紀律、亂糟糟，而且不是最好的選擇。許多時候，在我出門前，我會花幾分鐘把車清理乾淨，不僅因為我要讓朋友留下良好印象，也因為開著乾淨轎車的感覺確實比較好，你需要對上帝賜予你的東西引以為傲。

你也許會說：「唉喲，約爾，我開的只是輛老爺車，清理這些是沒用的啦！」

不，如果你開始照顧上帝賜給你的東西，祂才可能給你更好的東西。同樣地，也許你不是住在一幢全新的豪宅中，也許你住的是又舊又小的房子，但你至少能讓它看起來整潔一點，確保它配得上一個卓越的人。

有一次，我駕車到休士頓的一個區域，我注意到許多人都不清理他們的房子。他們後院的草坪沒有割，雜草長得太長，東西堆得到處都是。不管是房子裡還是前院，只要有空間就被堆滿東西，整個社區看起來亂七八糟。當我繼續前進時，我經過這些房子中很不一樣的一間。院子的草除得乾乾淨淨，每一樣東西都整齊排列，房子看起來相當漂亮。當我到教會之後，我講到那間房屋，有人就說：「那間房子的屋主是我們教會裡面最愛主的弟兄之一。」

我一點也不訝異，因為上帝的子民是傑出卓越的，住在那間房屋的人大可說：「在這一區根本沒有人會打理房子，我們何苦打掃呢？」但他們選擇作為卓越的人，這使他們在人群中脫穎而出。

今天你也許處在一個情況中，你身邊的每個人都因襲於平

庸或是選簡單的來做。別讓那些影響了你，要做一個懷抱卓越精神的人，要做脫穎而出的人。

　　要妥善照顧上帝賜給你的每樣東西。我的父母住在我祖父於1930年代建造的小木屋中，那個小屋面積不超過一千呎。但每一次我去那邊，那間屋子總是一塵不染，後院總是乾乾淨淨，灌木叢也修剪得整整齊齊。祖父把房屋外面漆上油漆，祖母把屋內整理得井然有序。我祖父母沒什麼錢，但沒有關係。他們是卓越的人，他們知道自己代表上帝，希望能反映出上帝正面積極的形象。

　　我們也該這樣，你是依照全能上帝的形像所造。你如何表現你個人的外貌，不僅反映出你對自己的評價如何，更直接反映出上帝。當你裝扮整齊清潔，你會很有自信地出門。反面來說，當你髒兮兮、蓬頭垢面地出門，你自己感覺也不好。

　　有一天，維多利亞要我在她準備晚餐時到雜貨店幫她買些材料。那時我才剛健身完，又熱又滿身大汗。我穿著一件舊T恤，頭髮亂七八糟，但我不想換衣服。

　　所以我想：「好吧，我會跑到雜貨店，買了東西就趕快跑出來。希望沒有人會瞄到我。」我駕車到雜貨店，身上仍穿著運動服，我把車停在停車場，正當我要從車裡出來時，上帝就對我說話──就在那裡對我說話！從頭到腳，我非常確定祂說：「你敢這樣代表我？」祂說：「你難道不知道我是萬王之王？」

　　我立即掉頭回家，隨即洗澡、梳頭、刷牙、穿上乾淨的衣服，然後才到商店買維多利亞要的材料！

　　說真的，我們要常提醒自己：我們代表著全能的上帝，而

祂可不喜歡懶散與邋遢。當你去購物中心，不小心把架上的衣服碰到地上，不要假裝沒看到就讓它們躺在地上；一個卓越的人會把它們撿起來並放回原位。當你在雜貨店裡忽然決定不想買手上這包玉米脆片時，別就這樣把它丟在洋芋片旁邊，一個卓越的人會把它歸回原處。

「但約爾，那些商店已經花錢雇了人來做這些事啊，」我聽到有人這麼說。那其實一點關係都沒有，你要做應當做的事，是為上帝而做。

一個卓越的人不會去佔用殘障車位，好讓自己買東西能節省時間、快去快回。卓越的人會多盡一份心做正確的事，不是因為別人在看他們，也不是因為他們必須要這樣做，他們是為了要榮耀上帝。

卓越的人照顧別人的財產就像照顧自己的一樣。如果你在飯店房間裡，別把一杯水放在你知道若打翻了會弄髒桌面的木頭桌上，因為你在自己家裡也不會那麼做。要成為一個卓越的人並尊重別人的所有物。我時常旅行，以前許多時候，當我離開時會任由飯店房間的燈全都開著，空調開到最強，電視開得很大聲。因為我想：「這有什麼關係呢？我已經付了錢，我愛幹嘛就幹嘛！」但心中有個聲音對我說：「約爾，這是不對的，你在家不會浪費電，你應該妥善對待別人的所有物，就像你希望他們也會這樣對待你的財產一樣。」

若犧牲掉正直人格而做微妙的妥協，會讓你遠離上帝最好的部分。

要明白，忽略那些小細節的確不會

讓你被踢出天堂；在多數情況，那甚至不會對你造成困擾或讓你的人生陷入悲慘。但若犧牲掉正直人格而做微妙的妥協，會讓你遠離上帝最好的部分。它們會阻止你攀登頂峰，會攔阻你活出當下最好的人生。上帝悅納爲正確之事多盡一份心的人，即使當時沒有任何人看見。

人們正在看著你

有一天風很大，而我正在一家商店的停車場。當我打開車門，一陣風把車內的幾張紙吹到地上。那幾張紙並不是重要文件，但我也不想亂丟垃圾。每一次我要去撿起它們，風就把它們吹向十五到二十呎以外的不同地方。我想：「現在我可不想一整天都耗在停車場到處追著這些紙跑！」我四處張望了一下停車場，注意到停車場裡本來就已經有許多垃圾。我又正在趕時間，於是我想到了一些爲何我不應該再浪費時間撿這些廢紙的好藉口。我幾乎都要說服自己別再去追這些垃圾了，但最後我決定：「不行，我要做正確的事，要把這些都撿起來。」

我在停車場內到處追著這幾張紙跑。每一次風吹來，這些紙就飛得更遠。我對自己說：「你到底在幹嘛？不要管這些紙了啦！這間商店或許會有掃地機，每天晚上都會來掃！」

但我仍然一直追著這些紙跑，直到我確定已把從車裡飛出來的紙都撿齊了（還有從別人車裡飛出來的紙也是）！我終於把全部都收在一起後，我回到車上，當時我沒發現我車旁的車中坐了一對夫婦。當他們認出我時，他們搖下車窗。我們在那裡交談了幾秒鐘，隨後那位年輕的太太說：「我們正在看你要

怎麼處理從你車上飛出來的那些紙。」

我心想：「感謝上帝，我順服了祢並做了正確的事！」

無論你是否發現，人們都在看著你。

他們在看你怎麼穿著、怎麼整理家務、怎麼對待別人，看你怎麼工作。他們看到了什麼？你是上帝稱職的代表嗎？你追求卓越嗎？還是你在所謂「不重要的事情」上馬馬虎虎？

上帝希望我們成為正直的人、有榮譽感的人，也是值得信任的人。一個正直的人是光明磊落與誠實不欺的，他沒有見不得人之處或是欺瞞的動機。正直的人言行一致，持守承諾。他不需要契約，他的話就已有約束力。正直的人在公眾眼裡與在私下都是一樣，他們不會出門在外仁慈地對待朋友與同事，回到家卻對家人無禮不敬。不，當你心意正直，無論有沒有人在看，你都會做正確的事。

我們的正直每一天都在受到試驗，如果銀行行員多找了你一些錢，你還會保有正直並做正確的事嗎？還是你會走開並說：「感謝主，又賺到了！」

你會裝病請假，好在家忙自己的事嗎？當你不想理會的人打電話來，你是否會叫孩子撒謊並說：「告訴他們我不在」？

「喔，約爾，那只是善意的謊言，」有人這麼說：「那又無傷大雅。」

不，謊言在聖經裡可沒有分等級。在上帝的眼中，沒有所謂善意或惡意的謊言，謊言就是謊言。如果你沒有說實話，那就是不誠實。遲早你夜路走多了會遇到鬼，你會嚐到所種下的後果。

要明白，如果你在小事上說謊，不久後你就會在更大的事

情上撒謊。我們讀到許多大公司因為詐欺與經濟犯罪而垮台，那些人不是一開始就偷盜數百萬美元，他們通常是由幾百元的讓步開始，然後是幾千元。接著當機會一來，他們就因為幾百萬而利慾薰心。別騙自己，如果你在小事上妥協，最終也無法在大事上持守。妥協就像一個向下的滑坡。欺瞞就是欺瞞，無論是一百元、一千元，還是一百萬元都一樣。如果你把公司文具帶回家，那就是不誠實。如果你工作打混，實際做不滿一天，那就是不正直。如果你必須誇大事實才能取得新帳戶，那就是欺騙，上帝是不會祝福的，我們必須在上帝與他人的面前活出誠實。我聽過有人這麼說：「不要做任何你在報紙上會讀到讓你覺得不舒服的事。」

當我去錄影帶出租店，如果我必須把所租的電影藏起來，那就表示其中有不對的事。如果我的信用卡紀錄會被公諸於世，我會不會因為從未準時繳款而覺得不好意思呢？如果我同事在電視上接受訪問，他們會不會說我是個誠實、值得信賴、值得倚靠的人呢？還是他們會說：「那傢伙總會在背後捅你一刀，他很自私自利。」

上帝要我們成為正直與傑出的人，如果你失去正直，將永遠無法發揮潛能。正直是生命真正成功的基石，每一次你退讓、每一次你不誠實，就是在磨損你的基石。如果你一直退讓，那你的基石永遠也無法支撐上帝要為你建造的東西。如果你沒有正直，你也將永不會擁有永續的基業。如果你不選擇高格調的道路與最佳的選擇，也

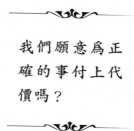

我們願意為正確的事付上代價嗎？

許能享受短暫的成功，卻永遠也無法享受上帝豐盛的恩惠。反過來說，如果我們不犧牲正直、也不會在生活中讓步，上帝的恩惠將會連搖帶按地賜給我們。

當然，我們都希望過著成功富裕的生活，但真正的問題是，我們願意為正確的事情付上代價嗎？因為那並不總是很容易。我們付清了誠實的債嗎？是否光明正大地做生意呢？是否以尊重與榮譽待人呢？我們言行一致嗎？正直與成功是一枚硬幣的兩面，你無法只擇其一，不擇其二。

上帝也許在提醒你要去清清陳年老債了，也許祂要你穩定地準時上班，也許要你做生意時更誠實。開始改正吧，在那些領域中讓你的正直更上一層樓。上帝要我們走出平庸，走進卓越。

聖經說，如果我們在小事上忠心，上帝就會託付我們更多。如果我們在一百元上無法做正直的決定，那上帝怎能信任我們會在一百萬元上作正直的決定呢？然而許多人卻讓小事情攔阻他們更上一層樓。

你也許不認為遲付帳單有什麼大不了；或當你說著「善意的謊言」時，也許你不認為自己對待朋友與對待家人態度兩極是什麼嚴重的事。但如果你不學習通過那些小小的試驗，上帝就不會高舉你。如果你不在小事上學習正直，上帝就不能託付你更多。記住，我們的生命在上帝面前是一本翻開的冊子，祂看見我們的內心，看見我們的動機。上帝不僅看到每一次你盡更多心力去做正確的事，祂也會看到你妥協走捷徑的時候。

我聽過有個人託辭要去他祖母的葬禮而提早離開工作崗位。第二天他上班時，他的老闆進來問他：「你相信死後有生

命嗎？」

　　這名員工很困惑地看著老闆並說：「嗯，這個嘛，我相信有。」

　　老闆又說：「喔，老天，這讓我覺得好多了。」

　　「為什麼？你到底在說什麼？」這位員工問到。

　　老闆說：「是這樣的，昨天你離開去參加你祖母的葬禮之後，她來這裡探訪你。」

　　這樣就是不正直！要光明磊落並誠實不隱瞞。如果你想把孩子從學校接出來看球賽，別在次日寫假條給老師說：「請原諒小約翰必須提早回家，他身體不舒服。」上帝是不會祝福那種事的。

　　「但約爾，他說不定會被找麻煩啊。」

　　我寧願惹惱別人，也不願惹惱上帝，此外，你永遠不會因為選擇高格調的路而失敗。學習聽從你的良心，上帝把良心放在你裡面，好讓你有分辨對錯的準繩。當你犧牲了正直而妥協，你會聽到良心的警鈴大作。別忽略它們，要做你心裡知道是正確的事。

　　此外，一個正直的人言如其行，言行一致。你不應該讓人不斷猜想你心中的真意，要有話直說，據實以告。

　　正直不僅僅是不說謊話，一個正直的人不會欺瞞，也不會以任何方式誤導人。通常要保留事實是很容易的，因為我們想要省略說出會帶來負面衝擊的真相，但這樣就不是在正直中說話。即使很困難，我們仍要光明磊落，誠實不欺。

　　舉例來說，當你想賣掉車子，有一個人帶了支票簿前來。他很高興，因為他很喜歡你這輛車，已經決定要簽下支票了，

他接著看著你並問道：「讓我再問最後一個問題，你這輛車是否曾撞到過？」

就像是電腦硬碟，你的腦袋搜尋著可能的答案。雖然你沒有撞過車，但你的妻子、孩子與岳母大人都在這輛車上發生過意外。於是你開始把答案合理化，想著：「這個嘛……技術上而言，這個人問的是我有沒有撞過車……。」所以，你看著他並微笑：「沒有，我從未撞過車。」

如果你留心聽，會聽到良心的警鈴陣陣作響，如果你是個正直的人，你會說：「不過這輛車曾被撞過。」

一個正直的人會說出完整的真相。

「但約爾，」我聽見你抗議：「這年頭生意哪能這樣做，如果我實話實說，他就不會買這輛車，我就不會成交。」

沒錯，短期內也許你會失去一些交易，但長期而言，你最終會受益。即使那個人不買你賣的東西，但因你以正直應對，上帝將會回報你。祂會差派某人以更高的價錢來買你的車，他會讓你工作升官，祂會讓你用更實惠的價錢買到你想買的新車。朋友，上帝掌管整個宇宙，如果你為了尊榮祂而行在正直中，祂會確保你得著豐盛的賞賜。聖經說：「祂給正直人存留勝利，又要做他們的護衛。」[2]如果你希望上帝保守你、如果你希望上帝為你的生命帶來得勝，你必須下定決心成為一個正直的人。

有位生意人擔心：「如果我實話實說，我會失去一些最好的客戶，也可能會丟掉一些最大的生意。」

「不，」我說：「如果你持續去做正確的事，上帝會為你帶來更大、更好的客戶。當上帝知道祂能託付你，祂在你生命

中所做的將是無可限量的。」

「我知道我工作上有些人會說謊、欺詐，會在背後捅人一刀，」一位在投顧公司上班的年輕人說：「他們根本不覺得這有什麼，事實上，他們根本是踩著我的頭往上爬。」

「別被欺騙了，」我回答道：「有一天他們會自作自受，我向你保證：如果你信守正直，最終會更有成就。你會更快樂、更滿足。上帝會高舉你。當你行在公義中，上帝會爲你留存勝利。當你拒絕在公義上讓步，祂會保守你的道路。如果你與他們一般見識，與他們做同樣的事，也在背後捅別人一刀，或是混水摸魚，也許你認爲你扳回一城，但最終你會自己受苦，最終你才會是輸家。」

力求卓越

我聽過一個故事，是說有個富裕的人，他的朋友是個營造商。這個營造商厄運連連，最近幾乎沒有生意可接。因此這個富人很爲他難過，決定要幫助他。他爲這位營造商設定一個工程，還給他一張三十萬美元的支票，並且說：「我希望你建造一幢房屋，因爲我沒有時間去處裡這些。我將這個計畫全權交給你，讓你來做所有的決定，我信任你。如果你做得好，我保證會給你滿意的工資。」

這個營造商興奮到極點，他終於可以開始賺點錢了，但他想到：「如果我在一些小地方偷工減料，也許可以從這三十萬美元中撈一點油水。」所以，他去採買所能找到最便宜的水泥，用攪拌機加水稀釋，好讓水泥看來更多。他因此省下了四

到五千元，所以他非常高興。他接著又去找了最便宜的木材，有些都已經扭曲變形，但他不在乎。反正那些木材都會被牆擋住，沒有人會發現。他在管線、電路與其他材料上也如法炮製，處處偷工減料，省下材料錢。當房子幾近完工時，他省了將近四萬美元，並把這些錢小心地匯入自己的銀行帳戶。

接著他以電話請這位富裕的朋友來看這間房屋，而這幢房屋也留給這位出資者深刻的印象。因為在表面上，這幢房屋看起來非常漂亮。他怎麼也想不到營造商會偷工減料，在房屋建造的職業道德上已經打了折扣。

當這位營造商看見屋主滿意的表情時，他欣喜若狂。他已經等不及知道他會拿到多少工資，畢竟他知道這位屋主是個慷慨的人。

當這位富裕的人要走出大門時，他眼裡閃爍著光芒對這位營造商說：「你知道我其實並不是很需要這幢房屋。我已經有了一棟華屋，我只是要幫助你。」他把鑰匙交給這個營造商，並說：「我的朋友，在此我把這幢房子送給你，你為自己蓋了一個新家。」

> 不論我們是否發現，我們都在建造自己的房子。

這位營造商差點沒昏倒，他想：「如果我早知道這會是我的房子，我就會把它蓋得好多了！」

真理就是，無論我們有沒有發現，我們都在建造自己的房子。我們也許會偷工減料，但這對別人毫無損傷，只是我們自己受損。那些差勁的決定會侵蝕我們的基石，在未來帶給我們

種種問題。表面上也許每樣東西看來都好極了，但重要的是牆壁後面的東西，門後面的一切。當沒人看到時，我們會怎麼做？我們會因爲缺少正直而稀釋我們的基石嗎？我們會欺詐他人並逃漏稅，或到處偷工減料嗎？我們是用什麼建造自己的房屋呢？

　　這個營造商搬進了自己親手建造的房屋，三個月後，他就發現結構上的問題。六個月之後，牆壁上出現了裂縫，水管又不通。他花了比當初「省下」的四萬多元還要多的錢去應付這些問題，如果他有機會重作，他會寧願好好蓋這間房子。

　　同樣地，如果我們爲了取得好處而在正直上妥協，或是爲了升遷而中傷某人的名譽，我們以爲我們賺到了；但最後那只會帶來問題，我們會自食惡果。我們必須住在自己的房屋中。我無法爲你蓋房子，你也不能幫我蓋。不，我們每個人都必須爲自己的決定負責。我不知道在你關上門後做了什麼，你也不知道我做了什麼，但作爲一個順服的人，我們應該在人前人後都保有相同的品格。我們不會在禮拜天去主日崇拜時擺上一張臉，在出了教會後的其他時刻又是另一種樣子。我們不但必須言行一致，還必須說到做到。

　　你也許在上班時想用公司的電話打私人的長途電話。

　　「喔，儘管去做。」一位同事說：「每個人都這麼做，沒人會發現，沒人會分辨那是公事還是私人電話。」

　　不，一個傑出正直的人會作正確的事，即使在沒有人看到時也一樣。傑出的人做正確的事只因爲那件事是正確的，並非因爲有人逼著他們去做。朋友，在生命中的許多事情上你都可以鑽個漏洞並仍爲社會所接納。你可以在個人道德與公司的正

直品格上妥協；你可以欺瞞他人或是不誠實；你可以說謊、偷盜，在道德上妥協，處處偷工減料。但問題是，你想要達到什麼境界？你想看到多少上帝的恩惠？你要上帝如何使用你？如果你不活出正直，上帝就無法高舉你，也無法祝福你。

幾年以前，我的一個朋友正在換工作，他是公司的執行長，在新公司找到一個領導階層的好職位。他對新工作感到相當興奮，但新工作要三到四個月後才能就任。當他向公司提出辭呈時，公司同意他讓他工作到新工作上任為止。

我朋友是個辛勤工作的人，既勤勉又聰明，總是賣力工作。然而在這最後三個月的期間，當他已經快要離開他的職位，我預期他會推託事情並隨便處理。也許他會上班遲到，也許找時間休假，畢竟他已經不需要給人留下好印象了。

但他剛好相反，他比平常都早到晚走。他甚至還開始一個新的專案，盡全力工作，令我真的印象深刻。有一天我與他聊到這件事，我說：「你比平常還努工作，怎麼會呢？」

他說：「約爾，我本來也預備隨便上班等新工作上任，但有一天我去上班感到懶洋洋的，想要隨便做做，上帝就在我內心對我說話。祂說：『兒啊，如果你不繼續努力工作來榮耀這家公司，你就無法勝任新工作。』當我聽到這些，我知道我要全力以赴。」

我朋友明白誰是他真正的老闆，他不是為了上司或公司工作，他是為上帝而作，不是為人而作。作紀錄的是上帝，獎賞我們的也是上帝，高舉你的也是上帝。我們不應該僅僅因為有人在看，就有高尚的表現；不應該因為上帝在看，就做正確的事。你去做正確的事，因為你是卓越與正直的人。如果你在道

德倫理上犯了錯，就要光明磊落並盡力修正這個錯誤。如果你決心要追求卓越，上帝會帶領你走出泥濘，但如果你不行在正直中，祂就不會幫助你。

　　我父親是個卓越與正直的人。在他二十出頭時，有一次用信用卡買了兩件上衣，但他後來搬了家而因此從未付錢。年復一年過去了，他也忘記了這件事。

　　有一天他在禱告時，看見上帝在他的靈裡拿出了那張還沒付清的帳單，並且提醒他兩件襯衫的事。父親覺得糟透了，他決定盡力彌補這件事。這件事已經過了三到四十年，父親仍然致電那家公司，並試著連絡他當初購買襯衫的地方。那裡已經沒有營業，但父親還是不放棄。他詢問隔壁的公司，看他們是否知道當初那位生意人的名字。他們把名字給他，但他們說：「他幾年以前過世了。」不過父親還是不放棄，他翻遍電話本，打了一通又一通的電話去找這個人的親戚。他最後終於連絡上這個人的兒子，而父親寄給他一張幾千美元的支票，不只是為了那兩件襯衫，也包含了利息。他為何這麼做？因為父親是個傑出正直的人，他以信守承諾來尊榮上帝。

　　當你立志追求卓越與正直，上帝就會獎賞你。當你立志要做正確的事，就是在撒下上帝祝福的種子。你永遠不會因為走高格調的路與多付出一些而犯錯。

　　在我父親蒙主寵召的前幾年，我們決定要重新整修湖木教會的講台。當時，我在電視台的後製部門工作。我是個完美主義者，所以我希望講台整修後要盡可能地美觀。我們花了好幾個月與建築師及設計師討論，在他們完成全部的設計後，我也做出了一個包含每樣東西的模型。在我們真正建造之前，

我希望先用照相機照下來看看。我們要求設計師把這個講台的模型放好,然後我們把父親帶來並爲他測量這個講台的每一個細節。而當講台完工時,我們還花了好幾個星期處理燈光的問題。維多利亞曾經問我:「約爾,爲何你們花了那麼多時間只爲搞定一個小燈,也許那只是一些閃過布幕的顏色而已?」

「因爲我想要一切都做到最好。」我回答。我立志要盡力而爲,我立志要追求卓越。我沒有想到有一天我會站在同一個會堂的講台上。當時我沒有想到,但我其實正在建造自己的房屋。回想起來,我很高興自己盡了更多的心力,我很高興盡了全力做這件事。

你也要立志追求卓越,開始做你心中知道是更好的事。別安於平庸,別只是做應該做的事、只求過關。做一個更盡心、盡力的人,作一個比你應該要做還做得更多的人。記住,你我代表著全能的上帝。讓我們不再過著懶散、平庸、邋遢的生活,讓我們追求更高的層次。如果你立志活出正直與卓越,快樂將只是一個自然而然的附加產品,因爲上帝要獎賞你的,比你最偉大的夢想還要多得多!

第 32 章

活出熱忱

有一位女士在休士頓的購物中心裡，一邊哼著歌，一邊挑了幾件採買的東西，神情愉悅地走到結帳櫃檯。店員注意到了這個幾乎要凌空飛舞的快樂女士，她就盯著這位女士專注地看著，彷彿心裡想著，這人到底出了什麼毛病。最後，店員終於開口問她：「今天好嗎？」

問得好啊！這位熱情的女士立刻脫口回答：「我就等著你問我呢！我好得很。上帝大大賜福予我，我對今天充滿了期待！」

店員愣了一下，然後說道：「等一下，我再問一個問題，你去過湖木教會嗎？」

「對呀，」採買女士說：「你怎麼知道？」

那店員笑著答道：「我早該料到。每個來到這兒像你這樣的人，都是從湖木教會來的。」

當我第一次聽到這個故事時，我笑了出來。然後我想：「嗯！這真是個絕妙的恭維！」就是應該這樣。上帝的子民應該是世界上最快樂的人！所以，高興點吧，別人會注意到的。因為我們不僅有精采的未來，也可以享受今天！這正是當下就活出美好生活的真義。

> 上帝的子民應該是世界上最快樂的人。

活出熱忱

活出當下美好的生活就是活出熱忱，並且熱切期待上帝所賜給你的生命。相信前面有更多美好的事物在等著，同時，也享受此刻的生命。

但是讓我們不要過度天真，現代生活的種種壓力，確實很快就會把我們的熱忱消耗殆盡。你可能就認識一些人，他們已經全然失去熱心。他們對生命失去了熱情，但是，曾幾何時，他們也曾對未來充滿憧憬，對理想興致盎然。但是如今，他們心中的那把火已黯然熄滅。

甚至可能在你自己的生命中，你也看到曾有過的熱忱行將熄滅。也許，曾經你對婚姻有著殷切的盼望，你們深深相愛，浪漫熱情，但是如今你們的婚姻卻了無新意，味同嚼蠟。也或許，你一度對於工作充滿鬥志，很喜歡去上班，但是最近，一切都像例行公事而枯燥乏味。也許，有一段時間，你極其熱心服事主，總是等不及地想衝到教會去。你喜歡讀聖經，禱告，花時間和團契弟兄姊妹在一起；但是這陣子，你開始覺得：

「我不知道怎麼搞的，失去了動力，不再有熱情，只是有口無心地重複著一些動作而已。」

而真相是，人生有很多時候就是例行公事，如果我們不小心，很快就會感覺味同嚼蠟。我們需要振作起來，每天從上帝那裡支取新鮮恩典。就像當初在曠野中的以色列人，必須每早晨出去收集上帝所賜下的嗎哪，我們也一樣，不能將就昨日的供應。我們每天都需要有新鮮的熱忱。

「熱忱」(Enthusiasm)這個詞的字根是由兩個希臘字所組成：en theos，意思就是「被上帝激勵」。我們的生命需要每天被上帝激勵，驅動，並充滿上帝的良善。

下定決心不讓自己有任何一天錯過上帝的喜樂、上帝的愛、平安和熱忱，以及每天對生命的盼望。同時要明白，並不是非得要有特別的事情，你才能對生命有所期待。你或許不是生活在一個特別好的環境，沒有特別好的婚姻，或者特別好的工作，但是你依然可以選擇拿出熱忱去過每一天。

聖經上說：「殷勤不可懶惰，要心裡火熱，常常服事主。」[1]你是否能用這些字句描述目前的景況？你是否心裡火熱？是否靈火焚燒而充滿熱忱？你可以是這樣的！當你一早醒來，你是否帶著熱情迎向今天？你對你的夢想是否充滿盼望？你是否帶著衝勁開始每天的工作？

「呃，但是我實在不太喜歡我現在的工作。」達蓮娜咕噥著抱怨說：「我受不了每天必須一路塞車到公司。我也不喜歡和我共事的人。」

如果這些聽起來很耳熟，你就必須改變態度。你甚至應該感謝自己還能有個工作，要感激上帝所賜給你的機會並且為之

雀躍。無論你處在生命中的哪一個階段，好好利用並且全力以
赴。如果你目前的工作是在家帶孩子，那麼帶著熱情做這件
事。不要每早起床就說：「哼，我的朋友都在外面做有意義的
事情，擔任重要的職務，作好玩有趣的事。而我就只能在家帶
這些小鬼。」

　　母親的工作是世界上少數最重要的工作之一，但是你需要
保持熱忱。可能沒有人隨時在身邊安撫你、鼓勵你；你的日子
可能常常一成不變：要幫孩子換尿布，要餵奶，衣服要洗、要
燙，家事要做，每天都在這些做不完的瑣事中忙進忙出。然
而，這一切平凡無奇的工作，你可以用一個特別的態度去面
對。聖經要我們做任何事都全心全意，「要心裡火熱」。

　　如果你是上班族，不要對雇主「留一手」，不要成天講電
話聊天，浪費他的時間和他的錢。如果你在挖馬路，不要老是
坐在挖土機旁打瞌睡；拿出熱情和幹勁做你的活兒！

　　「可是，他們付的錢太少。我不想替他們賣命。」

　　有這種態度，你就很難得到祝福。上帝希望你全心全意，
一無所留，拿出你的熱忱。要做個好榜樣。

　　我們要充滿喜樂，滿心期待，這樣連其他人都會忍不住想
對我們一探究竟。問問你自己：「我是否活出光彩、活出自
信？我所說的話、所做的事、面對人的態度、做事的方法、危
機的處理等等，會讓其他人想接近我嗎？」換句話說，你的喜
樂、你的友善、你的熱忱，以及你對信仰的態度，是否能吸引
人來認識主？還是你讓人轉身加速逃離，因為你的負面批判、
沮喪灰心、尖酸刻薄和憤世嫉俗？沒有人喜歡和這樣的人在一
起。如果你希望領人歸主，甚至只是單單希望過更好的生活，

那麼就對生命多抱持些熱情和期待。

　　我很喜歡湯姆歷險記(Tom Sawyer)的故事。當他還是個小男孩時，被叫出去油漆圍籬。其實，湯姆壓根兒不想做這苦差事；他想跟朋友出去玩。但是他沒有垂頭喪氣，也沒有無精打采地勉力為之，相反地，他決定用力地做這活兒。他走到外頭，開始努力漆油漆，一副享受在其中的表情。他的朋友們經過，看到他投入的模樣，開始羨慕了起來，他們說：「嘿，湯姆！可不可以讓我們也油漆這道圍籬？」

　　「喔，不行！」湯姆說：「這是我的籬笆，這是我的工程。你們可碰不得！」他煞有其事地說著。我想你知道故事的結局，到了最後，湯姆就坐在後面翹著小二郎腿兒看著朋友做完所有的工作。而這一切單單因為他拿出熱忱去做枯燥的小事。

　　誰知道當我們睜亮期待的雙眼，打開熱忱的心，臉上展現誠摯的微笑，會有什麼事情發生呢？不要再拖拖拉拉地抱怨著不想去割草。帶著你的笑容，踩著春天的步伐，讓一切看起來有趣而令人享受。或許就有人過來幫忙了！就算沒有，至少你的心情好了，然後你的精神就來了，你的工作也可以更快完成。當你活出熱忱，你會驚訝地發現上帝如何傾倒祝福在你身上，經歷得勝的突破。

　　老闆們總是比較喜愛公司裡那些對工作充滿熱情的人。如果你有很好的工作態度並樂在其中，而不是每天都只是抱著得過且過的敷衍心態在辦公室撐過一天又一天，老闆會想幫你加薪或升職的。

　　事實上，研究顯示，那些熱衷工作的人，升遷的機會遠多

於那些能力很強的人。他們能夠升遷，單單因為有著良好的工作態度。

其他人會注意到

現在有幾百個人在湖木教會工作，但是，不管這個人多有才華或者技巧如何精練，如果他對我們的組織毫無認同感，我們就不會錄用。我們不會任用對我們的工作毫無信心的人，更甚者，如果同工不再覺得湖木教會是全世界最棒的工作環境，我們也不鼓勵他繼續留在這裡，我們只想要熱忱的工作夥伴。

我注意到賈琪總是坐在教會最前面的位置有好幾年了，她總是精神奕奕地來主日崇拜，興高采烈地參加教會舉辦的活動。每次看見她，臉上總是露出愉快的神情。我不知道她是誰，但她看起來總是很享受人生的樣子。當我們唱詩歌時，她心被恩感地沉醉其中。當我在傳講信息時，我看著會眾，然後賈琪總是微笑著。時而點點頭，就好像在鼓勵我：「快啊，約爾，告訴我更多。你講得真好。」

當我們的婦女事工部有一個職缺時，我立刻叫道：「快去把那個總是坐在前排的女士找來，再也沒有人比她更能代表我們教會了！」

我們錄用了賈琪，直到如今她仍舊繼續在鼓勵人，帶給人溫暖的啟發。機會之門向她開啟，僅僅因為她的熱忱。她極具信心。當你生活充滿熱情，對夢想充滿期待，其他人會注意到。甚至不是你的上司給你升遷，而是其他人主動給你一個你作夢都想不到的好職位。你會在一路上遇到各種好處和機會，

僅僅因為你做每件事情都帶著熱忱，全心全意。

我對一位在休士頓加樂利亞區指揮交通的交通警察很著迷，他在一個交通最繁忙的路口指揮交通。在尖峰時段，塞車情形常常嚴重到要花上十到十五分鐘才過得了一個號誌燈。看看車上的人，每個都是極其不耐煩的表情。可是，當車子終於開到了路口，他們的態度整個改變了。

這個警察不只是在指揮交通，他簡直在作街頭表演！他是如此的賣力，光是看著他，就是一種享受。看得出來他真的很喜歡這份工作，他的手勢誇張地揮動著，就像是專業的舞者，帶有完美的節奏及韻律，而他的腳同樣在路口跳著步舞。他在指揮交通的同時，也在跳著月球漫步舞。

> 不要草草走過人生，要帶著熱情。

最有趣的是，很多車子在排了十五分鐘的車龍，終於過了紅綠燈後，竟然將車泊進附近的停車場，只為了好好欣賞這位交通警察的精采演出。他散發出強烈的熱情。他並非只是出現，然後敷衍了事地草草做完工作。不，他帶著熱情完成他的使命。

我們就是要這樣做。不要草草走過人生，要帶著熱情。選擇快樂，活出卓越與純全，踏出春天的快意步伐！只要你願意，臉上帶著微笑，來一段月球漫步舞都行！讓全世界都知道你正在享受上帝所賜的豐富恩典。

朋友，如果你希望得見上帝的恩典，就全心全意地去做每一件事，並要用一顆火熱的心去做。不僅你自己會心情更好，身邊周遭的人也都會感染到你的熱情。

　　你希望你的生命帶出影響力嗎？只要一點熱忱，你的家、你辦公室的氣氛就可以全然改變。不要又毫無朝氣地過了一天，振作起來；點燃你的熱情。

　　在新約聖經，保羅鼓勵他的年輕同工：「煽動火焰，把那將熄的餘火重新點燃，讓它挑旺你裡面的恩賜。」[2]保羅在提醒後進活出熱忱，全力以赴，不要妥協於平庸。

　　你可能在一群傾向作負面思考的人當中生活或工作，他們常常把你拖下來，不要讓他們的冷言冷語澆熄你的熱忱。如果你與一個了無生氣的配偶同住，不要被影響，儘管快樂而熱情地活著。

　　如果和你共事的人總是悲觀消極，試著用積極而正面的態度去勝過他的負面情緒。用力地煽動你的熱情，讓這火焰不致熄滅。

　　當每個人都低落下沉，而你身邊沒有人可以鼓勵你時，就鼓勵自己。你的態度應該是：「不管別人做了什麼，或者什麼也不做，我就是要熱情地活出我的生命！我要點燃熊熊火焰！我要熾熱發光！我要看著我的夢想大大地實現！」

　　有些人看了我的電視節目，會寫信告訴我：「約爾，為什麼你總是笑個不停？為什麼你總是那麼快樂？為什麼你總是熱情如火？」

　　「我很高興你問了！」我回答，因為這開啟了一扇門，好讓我分享與上帝的關係，也讓他們知道如何與上帝建立關係。

　　有人在紐約市街頭把我攔下來說：「嘿，你不就是那個愛笑的牧師嗎？」

　　我笑著回答：「我猜是吧，那就是我。我就是那個愛笑的

牧師！」我把它當作是恭維。是的，我太快樂了！我對未來極
為期待！不好意思，我實在對每一天的生活太熱切了。

上帝已為你預備了許多美好事

在讀這本書之前，你可能意志消沉了一段時日；或許你正
打算放棄夢想，不再對身邊的人或手上的工作雀躍。但是，你
現在知道的更多了。現在，你知道上帝已為你預備了許多美好
的事。現在，是時候重新點燃你的熱情，拾回你的理想，開始
一個嶄新、積極而快樂的態度。

「我知道了，約爾。但是我過去一年糟透了，我好失望，
我已經失去了太多東西。」

也許吧，但是，你有沒有想過，若不是上帝，你可能已失
去所有，甚至今日已無法站立在此。為何不以一顆感恩的心看
待你所有的？不要再去看哪裡做錯了，要為那些做對了的感謝
上帝。開始去期待上帝的恩典，期待祂的祝福，期待每一個今
天。

今天可能是翻轉的日子；今天可能是你得神蹟的日子，可
能是你遇見夢中情人的日子；今天可能是你的孩子回家的日
子。這就是你保持熱忱的方法，即使在艱困的時刻，仍要期待
美好事。要讓自己充滿盼望！

「可是，如果我這樣做，卻什麼也沒發生呢？」我聽到你
在說：「這樣我又將帶著一身的失望上床睡覺。」

不，你可以在睡前這樣說：「上帝啊，即使今天什麼也沒
發生，我仍然信靠祢。我依舊相信有好事在等著我，我仍舊雀

躍，因爲知道我離奇蹟更近一天了；我離翻轉的日子更近一天了；我離突破的日子更近一天了。」

這就是活出完全的熱情，是在熱切地期待夢想即將實現。讓火焰不斷燃燒，無論你做什麼，總是火熱地去做。

聖經說：「你們若甘心聽從，必吃地上的美物。」[3]注意，我們不單單只是聽從，我們乃是甘心的，是甘心地去做對的事、甘心地活出正確的態度，活出熱忱。

看教會收奉獻是一件很有意思的事。有些人會奉獻，但是心不甘情不願。他們的態度是：「拿去吧，上帝。這是我欠祢的錢。這裡是幾百元美金，如果我有這些錢，我早就可以買一輛新的貨車了。」

技術上來說，他們眞的順服地奉獻了，但上帝所希望的並不單單只是順從，祂看的是一顆願意的心。聖經說：「上帝喜愛捐得樂意的人（另一個翻譯是「熱忱的給予者」）。」[4]這裡所指的不僅僅是奉獻金錢。我們也應該樂意捐出時間，樂意去服事人、去幫助我們身邊的人。

我並不喜歡人們爲我做事時，單單出於義務和職責，或他們心裡這樣覺得。想想看，如果我生日那天，我的小孩跑來對我說：「爸，這就是你的禮物。我們已經花了所有的錢買下這個禮物，所以如果你喜歡，你可以拿去。」

即使我十分疼愛孩子，我聽了可能還是會說：「不用了，沒關係。你們可以保有這個禮物。」

若是維多利亞跑來對我說：「約爾，我們趕快抱一下吧，快讓我給你一個擁抱。好了，我今天的工作做完了。」

不是的，我們都希望愛我們的人是出於一顆樂意的心，他

們欣然地喜歡與我們同在。上帝也是這樣，祂不希望我們順從祂僅僅出於尊敬或者敬畏；祂希望我們愛祂，就當祂是我們天上的父親，祂希望我們做對的事，是出於甘心樂意。

> 學習更加順服，學習欣然願意。

祂看的是你的心。當你禱告時，用一個欣然的態度禱告。當你去參加主日崇拜，或者參與社區服事的工作，要帶著一個熱切期待的心情。不要出於義務，或只是因為你覺得必須這麼做。不，要為了討上帝喜悅而做，是帶著熱忱去做。學習更加順服，學習欣然願意。養成習慣帶著動力去做每一件事，這些都要出於正確的心態、出於感恩的心。

有一個讓我們失去熱忱的原因是，我們不懂得感恩。我們將上帝為我們做的一切事都視作理所當然，讓那曾經是奇蹟的事情變得再普通不過，並且習慣了上帝的良善，然後一切就變成例行公事，以致一切不再讓我們興奮而期待。我曾聽人說：「不要讓你的奇蹟變成古蹟。」這古蹟就是一個石碑或木匾，用來提醒人們這裡曾有過的豐功偉業。

也許你曾對上帝所賜給你的房子滿心喜悅，但是，現在你已經習慣而麻木了，你忘了曾經何等感恩，也不再雀躍欣喜，它已成一則過期新聞了。

也許你曾經對上帝特別帶進你生命中的婚姻伴侶滿心喜悅，但是現在所有的新鮮感都過去了。不要讓這種奇蹟的感覺溜走，不要因為熟悉了而把對方視為理所當然。

在我和維多利亞約會的第一年，我們每天都像是漫步在雲

端般地甜蜜浪漫。我們常常笑著，快樂極了。我們不需要刻意安排昂貴的燭光晚餐或活動，只要做一些平常做的事情，就開心不已。我們墜入愛河，期待一同去做每一件事。

有一次我提早去接她下班，所以有多出一些時間可以到處逛逛。當我們開上高速公路時，維多利亞說：「約爾，我們去看看那棟新的辦公大樓好不好，聽說那裡的大廳超級華麗。」

如果是現在，我通常會想：「我幹嘛去什麼辦公大樓，看什麼大廳啊？我隨便都可以想到比這個更有趣的事！」

但是沒有，我正和維多利亞在一起呢。只要她在，去哪兒都沒關係。只要我們在一起，就是去看一座發電廠，我都願意！

如果你已結婚，可能也會有相同的感覺。你完全心醉於眼前的這個人，知道是上帝讓你們兩個人在一起。

但是太多時候，隨著時間的拉長，我們對於上帝為我們做的事情開始麻木不仁。我們早上起來就說：「嗯，這就是我丈夫（或妻子），沒什麼大不了的。不好意思，親愛的，我今天沒時間給你擁抱了，我在趕時間。我今天晚上也不能陪你了，不然我會錯過我最愛的連續劇（或是球賽）。」曾經我們視為奇蹟的浪漫結合，如今只是再普通不過的枕邊人。我們冷淡了；一切是那麼理所當然。

好消息是，愛火可以重新點燃。重新點燃在你的婚姻、你的工作中、你的人際關係裡，以及在你的生命中！如果你開始去實踐你在本書所學到的，你的熱切期待就會回來。點燃火苗，不要讓你的生命只是理所當然，別將那最美好的賞賜——上帝自己——視為理所當然！

　　不要讓你與上帝之間的關係變得索然無味，或者你的感謝與讚美只是一項例行公事。點燃復興的靈火，讓它熊熊發旺。活出熱忱，無論做什麼事，都要為祂而做，且全心全意。

　　朋友，上帝不希望你在挫折失意中度過此生。不論你現在正經歷什麼，無論你曾犯下什麼過錯，縱然你的情況看起來毫無希望，好消息是，上帝要翻轉這一切，祂要恢復你被偷走的一切。祂希望恢復你的婚姻、恢復你的工作、恢復那個破碎的夢、恢復你的喜樂，並給你真正的平安和福樂，是你從未曾經歷過的。最重要的是，上帝要恢復與你的關係。祂希望你過一個富足的人生。

　　上帝不希望你只是在讀完這本書的幾天內覺得好過一點。不，上帝要做的乃是長久的全然復原。祂希望你的生命充滿喜樂，福杯滿溢。上帝不希望你只是剛好維持住婚姻；祂希望恢復那恩愛、健康而富足的關係。上帝不希望你的事業在一片不景氣中，只能勉強存活，不，祂要你大展鴻圖，揚帆再起。當上帝復興時，祂總是帶來更好、更多的、更先進的，且是十倍、百倍的。祂對你的生命有一個全然得勝的願景！

　　抓住這個好消息，擴展上帝所賜給你的得勝願景。開始去期待事情會為你而改變，大膽地宣告：你要堅定地站立著抵擋一切黑暗權勢，你絕不妥協去過一個普通而平淡的人生！

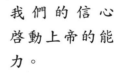

我們的信心啟動上帝的能力。

　　提升你的期望層次。我們的信心啟動上帝的能力。不要再用狹隘的思想去限制上帝，開始相信祂會做更大、更好的事。

記住，當你順服上帝，並帶著一顆願意與信靠的心，你就會得著一個最好的生命，而且好還會再更好！下定決心從今天起，你會開始去期待上帝爲你預備的生命，如果你能：

- 擴大你的視界；
- 培養健康的自我形象；
- 發現話語及思想所蘊藏的能力；
- 讓過去成爲過去；
- 從困境中找到力量；
- 爲了施予而活；
- 選擇快樂。

　　上帝將帶你進入一個你從未想過的美好境界，而你現在就要活出美好的生活！

註　釋

第1章　擴大你的視界
1.以弗所書二章7節
2.馬太福音九章17節
3.以賽亞書四十三章19節
4.馬可福音九章23節

第2章　提高你的期待層次
1.歌羅西書三章2節
2.希伯來書十一章1節
3.馬太福音九章29節
4.箴言十三章20節

第4章　破除來自過去的限制
1.參閱哥林多後書十章4節
2.申命記一章6節
3.以賽亞書六十一章7節
4.以賽亞書五十四章2節

第5章　在恩惠中前行
1.參閱詩篇八篇5節
2.羅馬書八章28節

第6章　感恩的心
1.撒母耳記上十三章14節；
　使徒行傳十三章22節

2.詩篇廿三篇6節
3.創世記六章8節
4.參閱路得記二章10節
5.參閱創世記卅九章5、21、23節
6.參閱約伯記十章12節
7.參閱彼得前書一章13節

第7章　你認為你是誰
1.參閱創世記一章26-27節；
　詩篇八篇4-5節
2.士師記六章12節
3.士師記六章15節
4.參閱哥林多後書十二章9-10節

第8章　明白自己的價值
1.參閱以弗所書二章10節
2.參閱哥林多後書三章18節
3.參閱箴言四章18節
4.詩篇四十篇2-3節

第9章　成為你所相信的
1.故事摘錄自Denis Waitley所著的Empires
　of the Mind (New York: William Morrow,
　1995), 126.
2.馬太福音九章28節

3. 參閱馬太福音九章29-30節

4. 參閱羅馬書八章28節

5. 創世記十二章2節

6. 以賽亞書六十一章7節

7. 腓立比書一章6節

8. 詩篇卅四篇19節

9. 參閱以弗所書六章13節

10. 希伯來書十一章1節

11. 約翰福音十章10節

12. 路加福音十八章27節

13. 參閱以賽亞書五十五章8節

第10章 建立富足的心態

1. 參閱羅馬書八章37節 (NKJV)

第11章 樂於作自己

1. 參閱加拉太書六章4節 (NKJV)

第12章 選擇正確的思想

1. 希伯來文的「仇敵」(adversary) 一詞是指撒但，意思是「一個人與另一個人為敵」。在聖經裡，這詞通常用於指一個有能力、彷彿天使的生物，牠擺明了與上帝和人類為敵。儘管撒但有極大的能力，卻無法與上帝匹敵。

2. 我並未貶抑真正因身體或心理疾病引起的憂鬱症之緣由或影響，然而，現在有許多人認為自己得了憂鬱症，純粹是因為遇到生活上的問題或障礙。然而以最真實的感覺來說，這不叫憂鬱症。

3. 以賽亞書四十章31節

4. 約翰福音十六章33節

5. 以弗所書四章22-24節

6. 箴言廿三章7節

7. 歌羅西書三章2節

8. 腓立比書四章8節

9. 羅馬書十二章1-2節

10. 哥林多後書十章5節

第13章 重新設定你心靈的電腦

1. 參閱申命記三十章19節

2. 以賽亞書廿六章3節

3. 歷代志下二十章17節

4. 箴言十六章7節

5. 參閱希伯來書十二章3節

第14章 你話語中的能力

1. 參閱雅各書三章4-5節

2. 箴言十八章21節

3. 參閱馬可福音十一章23節

4. 參閱約珥書三章10節

5. 撒母耳記上十七章43-47節

6. 參閱約翰一書四章4節

7. 參閱以賽亞書五十四章17節

第15章 說出改變生命的話語

1. 參閱箴言六章2節

2. 羅馬書十章10節

3. 參閱箴言二章6-9節 (TLB)

第16章 說出祝福的話語

1. 參閱創世記廿七章

2. 創世記廿七章28-29節

第17章 放開情緒的創傷

1. 約翰福音五章6節
2. 參閱撒母耳記下十二章

第18章 不要讓苦毒生根

1. 希伯來書十二章15節
2. 馬太福音十五章19-20節
3. 參閱詩篇一三九篇23節(TLB)
4. 參閱馬太福音六章14-15節

第19章 讓上帝將公義帶入你的生命

1. 參閱以賽亞書六十一章7-9節
2. 參閱希伯來書十章30節
3. 羅馬書十二章19節
4. 加拉太書六章9節

第20章 勝過失望

1. 申命記廿九章29節
2. 彼得後書三章9節
3. 參閱創世記五十章20節
4. 參閱馬太福音六章34節
5. 撒母耳記上十六章1節
6. 以賽亞書五十五章9節
7. 美國慈惠事工是我們極為推崇的一個基督教機構。這機構為有困難的年輕男女和未婚媽媽提供免費的住所，這些年輕人的年齡層在十三歲到廿八歲之間，他們必須願意至少用六個月的時間致力於處理生活節制的問題，例如未婚懷孕、吸毒、酗酒以及飲食性疾患之類的問題。如欲知更進一步詳情，請逕洽下列地址：

Mercy Ministries of America
P.O. Box 111060, Nashville,
TN 37222-1060 USA
或上網查詢：mercyminisries.org

8. 腓立比書三章13-14節

第21章 在心中重新站立

1. 以弗所書六章13節
2. 參閱希伯來書十章35節
3. 撒母耳記上三十章6節
4. 使徒行傳十六章25節
5. 參閱使徒行傳十六章26節
6. 參閱詩篇五十一篇10節（擴大版）

第22章 相信上帝的時間

1. 哈巴谷書二章3節
2. 詩篇卅一篇14-15節

第23章 試煉的目的

1. 彼得前書四章12節
2. 參閱以弗所書二章10節(NKJV)
3. 參閱以賽亞書六十四章8節
4. 腓立比書二章12節
5. 參閱彼得前書一章6-7節(TLB)
6. 參閱羅馬書八章28節

第25章 施比受更喜樂

1. 希伯來書三章13節
2. 參閱以賽亞書五十八章6-8節
3. 創世記十二章2節
4. 參閱箴言十九章17節(TLB)
5. 馬太福音廿五章40節

第26章 表現上帝的慈愛與憐憫
1.帖撒羅尼迦前書五章15節
2.彼得前書四章8節
3.參閱哥林多前書十三章

第27章 敞開憐憫的胸懷
1.參閱約翰一書三章17節
2.參閱約翰二書6節

第28章 播種在先
1.加拉太書六章7節
2.創世記廿六章12節
3.參閱詩篇卅七篇1-3節
4.箴言十一章24-25節
5.路加福音六章38節
6.哥林多後書九章6節
7.參閱彌迦書三章10-12節
8.箴言三章6節

第29章 撒種與灌溉
1.參閱哥林多後書八章2節
2.參閱哥林多後書八章2節
3.參閱傳道書十一章1-2節(TLB)
4.路加福音六章38節
5.參閱使徒行傳十章2節
6.使徒行傳十章4節
7.參閱哥林多後書九章8節

第30章 快樂是一個選擇
1.參閱雅各書四章14節
2.詩篇一一八篇24節

3.腓立比書四章13節
4.腓立比書四章4節
5.尼希米記八章10節
6.參閱腓立比書四章11節
7.參閱腓立比書四章11節（擴大版）
8.詩篇卅七篇23節
9.參閱箴言二十章24節

第31章 成為卓越與正直的人
1.參閱歌羅西書三章23節
2.參閱箴言二章7節

第32章 活出熱忱
1.羅馬書十二章11節
2.參閱提摩太後書一章6節
3.以賽亞書一章19節
4.參閱哥林多後書九章7節

盼望收到你的回響

　　我每個星期在國際性的電視節目結束前，都會給觀眾一個機會邀請耶穌做他們生命的主。在此我也要給讀者同樣的機會。

　　你對上帝的感覺還好嗎？每一個人心裡面都有一個空處是上帝才可以填補的。我不是在說要加入教會或尋找宗教，我的意思是說要找到生命、平安與快樂。你今天願意和我一起禱告嗎？只要說：「主耶穌，我為自己的罪悔改。我請祢進到我的心中，讓祢作我的主和救主。」

　　朋友，如果你作了上面的禱告，我相信你就「重生」了。我鼓勵你加入一個好的、以聖經為根基的教會，並把上帝放在生活中的首位。如欲更進一步認識這信仰，請與我們聯絡。

　　我與維多利亞都愛你，我們會為你禱告。我們相信上帝要賜給你最好的，你將看見夢想實現。我們盼望收到你的回響！

　　如欲來信，請逕寄下列地址：

Joel and Victoria Osteen

P.O. Box 4600

Houston, TX 77210 USA

或上網與我們連絡：www. joelosteen.com

活出美好

原　　　著/約爾‧歐斯汀

譯　　　者/林素聿、程珮然

發 行 人/沈香芸

封面設計/黃聖文

出 版 者/保羅文化出版社

地　　　址/台北市10356重慶北路二段67號6樓之1

電　　　話/（02）2556-5659

傳　　　眞/（02）2556-8659

電子信箱/paulpc01@ms79.hinet.net

劃撥帳號/19814300 保羅文化出版社

版權所有‧翻印必究

出版日期/2005年8月第二版第一次印行

再版年度　15　14　13　12　11　10　09　08　07　06

再版刷次　20　19　18　17　16　15　14　13　12　11　10　09　08　07　06

國家圖書館出版品預行編目資料

活出美好/約爾‧歐斯汀(Joel Osteen)著，
林素聿，程珮然譯.—第二版.—台北市；
保羅文化，2005[民94]
　面；　公分
譯自：Your Best Life Now: 7 Steps to living
at your full potential
　ISBN 986-81489-0-1　〈精裝〉

1.基督徒　2.自我實現（心理學）3.成功法

244.9　　　　　　　　　　　　　　94014157

本書如有缺頁、破損、裝訂錯誤，請寄回本社調換。